Дар крыльев

Ричард Бах

Дар крыльев

"СОФИЯ"
ИД «ГЕЛИОС»
2001

УДК 820(73)–31/32
ББК 84.7СП06-44
Б30

Б30 **Бах, Ричард. Дар крыльев. Рассказы.**
Перев. с англ. — К.: «София», Ltd., 2001. — 352 с.

ISBN 5-220-00148-5 («София»)
ISBN 5-334-00016-2 («Гелиос»)

Мы подходили все ближе и ближе.

Мы видели вершину — прозрачное сверкание льдов под жемчужно-серебристым золотом текучего солнца в бескрайности заоблачной синевы.

Мы видели склоны — скалы, леса и луга, грозы и ливни, радуги и ветры, мы слышали журчание рек и голоса птиц.

Теперь настало время заглянуть в глубины, увидеть самое сердце, самую основу взметнувшегося в немыслимые высоты величественного пика. Возможно, там нет размаха и филигранной изысканности линий, свойственных вершине, нет разнообразия красок и звуков, встреченного нами на склонах. Однако именно в недрах находят алмазы.

Таковы рассказы и очерки Ричарда Баха — драгоценная россыпь простого понимания и самой элементарной любви, лежащая в основе величественной пирамиды творчества писателя, которая уходит вершиной своей в обитель высочайшего познания Истины — сущности и сердцевины бытия Мироздания.

Originally published by arrangement with Alternate Futures Inc., c/o Richard Bach and Leslie Parrish–Bach, William Morrow and Co., 1350 Avenue of the Americas, New York, NY10019 USA

ISBN 5-220-00148-5 («София»)
ISBN 5-334-00016-2 («Гелиос»)

СОДЕРЖАНИЕ

Небо везде

Имелось в виду, что я должен написать об этом человеке статью, а вовсе не прикончить его, превратив в холодный труп. Но мне почему-то никак не удавалось заставить его в это поверить — редчайший случай встречи с испуганным до патологического состояния существом. Я стоял перед ним в полной беспомощности, и все мои попытки что-либо ему втолковать выглядели так, словно я говорил на древнем языке урду. Я был обескуражен тем, насколько, оказывается, слова могут в отдельных случаях быть лишенными смысла и не производить на человека ровным счетом никакого впечатления. Человек, которому надлежало стать центральной фигурой повествования, заявил мне прямо, что видит меня насквозь, что я есть шут гороховый, деревенщина, неблагодарный хам и еще целая банда сомнительных личностей, скрывающихся под потертой кожей моей летной куртки.

Возможно, несколькими годами раньше я в качестве эксперимента и прибегнул бы к насильственным методам установления контакта, но на этот раз предпочел просто развернуться и уйти. Я вышел в дивный воздух южной ночи и побрел вдоль берега моря, освещенного мягким светом луны, — статья должна была быть о том человеке и его курортном рае.

Две волны обрушились на темный пляж и рассыпались мерцающим зеленовато-белым фосфором, прогрохотав мягкими раскатами далекого салюта. Я следил за соленым откатом океана, с нежным шипением медленно скользившего по песку. Я прогуливался, наверное, полчаса, пытаясь понять того человека и причину возникновения его страхов, но в конце концов оставил это занятие как бесперспективное. И только тогда, оторвав взгляд от земли, я посмотрел вверх.

И там — над фешенебельным курортом и над морем, над рассеянными взглядами ночных посетителей гостиничных баров, надо мной и над моими мелкими проблемами — было небо.

Я замедлил шаги, а потом и вовсе остановился, прямо там, на песке. За горизонтом на севере начиналось небо, оно восходило из-за края земли и скатывалось куда-то в глубины западного океана, скрываясь за горизонтом на юге. Исполненное покоя и абсолютно неподвижное.

Под ломтиком луны проплывали высокие перистые облака, осторожно несомые едва-едва заметным ветерком. И я заметил в ту ночь то, чего не замечал никогда раньше.

Небо движется, оно течет постоянно, но никогда не истекает.

И что бы ни случилось, небо всегда с нами.

Небо не подвержено беспокойству и заботам. Мои проблемы для него не существуют, никогда не существовали и никогда не будут существовать.

Непонимание не свойственно небу.

Равно как несвойственна ему и склонность судить.

Оно просто есть.

Оно есть, независимо от того, желаем мы признать это как факт или же предпочитаем похоронить себя заживо под тысячемильной толщей земли. Или еще глубже — под непроницаемой крышей тупой рутины и бездумных распорядков.

Спустя год я зачем-то ездил в Нью-Йорк. Дела не клеились, весь мой актив равнялся двадцати шести центам, ужасно хотелось есть и меньше всего — находиться там, где я находился — в тюрьме предзакатных улиц Манхэттена с их забранными железными решетками окнами и множеством запоров на каждой двери. Но случилось так, что я сделал то, чего в Манхэттене, конечно, никто обычно не делает. Как в ту ночь у моря, я взглянул вверх. И там — над ущельями Мэдисон-авеню, и Лексингтон-авеню, и Парк-авеню — было небо. Невозмутимое. Неизменное. Теплое и приветливое, как родной дом.

— Интересно, — подумал я, — как бы путано и неудачно ни складывалась жизнь летчика, какие бы разочарования на него ни обрушивались, у него всегда остается дом, и этот дом неизменно готов его принять. В каждый миг жизни в запасе у летчика остается радость возвращения в небо — когда можно взглянуть вниз и вверх на облака и сказать себе:

— Я вернулся домой!

Ибо слова эти всегда живут у него внутри.

— Блеф, пустые слова, — скажет тот, кто прикован к земле, — спустись на землю, взгляни на вещи трезво.

Но в моменты безнадежного отчаяния — как тогда на пляже и в этот раз — в Манхэттене — небо возвращает мне свободу. Я поднимаюсь над раздражением и досадой, над злобой и страхом, и я чувствую:

— Эй, а ведь мне все равно! Я счастлив!

Достаточно просто взглянуть в небо.

Так случается, наверное, потому, что летчик — не просто человек, совершающий дальние путешествия. Возможно, дело в том, что он может ощущать себя счастливым, только находясь дома. А дома он лишь тогда, когда имеет возможность каким-то образом соприкоснуться с небом.

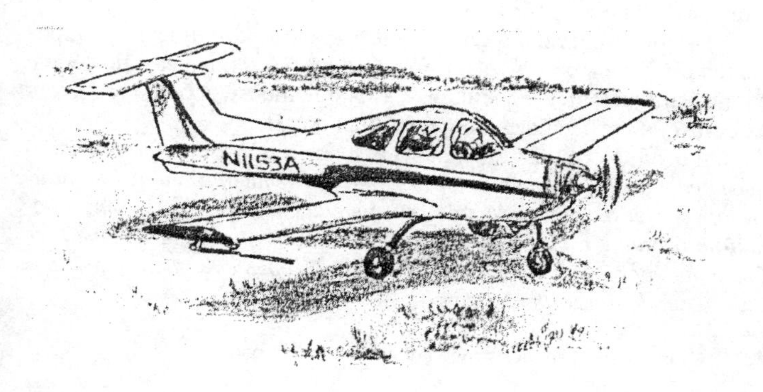

Люди, которые летают

Все девятьсот миль я слушал человека, сидевшего в соседнем кресле самолета, следовавшего рейсом номер 224 из Сан-Франциско в Денвер.

— Как получилось, что я стал торговым агентом? — говорил он. — Я пошел служить во флот, когда мне было семнадцать, в середине войны...

И он исчез — он был там — высадка на Иводзиме — десантные корабли — переброска войск и техники под огнем противника — множество случаев, подробности того далекого времени, в котором этот человек был живым.

А потом в течение пяти секунд он разом словно отчитался передо мной за все те годы, что прошли после войны.

— ...Ну а в сорок пятом я нашел работу в этой компании. Так с тех самых пор и работаю.

Мы приземлились в Стэплтоне*. Полет окончился. Я попрощался с торговым агентом, и мы пошли — каждый сам по себе в толпе, заполнявшей терминал, — и, конечно же, я больше никогда с ним не встречался. Но я не забыл о нем.

Он столько раз в самых разных словах повторил: *единственным кусочком его настоящей жизни, единственными настоящими друзьями и настоящими приключениями, всем тем, что достойно памяти и того, чтобы быть пережитым еще и еще раз, были те несколько вырванных из потока времени часов в море, в самой середине мировой войны...*

---

* Стэплтон — аэропорт города Денвер, штат Колорадо.

Потом были дни — они уводили меня все дальше и дальше от Денвера. На легких самолетах — в летние странствия летчиков-спортсменов по стране. И я часто вспоминал о том торговом агенте, задавая себе вопрос:

— А что помню я? К каким временам с настоящими друзьями и настоящими приключениями в настоящей жизни мне хотелось бы возвратиться, снова их пережив?

И я начал тщательнее, чем обычно, прислушиваться к словам тех, кто меня окружал. Сидя с летчиками, кучками собиравшимися на ночной траве под крыльями множества самолетов, стоя без дела — просто так, чтобы поболтать, — прогуливаясь с ними солнечным утром вдоль рядов ярко раскрашенных антикварных, самодельных и спортивных самолетов на выставке перед началом авиа-шоу.

— Подозреваю, что летать нас заставляет то же самое, что гонит моряка в море, — услышал я как-то. — Некоторым никогда не понять — зачем. И мы не умеем объяснить. Если они захотят открыть свое сердце, мы сможем показать, но *рассказать* — никогда.

Это правда. Спросите у меня:

— Зачем тебе летать? — и я вряд ли смогу найти ответ.

Я просто вынужден буду взять вас с собой в аэропорт — субботним утром где-то в конце августа. Яркое солнце и бегущие по небу облака, шуршит прохладный ветерок, прикасаясь к точеным радужным силуэтам аккуратно расставленных на сочной траве самолетов. В воздухе — свежий запах металла и обшивочной ткани, шелестя пыхтит моторчик — раскручивает колесико крохотной ветряной мельницы — пропеллер самолета, приближая мгновение полной готовности к взлету.

Подойдем и на минутку приглядимся к некоторым из собравшихся. Их выбор — владеть этими машинами и на них летать. Возможно, вам удастся рассмотреть, кто они такие и зачем им летать. И вы увидите в них то, что делает их чуточку не такими, как все прочие живущие в этом мире.

Вот пилот ВВС. Он забавляется серебристой торпедой своего легкого самолетика в свободное от работы время — когда безмолвствует его восьмимоторный тяжелый бомбардировщик.

— Наверное, я попросту влюблен в полет. И предмет моей особой любви — фантастическое согласие человека с машиной. Впрочем, не любого — пусть я покажусь романтиком, но некая исключительность все же существует, — а только того, чья жизнь — полет и для которого небо — не работа и не развлечение, а *дом*.

Вот еще двое — один из них критическим оком следит за тем, как жена его на своем собственном аэроплане отрабатывает посадку на полосу с грунтовым покрытием. Прислушаемся к их беседе:

— Я, знаешь ли, иногда наблюдаю за ней, когда она думает, что я уже ушел. Она целует капот двигателя, прежде чем запереть ангар на ночь.

Пилот гражданских авиалиний — обмакнув тоненькую кисточку в бутылочку с лаком, он аккуратно касается ею поверхности крыла своей спортивной самоделки:

— Зачем? Все очень просто. Когда между мной и землей нет прослойки воздуха, я не могу почувствовать себя счастливым.

Через час мы беседуем с молодой женщиной. Она только что узнала, что ее старенький биплан сгорел: в ангаре случился пожар.

— Вряд ли человек может не измениться, единожды увидев мир в обрамлении крыльев биплана. Если бы год назад мне сообщили, что я буду плакать по какому-то там самолету, я бы только посмеялась. А теперь... Я ведь самым настоящим образом влюбилась в свою развалюху...

Вы заметили? Отвечая на вопрос о том, зачем они летают, и рассказывая о своем самолете, никто из них ни единым словом не упомянул ни о путешествиях, ни об экономии времени. Ни о том, каким подспорьем может стать самолет в бизнесе. И нам становится ясно — все это не так уж важно, во всяком случае, совсем другое заставляет людей подниматься в воздух. Когда мы знакомимся с ними поближе, они рассказывают о дружбе и о радости, о красоте и любви, о настоящей жизни — единственно подлинной — там, наедине с дождями и ветром. Спросите, что им запомнилось больше всего — и ни один из них не отделается двумя-тремя словами о последних двадцати трех годах своей жизни. Ни один.

— Запомнилось? Ну, вот первое, что на ум пришло... двигаем это мы с Шелби Хиксом — звеном, он — ведущий, а у него здоровенный такой биплан — *Стирмэн* — в направлении на Каунсил Блаффс... В прошлом месяце это было. Да, так вот, Шелби ведет машину, а Смитти у него — за штурмана, в передней кабине. Ну а Смитти — сам знаешь, как у него все это делается — аккуратненько, все расстояния, все углы чтобы выдерживались с идеальной точностью, и тут — бац! — ветер вырывает у него из рук карту — этакий большущий зеленый мотылек на скорости в девяносто миль в час выпорхнул из кабины, а Смитти рванулся, чтобы ее ухватить, но не дотянулся, выражение физиономии — это нужно было видеть! Шелби сперва даже как бы испугался, а потом как рассмеется! Я сбоку и чуть-чуть сзади летел, но даже оттуда видел — у него слезы от хохота буквально брызнули из глаз. Так что все очки залило! Смитти на него разозлился, но через минуту тоже расхохотался, ткнул пальцем в мою сторону и показывает:

— Теперь ты — ведущий!

Вся картинка живо стояла перед глазами, потому что это было занятно и весело, и все представляли себе ситуацию.

— Я помню, как нам с Джоном Парселлом пришлось сесть на моем самолете в южном Канзасе — прямо на пастбище. Погода вдруг резко испортилась. А на ужин у нас был один-единственный шоколадный батончик. Мы всю ночь просидели под крылом — еще немного каких-то диких ягод насобирали — а съесть их на завтрак побоялись. И тут старина Джон заявляет, что гостиница из моего самолета получилась довольно дерьмовая — дождик на него, видите ли, накапал. Он, небось, так никогда и не узнает, насколько близок я был к тому, чтобы сорваться с места и улететь, а его прямо там — в самой середине этого «нигде» — бросить... Минутка борьбы с собой...

Путешествие в никуда — самая середина «нигде».

— А мне запомнилось небо над Скоттсблэффом. Тучи тогда были — миль на десять выше нас. И мы — прямо как букашки какие-то, честное слово...

Приключения в стране великанов.

— Что мне запомнилось? Сегодняшнее утро! Мы с Биллом Каррэном поспорили на пять центов. Он заявил, что взлетит на своем *Чемпе** с меньшего пробега, чем нужен для отрыва моему *Ти-Крафту***. И я продул! И никак не мог вычислить — в чем дело, я ведь всегда у этого типа выигрывал! И только когда полез в кабину за монеткой, чтобы отдать ему, заметил — этот прохвост подкинул мне в машину мешок с песком! Так что пришлось ему раскошелиться — пять центов за надувательство и еще пять — за проигрыш, потому что, выбросив мешок, я, разумеется, оторвался от земли первым...

Состязания в мастерстве с розыгрышами и шутками из далекого детства.

— Что я помню? О, чего только я не помню! Но возвращаться и все переживать — это не для меня. Столько всего еще ожидает нас впереди, так много предстоит сделать!

Двигатель завелся, и он исчез, устремившись к скрытому горизонтом «ничто».

В какое-то мгновение вы осознаете, что летчик летает вовсе не затем, чтобы куда-либо добраться, хотя и посещает при этом превеликое множество самых разнообразнейших мест.

Он летает вовсе не из соображений экономии времени, хоть и экономит его, пересаживаясь из своего автомобиля в аэроплан.

И отнюдь не для того, чтобы учить своих детей, хотя лучшими в классе по истории и географии неизменно оказываются те, кто видел страну сверху — из кабины частного самолета.

---

* Чемп (слэнг) — самолет Аэронка «Чемпион» (Aeronca Champion).

** T-craft — сокр от Tailorcraft — марка самолета.

И не экономия денег движет им, хотя покупка и обслуживание подержанного самолета обходится намного дешевле, чем большой новый автомобиль.

Прибыль и бизнес — тоже не главное, хотя иногда частный самолет позволяет попасть вовремя в несколько разных мест, заключив за счет этого самые выгодные сделки.

Иногда подобные вещи перечисляют в качестве причин, побуждающих человека летать. Но на самом деле они вовсе таковыми не являются. Конечно, приятно, однако все это — лишь побочные результаты одной-единственной истинной причины. И причина эта — поиск собственно самой жизни и стремление прожить ее в настоящем.

Если бы побочные результаты были причиной, подавляющее большинство современных самолетов так никто никогда бы и не создал, ведь неувязки и неприятности в изобилии громоздятся на жизненном пути пилота легких аэропланов, и смириться с ними можно только в случае, если награда — ощущение полета — оказывается фактором гораздо более значительным, чем экономия минуты-другой.

В качестве транспортного средства легкий самолет не создает такой определенности, как автомобиль. Не так уж это и удобно на земле — в плохую погоду часами, а иногда и днями не находить себе места. Если вы держите свой самолет на открытой стоянке в аэропорту, вас беспокоит каждый порыв ветра, вы следите за каждой тучкой в небе, словно аэроплан — не аэроплан вовсе, а ваша любимая жена, которая ждет вас в данный момент где-то под открытым небом. Если же аэроплан стоит в большом общем ангаре, вы все время помните о возможности возникновения пожара и о нерадивости младших аэродромных техников, которым ничего не стоит зацепить ваш самолет крылом или хвостовым оперением другой машины во время очередной перетасовки.

И только заперев самолет в частном ангаре, владелец его может наконец обрести покой. Но цена такого ангара, особенно вблизи большого города, зачастую превосходит цену самого самолета.

Воздушный спорт — один из немногих популярных видов, в которых платой за ошибку является жизнь. Поначалу это шокирует и даже приводит в ужас, и публику охватывает жуть, когда пилот разбивается насмерть, допустив какую-либо непростительную ошибку. Но таковы условия игры: люби летать, постигнув сущность этого искусства, и тогда радость полета станет величайшим для тебя благословением. Если же любви нет — ты нарываешься на поистине серьезные неприятности.

Факты? Они предельно просты. Тот, кто летает, сам в полной мере отвечает за свою судьбу. Происшествие, которого пилот не мог бы избежать за счет своих собственных действий, — вещь практически невозможная. Ситуация в воздухе не имеет ничего общего с уличной, когда из-за припаркованной машины вдруг выскакивает ребенок. Безопасность летчика — в его собственных руках.

Можно, конечно, попытаться уговорить грозу:

— Тучки, а, тучки, и ты, дождичек, честное слово, ну вот еще только двадцать миль пролечу — и тут же сяду, обещаю.

Однако вряд ли это существенно изменит ситуацию в лучшую сторону. Единственная возможность избежать грозы — по собственному решению в нее не входить. И только своими собственными руками пилот может заставить аэроплан сделать вираж и уйти прочь от грозы в чистое небо, и лишь собственное искусство позволит ему приземлиться в целости и сохранности.

Никто из оставшихся на земле не может вести самолет за пилота, как бы этот кто-то не жаждал помочь. Полет принадлежит к собственному миру, в котором ответственность за все действия принимается сообразно собственному решению. Или же человек просто остается на земле. Откажитесь принять ответственность в полете — и долго прожить вам не удастся.

Потому летчики довольно много говорят о жизни и смерти.

— Я не намерен умирать от старости, — сказал как-то один из них, — я собираюсь умереть в самолете.

Все так просто. Лишенная полета жизнь теряет смысл. И пусть вас не пугает то, сколь многие из летчиков превратили эту формулу в свое жизненное кредо. Ведь через год — и это отнюдь не исключено — вы вполне можете пополнить их ряды.

И дело вовсе не в том, что ваш бизнес выигрывает от использования вами частного самолета. И не в том, что вы ищете для себя вызов в новом виде спорта. Не этим определяется, будете вы летать или нет, а тем, чего вы хотите от жизни. И если вам необходим мир, в котором ваша судьба целиком и полностью находится в ваших собственных руках, есть вероятность, что вы — прирожденный летчик.

И не забывайте: вопрос «зачем летать?» не имеет никакого отношения к собственно самолету. Ни к побочным результатам — так называемым «причинам», столь часто выдвигаемым в качестве аргументов в смехотворных текстах рекламных проспектов, обращенных к его потенциальному покупателю. И если вы относитесь к категории людей, способных влюбиться в полет, вы найдете, куда себя деть, утомившись от мира телевизоров, деловых встреч за обедом и картонных людей. Вы отыщете людей живых, и живые приключения, и обретете умение видеть сущность, скрытую за видимостью вещей.

Чем больше я странствую по разным аэропортам страны, тем более глубоким становится мое убеждение: причина, заставляющая летчиков летать, — это то, что они называют жизнью.

Вот простой тест, пожалуйста, попробуйте проверить себя, ответив на такие вопросы:

— Есть ли места, куда вы можете податься, когда вам надоест пустая болтовня? Сколько у вас таких мест?

— Как много запоминающихся, настоящих событий произошло в вашей жизни в последние десять лет?

— Для скольких людей вы являетесь настоящим и честным другом? И сколько есть тех, кто считает себя таковым по отношению к вам?

На все вопросы вы ответили:

— *Много*!

Ну что ж, тогда вам не о чем беспокоиться — с обучением искусству летать у вас все в порядке.

— *Не так уж много,* — если таков ваш ответ, тогда, возможно, вам имеет смысл заглянуть однажды ненадолго в какой-нибудь из маленьких аэропортов, попробовать посидеть в кабине легкого самолета и постараться понять, что вы при этом чувствуете.

Я все время вспоминаю того торгового агента, с которым познакомился в самолете по пути из Сан-Франциско в Денвер. Он отчаялся когда-либо вновь обрести вкус к жизни. И отчаяние это не покинуло его даже в тот миг, когда он несся сквозь небеса — те самые небеса, которые готовы в любое мгновение в нем этот вкус возродить.

Наверное, мне следовало что-то ему сказать. Хотя бы рассказать о той особой высоте, в которой несколько сот тысяч обитателей мира людей нашли свой выход из пустоты.

Я никогда не слышал, как шумит ветер

Открытая кабина, летный шлем, очки — все это в прошлом. Им на смену пришли стилизованные фонари, кондиционеры, солнцезащитные лобовые стекла. Я неоднократно об этом читал, и мне не раз доводилось слышать, как формулируют эту мысль, но както внезапно случилось так, что она глубоко запала в мой ум и засела там с несколько тревожной окончательностью. Нельзя не признать — комфортабельность и способность летать при любых погодных условиях у современных легких самолетов значительно увеличились, но неужели это — единственные критерии удовольствия, которое нам доставляет полет?

Ведь наслаждение полетом — наиболее основополагающая из всех причин, которые заставляют нас приобщиться к искусству летать. Нам хочется попробовать ощущение полета — своего рода наркотик. И когда мы поднимаемся высоко-высоко в небо в этаком уютном летающем домике, где-то на задворках ума, вероятно, все же навязчиво мыслится:

— Нет, не совсем то, чего я ожидал. Но если именно это и есть полет — ну что ж, пусть будет так.

Закрытая кабина предохраняет от дождя. Можно спокойно выкурить сигарету. Довольно существенно для того, кто является ревностным приверженцем «Правил полетов по приборам». И для заядлого курильщика — тоже. Но разве это — полет?

Полет — это ветер, вихри вокруг, запах выхлопных газов, рев двигателя; прикосновение влажного облака к щекам и пот, стекающий из-под шлема.

Мне никогда не доводилось летать на самолете с открытой кабиной. Я не слышал, как шумит ветер в расчалках, и ни разу не был отделен от земли одним-единственным ремнем безопасности. Однако мне приходилось об этом читать, и я знаю, что так бывает.

Неужто мы настолько отупели от прогресса, что превратились в нечто бесцветное, следующее внутри напичканного приборами кусочка замкнутого пространства из пункта А в пункт Б? И вся радость и возбуждение полета должны выражаться в восторженном рассказе о том, насколько показания приборов были близки к идеальным? Вряд ли. Хотя, конечно, показания приборов тоже имеют огромное значение. Но ведь ветер в растяжках тоже что-нибудь да значит, а?

Есть старики, которые летали с незапамятных времен, в их потрепанных летных книжках — по десять тысяч часов. Стоит такому человеку закрыть глаза — и он вновь оказывается в своей старенькой *Дженни**, и вновь отбрасываемый лопастями винта поток барабанит по тканевой обшивке фюзеляжа, и порывы ветра весело гудят в стойках — все здесь, вот оно, достаточно просто вспомнить. Ведь это было его жизнью.

Но не моей. Я начал летать в пятьдесят пятом на *Ласкомбе-8Е*. Ни открытой кабины, ни расчалок, ни стоек. Он гудел громко и был полностью закрыт, однако летал — высоко, выше автомобилей на шоссе. Для нас — молодых начинающих летчиков — этого было достаточно. Мне, по крайней мере, казалось, что это — полет.

А потом я увидел *Ньюпоры* Пола Мэнтса. Потрогал дерево, и ткань, и тросы — все то, что позволяло моему отцу смотреть сверху на солдат, месивших кровавую земную грязь мировой войны.

---

* Дженни (слэнг) — самолеты JN-4 и JN-2.

Странное, какое-то изысканное возбуждение — никогда не испытывал ничего подобного, прикасаясь к *Сессне-140* или к *Трай-Пейсеру*, и даже к *F-100*.

В Военно-Воздушных Силах меня научили по-современному летать на современных самолетах. Весьма эффективно. Я летал на *Ть-берд**, на *восемьдесят шестых***, на *С-123*, на *F-100*. И ни разу ветру не удалось растрепать мне волосы. Чтобы сделать это, ему пришлось бы пробиться сквозь фонарь («ВНИМАНИЕ — на скорости 50 узлов и выше фонарь не открывать»), затем — сквозь шлем («Этот стеклопластик, господа курсанты, выдерживает удар, сила которого составляет восемьдесят фунтов на квадратный дюйм»). Кислородная маска и затемненное стекло шлема — достойное завершение комплекта факторов, предохранявших меня от возможного контакта с ветром.

Так должно быть сегодня. Ведь на *SE-5* сражаться с *МиГами* невозможно. Но дух *SE-5*, разве ему так уж необходимо исчезнуть? Посадив свой *F-100* (убрать газ после касания, нос — опустить, тормозной парашют, тормоза), почему я не могу отправиться на короткую взлетную полосу с грунтовым покрытием и полетать на *Фоккере-D7* с полутора сотнями вполне современных лошадок в носу? Я бы многое отдал за такую возможность!

Мой *F-100* несется на сверхзвуковой, но я совсем не ощущаю скорости. Сорок тысяч футов — и грязновато-бежевый пейзаж внизу ползет, словно я еду на автомобиле в зоне жесткого двадцатипятимильного ограничения скорости. Паспортная скорость *Фоккера* — сто десять миль в час. Но на высоте всего в пятьсот футов и — в открытом воздухе. Просто так, развлечения ради. Пейзаж не обесцветится высотой, и деревья будут проноситься внизу, и силуэты их будут смазаны скоростью. И указателем скорости будет не панель с цифрами, стрелкой и красной линией где-то за сверхзвуковой, а шум ветра. И он подскажет мне в нужный момент, что необходимо слегка опустить нос и приготовить-

---

* T-bird (слэнг) — учебно-тренировочный самолет Т-33 «Shooting Star».

** Истребитель F-86 «Sabre».

ся. И вовремя воспользоваться рулями высоты. Чтобы машина не приземлилась сама по себе, как ей заблагорассудится.

— Строить этажерку времен Первой мировой войны и ставить на нее современный двигатель? — спросите вы. — Да ведь за те же деньги вполне можно купить приличный четырехместный самолет!

Но я не хочу покупать приличный четырехместный самолет! Я хочу летать!

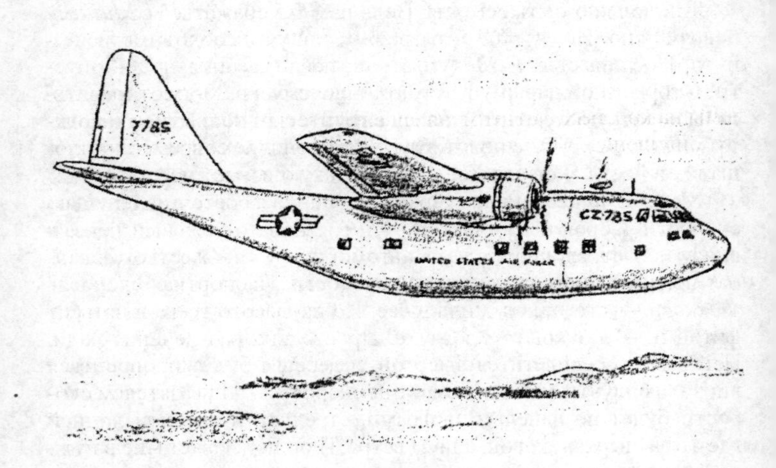

Я сбил Красного Барона, и что?

Это был вовсе не сон. И не мои фантазии. Это был настоящий рев настоящего черного мотора из вороненой стали, болтами укрепленного впереди меня на противопожарной перегородке, настоящие мальтийские кресты на распростертых над кабиной крыльях, настоящее, до боли знакомое небо цвета молнии с ледяным отливом, а сбоку — сразу за бортом самолета — самая настоящая перспектива долгого и окончательного падения.

Внизу, прямо передо мной — английский *SE-5* — оливково-желто-коричневый камуфляж, круглые сине-бело-красные эмблемы на крыльях. Пилот меня еще не заметил. Мне было знакомо это ощущение, я знал, что буду чувствовать себя именно так, я читал об этом раньше на пожелтевших от времени страницах книг о летчиках Первой мировой войны. Все в точности так и было.

Я ринулся вниз — к нему — мир накренился и понесся на меня смазанным потоком изумрудной земли и белыми пластами мучной пыли облаков, разметанных голубым ветром, который плотно обволакивал стекла моих летных очков.

А он — он, несчастный, летел себе, ни о чем не подозревая.

Я даже не стал пользоваться прицелом — он не был мне нужен. Я просто поймал самолет британских ВВС в просвет между кожухами стволов двух пулеметов «Шпандау», установленных на капоте моего двигателя, и нажал на гашетку.

Из стволов вырвались маленькие лимонно-оранжевые огоньки, послышалось цоканье пулеметных очередей, едва различимое в вое и реве моего пике.

Но англичанин никак на это не отреагировал, лишь машина его продолжала стремительно увеличиваться в размерах прямо перед носом моего аэроплана — в просвете между пулеметными стволами.

А я в свою очередь не стал орать:

— Подохни, собачья английская свинья!

Нечто подобное, если верить комиксам, должен был бы выкрикнуть в данной ситуации венгерский пилот.

Но вместо этого я нервно подумал:

— Ну давай же, загорайся, иначе нам придется в очередной раз повторять все сначала!

В это мгновение вспышка тьмы поглотила *SE*. В агонии он взвился вверх — двигатель окутан черными клубами с вырывающимися из них языками белого пламени и струями желтого дыма от горящего масла, — застилая небо всей этой гадостью.

Я пулей пронесся мимо него вниз, ощутив кисловатый привкус его дыма, и завертелся на сиденье, стараясь не пропустить зрелище того, как он будет падать. Однако падать он не стал, а вместо этого опрокинулся вниз и, выполнив полвитка в штопоре, устремился прямо на меня, вовсю паля из своего *Льюиса*. Оранжевые вспышки выстрелов беззвучно замелькали над моей головой — в самой середине всей этой жуткой катастрофы.

— Отлично сработано! — вот все, что я смог подумать.

И еще мне пришло в голову, что именно так, наверное, и было на самом деле.

Задрав нос, мой *Фоккер* подпрыгнул вверх в то самое мгновение, когда я щелкнул выключателем с надписью «КОПОТЬ» (уф! слава Богу — из-под двигателя, а не из него!) и вторым — с надписью «ДЫМ». Кабину застлало черно-желтым, которое я поневоле втягивал в себя, хотя изо всех сил и старался не дышать. Опрокидываю машину вправо и вниз — в штопор. Один виток, два, три... мир вокруг, свернувшийся в пляшущий шар... Затем —

выход из штопора — плавное спиральное пике — каждый фут траектории полета отмечен кошмарным шлейфом.

Наконец из кабины все выдуло, и я перешел в горизонтальный полет — всего в нескольких сотнях футов над зелеными полями и фермами Ирландии. Крис Кэгл — пилот *SE-5* — развернулся в четверти мили от меня и покачал крыльями, что означало:

— Пристраивайся ко мне и — домой!

Когда наши машины спустились ниже верхушек деревьев и коснулись колесами густой травы аэродрома в Вестоне, я решил, что прошедший день был вполне удачным и полным событий. С рассвета я сбил один немецкий и два британских аэроплана, а также четырежды был сбит сам — два раза на *SE-5*, один — на *Пфальце* и еще один — на этом *Фоккере*. Достойное введение в ремесло киношного пилота — нам предстоял еще целый месяц такой работы.

Снимался фильм Роджера Кормэна «Фон Рихтгофен и Браун» — развернутое эпическое полотно — море крови и военной грязи, немного сдобренного историей секса, и двадцать минут общего плана воздушных боев, на съмках которых несколько летчиков едва не расстались с жизнью. Кровь, история и секс — все это, как водится в кино, было понарошку, а вот полеты — как всякие полеты — снимались самые настоящие. В первый же день мы с Крисом поняли то, что известно каждому кинематографическому пилоту еще со времен «Крыльев»: никому и никогда не удалось еще убедить ни один аэроплан, что все это не по-настоящему. Самолеты заваливаются на крыло, и срываются в штопор, и сталкиваются в воздухе, если это им позволяют, самым настоящим образом. И никто, кроме самих пилотов, этого не понимает.

Наша операторская площадка была ярким тому примером. Ее установили на вышке, построенной из телеграфных столбов на самой макушке небольшой возвышенности под названием Голубиная горка. Каждое утро оператор и два его ассистента взбирались на свой насест с твердой и столь благостной уверенностью в том, что это — всего лишь кино и потому, когда наступит вечер, они непременно спустятся вниз целыми и невредимыми. Они были так уверены в нас — в Крисе, во мне, в Ионе Хатчинсоне и в еще целой дюжине пилотов из ирландских ВВС. Их уверенность была даже чем-то большим, чем просто слепая вера... Оператор вел себя так, словно самолет, со стрекочущими пулеметами несшийся прямо на него в бешеном пике во время лобовой съемки, был вполне безобидной детской игрушкой, да к тому же давно уже отснятой на пленку.

Десять утра. В полете нас четверо — два *Фоккера* и два *SE-5*. Гудят моторы и хлопают порывы ветра над нашими головами, внизу под крыльями — одинокий бугорок Голубиной горки с операторской командой на площадке вышки.

— Сегодня нас интересует преследование и атака с хвоста, — раздается в наушниках, — *SE* впереди, сзади атакует *Фоккер*, к нему пристраивается еще один *Фоккер*, в хвост которому, в свою очередь, заходит второй *SE*. Вам все ясно?

— Есть.

— И, пожалуйста, поближе к вышке — фронтальная сцена, потом — заваливаетесь на крыло и обходите нас — так, чтобы мы могли снять самолеты чуть-чуть сверху. И держитесь как можно плотнее, пожалуйста.

— Есть.

Итак, с высоты в тысячу футов плотным звеном — нос в хвост — самолет впереди кажется просто гигантским — ныряем в пике — вниз к крохотной пирамидке операторской вышки.

— Внимание! Пошли!

Ведущий *SE* скачет туда-сюда, то нацеливаясь на вышку, то срываясь в сторону земли. За ним — я на *Фоккере* — липовые пулеметы пыхкают бутафорским пламенем — ощущая второй *SE* сзади — он висит у меня на хвосте и тоже якобы палит из пулемета — и еще один *Фоккер* за ним. Время от времени плотным ударом накатывает мощный поток от винта передней машины. Но это не проблема, потерю устойчивости можно компенсировать с помощью одного элерона и руля направления. Пока внизу еще есть свободное пространство... Но свободное-то пространство сокращается. И очень быстро. Спустя всего несколько секунд операторская вышка вырастает до весьма внушительных размеров, а еще чуть-чуть позже вообще превращается в нечто совершенно чудовищное, на операторе — белая рубашка, и голубая куртка, и красный шарф на шее — ведущий *SE* тяжело отваливает в сторону — МЫ В ПОТОКЕ ВСТРЯСКА РУЛЬ ДО УПОРА ЕЩЕ ЧУТЬ-ЧУТЬ ПРАВЫЙ...

Уф! Ну и ну! Успели — вышка промелькнула — мы все целы. Боже, я уже подумал было, что конец пришел — впрочем, для начала дня неплохо, но это уже не шуточки, это — РАБОТА!

— Прекрасно. Все прекрасно, парни, — раздается в наушниках. — Давайте-ка еще раз, но постарайтесь подойти поближе к вышке и не разлетайтесь так далеко. Еще, пожалуйста, чуточку плотнее!

— Есть.

Господи Боже мой! Еще БЛИЖЕ!

И снова — вниз, гуськом — тряска, броски, стрельба — отчаянно близко друг к другу — поток от винта передней машины хлопает по крыльям и, словно гигантская рука, подбрасывает нос самолета, так и норовя перевернуть вверх тормашками машину не совладавшего с ним. Вышка растет, громоздясь перед нами подобно ацтекской пирамиде, на вершине которой приносили в жертву людей, и тут вдруг:

— ДЫМ, ДЫМ ДАВАЙ! НОМЕР ПЕРВЫЙ, ПУСТИ ДЫМ!

SE, за которым мы выстроились, в сотне ярдов от вышки включает дым. Ощущение — как при входе в грозовое облако. Самолет резко бросает в сторону, не видно ничего, кроме самого краешка смазанной зелени, секунду тому назад бывшей землей, дышать нет никакой возможности, и где-то там на расстоянии одного мгновения — операторская вышка и три несчастных верующих придурка на ней со своим *Митчеллом* — кино снимают. Руль — вправо изо всех сил, ручку — рывком назад — и мы выныриваем из дыма, проносясь в двадцати футах* *левее* вышки. Всего двадцать футов. Интересно — как, оказывается, быстро кожаный летный шлем насквозь пропитывается потом.

* В шести метрах!

— Отлично! На этот раз — все идеально. Ну, и еще раз...

— ЕЩЕ РАЗ? НЕ ЗАБЫВАЙТЕ, РЕЧЬ ИДЕТ О ЧЕЛОВЕЧЕСКИХ ЖИЗНЯХ!

Это произнес один из пилотов-ирландцев. А я, помнится, подумал, что сказано очень хорошо, очень.

Каждый раз, когда вышка просила пройти еще ближе, у меня перед глазами возникал образ двух клоунов, один из которых держит пирог с банановой начинкой, а второй во всю глотку орет:

— Дай мне этот пирог! Дай мне! ДАЙ ЕГО МНЕ!

И неизменно возникало желание врезаться в самую середину объектива их *Митчелла*, чтобы эту штуковину разнесло на миллион кусочков, а потом взвиться вверх и сказать:

— Так-то вот! Достаточно близко? Вы этого, парни, хотели?

Единственным, кто не устоял перед искушением, был Крис Кэгл. В ярости он на полном газу ринулся прямо на камеру, подняв машину вверх в самое-самое последнее мгновение, и удовлетворенно усмехнулся, увидев, как вся операторская команда разом бросилась навзничь, буквально вжавшись в настил. Это был единственный раз за весь месяц, когда они, кажется, поняли, что самолеты бывают настоящими.

Для съемки сцен в воздухе в «Фон Рихтгофене и Брауне» в большинстве случаев использовался вертолет *Алуэтт*. Фантазии, которые посещали оператора, работавшего с вертолета, не отличались такой же степенью кровожадности, как замыслы парней на вышке. Зато сам по себе вертолет нервы нам потрепал изрядно. Ведь то, что нос этой машины направлен вперед, вовсе ни о чем не говорит — вертолет вполне может перемещаться вверх, или вниз, или даже назад, а может просто неподвижно висеть на одном месте. А теперь скажите — как может пилот рассчитать скорость и направление полета, чтобы пройти на безопасном расстоянии мимо объекта, движущегося с неизвестной скоростью в непредсказуемом направлении?

— О'кей. Я завис, — сообщает пилот. — Можете подходить в любой момент.

Однако скорость сближения с зависшим вертолетом — то же самое, что скорость сближения с облаком, и она может быть до отвращения высокой, особенно в последние секунды. Кроме того, в голове все время крутится мысль о том, что у этих несчастных — которые в вертолете — нет парашютов.

Однако в конце концов ценой мук и терзаний, кусочек за кусочком материал для фильма все же был отснят. Мы привыкли к самолетам, но был в этом один момент... Дело в том, что все истребители-копии весьма пристойно набирали двести футов высоты через минуту после взлета, однако время от времени оказывались очень уж близко к тому, чтобы навсегда исчезнуть из брезентовых ангаров на краю поля. Мне запомнились бессмертные слова Иона Хатчинсона:

— Я вынужден все время говорить себе: «Хатчинсон, это восхитительно, это замечательно, это великолепно — ты ведь летаешь на D-7!» Ибо, если я перестану себе все время об этом напоминать, я буду чувствовать себя так, словно летаю на большущей подлой свинье.

Чтобы угнаться за остальными самолетами, из миниатюрных *SE-5* приходилось выжимать не просто полный газ, а более чем полный газ. Однажды я преследовал триплан *Фоккер* на крошке *SE* с камерой, установленной на обтекателе, и для того, чтобы просто оставаться в том же самом небе, что и *Фоккер*, сохраняя скорость в восемьдесят миль в час, мне пришлось выжать из двигателя все 2650 об/мин. И это при том, что красная черта на тахометре стоит на 2500 об/мин. Из пятидесяти минут того полета сорок пять — по ту сторону предельных параметров! Фильм — как война. Миссия, подлежащая безусловному завершению. И если бы двигатель взорвался, что само по себе уже очень плохо... нам пришлось бы кое-как приземлиться и продолжить, взяв другой самолет.

Как это ни странно, но к такому тоже привыкаешь. Даже там, на Голубиной горке, почти потеряв управление в тридцати футах над землей и со всей силой отчаяния вцепившись в штурвал, каждый из нас думал:

— Прорвемся! В последний миг машина выравняется! Всегда выравнивалась...

В один из дней я увидел ирландского летчика — он брел одиноко, и в петлице его немецкой летной куртки торчал пучочек вереска.

— Низко летаешь? — в шутку спросил я.

На его сером лице не возникло и тени улыбки:

— Я думал, это конец. Чудом остался жив — редкостное везение.

Голос его звучал настолько мрачно, что во мне разыгралось нездоровое любопытство. Оказывается, вереск в его петлице был скошен со склона Голубиной горки стойкой шасси *Фоккера*.

— Последнее, что я помню, — удар потока и земля прямо перед глазами. Я зажмурился и ручку что есть силы потянул. Ну и вот он — я.

Вечером операторская группа все это подтвердила. Проходя мимо вышки, *Фоккер* завалился на крыло, нырнул вниз и, слегка зацепив склон, метнулся вверх. Только вот камера в этот момент была направлена объективом в другую сторону.

Одним из самолетов, с которыми мы работали, был двухместный аэроплан *Кодрон-277 Люсиоль*. Нам сказали, что «Люсиоль» переводится как светлячок. Машина эта представляла собой неуклюжий, похожий на обрубок биплан с пулеметом Льюиса, установленным перед задней кабиной так, что с надетым парашютом пулеметчик там уже не помещался. Со свойственным ему британским юмором Хатчинсон высказался об этом сооружении следующим образом:

— *Люсиоль* он, может быть, и неплохой, но самолета из него не получится никогда.

Размышляя об этом, я пристегнулся к сиденью передней кабины, завел двигатель и взлетел, чтобы принять участие в съемке сцены уничтожения *Люсиоля* двумя *Пфальцами*. Довольно безрадостный эпизод — очень уж все реально.

Дело в том, что несчастный *Кодрон*, впрочем, как и все двухместные самолеты времен Первой мировой, был способен летать практически только по прямой. Сделать резкий вираж, горку или уйти в пике было ему не под силу. Кроме того, кабина пилота располагалась как раз между верхним и нижним крыльями, поэтому летчику абсолютно не было видно, что творится над самолетом и под ним. В довершение ко всему пулемет и голова пулеметчика, сидевшего в задней кабине, практически полностью перекрывали обзор неба сзади. Оставалась только узкая полоска впереди — между крыльями — и возможность смотреть по сторонам — между стойками, распорками и тросами.

До того дня я пребывал в уверенности, что прекрасно представляю себе всю незавидность участи пилотов, летавших в 1917 году на двухместных аэропланах. В действительности же, как выяснилось несколько позже, я не имел о ней ни малейшего понятия. Пилот не имел никакой возможности вести воздушный бой, он не мог уйти от преследования, даже о том, что его атакуют, он узнавал только в момент, когда его деревянно-тряпичная этажерка вспыхивала спичкой, и ни у него, ни у пулеметчика не было даже парашютов, чтобы выброситься из горящего самолета. Видимо, в прошлой жизни я был пилотом двухместного аэроплана, потому что, несмотря ни на какие попытки убедить себя в справедливости утверждения о том, что мы всего лишь снимаем кино, я испугался, когда появились *Пфальцы.* Я увидел вспышки их выстрелов и услышал в наушниках режиссерский вопль:

— ДЫМ! ЛЮСИ, ДЫМ ДАВАЙ!

Я включил обе дымовые шашки, вжался в сиденье и кое-как завалил *Люсиоль* в медленное спиральное пике.

И все. На этом моя роль в данном эпизоде была исчерпана, но в Вестон я возвращался с ощущением, которое должен был бы испытывать вконец измотанный слизняк.

Заходя на посадку, я похолодел от ужаса, заметив два *Фоккера*, летевших в моем направлении. На то, чтобы осознать, что сейчас не семнадцатый год и что никто не собирается кремировать меня заживо в моем собственном транспортном средстве, мне потребовалось несколько секунд. Совладав с собой, я нервно рассмеялся и постарался посадить машину как можно скорее.

Желание летать на двухместных аэропланах времен Первой мировой войны пропало у меня в тот день навсегда. Больше в такой самолет я не сел ни разу.

За все время моего участия в съемках «Фон Рихтгофена и Брауна» никто не погиб. Никто даже не получил травму. Два самолета были повреждены: у одного *SE* во время буксировки сломалась ось шасси и один *Пфальц* не вписался в чересчур крутой поворот во время выруливания. Через неделю обе машины уже были в воздухе.

Были отсняты многие тысячи футов пленки — часы и часы киноматериала. Выглядело это все по большей части довольно невыразительно, однако каждый раз, когда пилот был по-настоящему испуган неизбежностью столкновения, пребывая в полной уверенности, что вывернуться над самой землей на этот раз уже не удастся, на пленке получался очередной потрясающий эпизод.

Каждый день мы плотной кучкой собирались вокруг монтажного стола, чтобы просмотреть отснятый накануне материал. Стояла тишина — как в читальном зале провинциальной библиотеки, в которой раздавалось лишь жужжание проекционного аппарата и редкие комментарии:

— Вот это нужно вставить!

— Лайм, это ты был на *Пфальце*?

— В общем, неплохо...

В последнюю неделю съемок окрашенные в камуфляжные тона немецкие самолеты перекрасили в яркие цвета Рихтгофеновской эскадрильи. Мы летали на тех же самых машинах, но теперь это было даже забавно — появиться на экране в полностью красном *Фоккере* в роли самого фон Рихтгофена или в черном *Пфальце* Германа Геринга.

Однажды мне пришлось сниматься на красном *Фоккере* в отвратительном эпизоде, в котором англичанин сбивает одного из моих летчиков, а я ничего не могу сделать. Потом — в сцене спасения Красным Бароном Вернера Фосса — я зашел сзади, чтобы отстрелить хвост английскому *SE*.

На следующий день я был Роем Брауном, который преследовал красный *Фоккер* — триплан барона фон Рихтгофена — и сбивал его в финальной сцене картины.

Я попытался сформулировать это, выкарабкавшись из кабины по окончании полета и сквозь неподвижность вечернего покоя волоча парашют к нашей времянке:

— Я сбил Красного Барона.

Интересно, сколько пилотов может такое заявить?

— Эй, Крис, — сказал я.

Он был во времянке — лежал на своем месте.

— Эй, Крис, я сбил Красного Барона!

Он ответил — очень-очень язвительно. Он сказал:

— Хм.

И даже не открыл глаза. Это означало:

— Ну и что? Это — всего лишь кино, причем картина категории «Б», и если бы не сцены воздушных боев, я бы дома даже улицу поленился перейти, чтобы посмотреть ее в кинотеатре.

И тут до меня вдруг дошло, что на настоящей войне все в точности так же, как в нашем «понарошку». Пилоты участвуют в войне или в съемках фильма вовсе не потому, что им нравится кровь, или секс, или второсортные сюжеты. Летать — это гораздо важнее, чем сам фильм, — и гораздо важнее, чем сама война.

Наверное, мне должно быть стыдно, но я скажу:

— И фильмов, и войн всегда будет достаточно для того, чтобы мужчины могли вволю полетать на боевых самолетах.

Ведь сам я — один из тех, кто добровольно участвовал и в том, и в другом. Но я верю — когда-нибудь, пусть через тысячу лет, нам удастся наконец построить мир, в котором для жарких сражений останется одно-единственное место — съемочная площадка, и режиссер будет во всю глотку орать в микрофон передатчика:

— ДЫМ, ДАВАЙ ДЫМ!

Все, что для этого требуется, — это наша воля, наше желание. Копии *МиГов*, несколько древних *Фантомов*, бутафорские пушки, картонные ракеты... И тогда через тысячу лет мы сможем, если очень захотим, снять несколько поистине великолепных лент.

Молитвы

Кто-то когда-то сказал мне:

— Поосторожнее с молитвами — о чем попросишь, то и получишь.

Я подумал об этом, сообразно своей маленькой роли ввинчивая *Фоккер-D7* в кутерьму масштабной массовой сцены воздушного боя в фильме «Фон Рихтгофен и Браун». Когда мы разрабатывали схему мелом на доске в комнате для совещаний, все выглядело прилично и вполне безопасно. Но теперь — в воздухе — стало страшно: четырнадцать истребителей-копий, сбившихся в кучу в крохотном кусочке неба, каждый за кем-то гонится, кто-то теряет ориентацию и слепо несется сквозь эту свистопляску, цветные блики солнца на раскрашенных во все цвета радуги поверхностях крыльев и фюзеляжей, частые хлопки двигателя *Пфальца*, невидимо проносящегося где-то под тобой, исчертившие небо дымные трассы и плотный ветер, густо напитанный запахом пороховой гари фейерверков.

В то утро в живых остались все, но я по-прежнему содрогаюсь от одной только мысли о молитвах. Потому что самой первой моей журнальной статьей, написанной двенадцать лет назад, была статья, в которой я молился, прося для тех из нас, кто учился летать на самолетах с закрытыми кабинами, возможности взять напрокат машину с открытым кокпитом — просто так, развлечения ради — « ...И полетать на *Фоккере-D7* с полутора сотнями вполне современных лошадок в носу». Так там было написано. И теперь — вот он я — летный шлем, очки и шарф — пилот желто-сине-бело-зеленого аэроплана, на фюзеляже которого красуется надпись «*Fok.D7*», выполненная самым настоящим оригинальным шрифтом — в точности, как писали тогда, во времена Первой мировой. Я возвратился со съемок домой, имея за плечами сорок часов на *Фоккерах, Пфальцах* и *SE-5*. Все, чего я просил в своих молитвах, исполнилось, причем настолько полно, что впечатлений от подобного рода полетов мне теперь хватит надолго.

Спустя несколько лет после того, как я помолился о *Фоккере*, мне как-то довелось полетать на *Кабе J-3** Криса Кэгла, в Мерседском аэроклубе. Крис только на своей *Малютке* налетал часов, я полагаю, не меньше тысячи. Он показал мне, как летают со скоростью меньше мили в час, и много других фокусов — как эту штуковину крутить вокруг оси, как на ней делать петли... Я смотрел через открытую дверцу прямо вниз — похожие на пышненькие пончики шины, земля под ними — и думал о том, какой это замечательный аэроплан, и о том, что когда-нибудь, ей-Богу, я тоже заведу себе *Каб*! Сегодня у меня есть такой самолет — все, как положено — похожие на пышненькие пончики шины, и дверцу в полете можно открыть. Я выглядываю вниз и вспоминаю: честное слово, все так и вышло, я получил то, о чем молился.

Раз за разом я наблюдаю за тем, как это случается — в моей собственной жизни и в жизни других людей. Я уже почти устал искать человека, который не получил бы того, что просил в молитвах, но так никого до сих пор и не нашел. И я твердо верю: все, что облечено нами в форму мысли, раньше или позже дается нам в ощущениях, делаясь реальностью.

Как-то в Нью-Йорке я познакомился с девушкой, она снимала жилплощадь в многоквартирном доме в Бруклине — среди старого растрескавшегося бетона, среди безысходности и страха, среди захлестнувшего улицы наглого и дикого насилия. Я поинтересовался, почему она не уедет, не переберется куда-нибудь в Огайо или в Вайоминг — на природу, подальше от больших городов, туда, где можно вздохнуть свободно и где она впервые в жизни смогла бы дотронуться рукой до дикой травы.

---

* Piper J-3 «Cub».

— Не могу, — ответила она, — потому что не знаю — каково там, в глуши.

А потом она сформулировала одну очень честную и почти мудрую вещь:

— Неизвестное, с которым я могу столкнуться где-то там, страшит меня, по всей видимости, больше, чем то, что окружает сейчас и здесь...

Уличные погромы и грабежи, мерзость нищеты, потная сардиноподобность в толпах забитой людьми подземки — все же лучше, чем неизвестность. Такова была ее молитва. Исполняется все. И потому в каждый момент жизни у нее есть только то, что уже было раньше. Ничего нового, ничего неожиданного, ничего неизведанного.

Я вдруг понял совершенно очевидную вещь: мир таков, каков он есть, лишь потому, что именно таким мы желаем его видеть. И только изменением наших желаний изменяется мир. О чем молимся, то и получаем.

Вы только взгляните вокруг. Ежедневно следы прошлых молитв стелются перед нами, и все, что нам нужно, — слегка наклониться и осторожно ступать по ним, делая шаг за шагом. Шагов, приведших меня к моему *Фоккеру*, было много. Когда-то — много лет назад — я помог одному человеку с журналом и так с ним познакомился. В его молитвах были старые аэропланы, и бизнес, и кинофильмы. В ходе одной из сделок с киностудией ему посчастливилось приобрести целый воздушный флот, состоявший из истребителей времен Первой мировой войны. Узнав об этом, я сказал ему, что в любой момент готов стать пилотом одной из его машин, если это потребуется. Мне был предложен шаг, и я его сделал. Через год ему понадобились два американских летчика, чтобы летать на *Фоккерах* в Ирландии. Когда он позвонил, я был уже готов завершить путь, начатый молитвой моей первой статьи — о *Фоккере-D7*.

Время от времени, когда несколько лет назад я странствовал по Среднему Западу, катая людей за плату, кто-то из пассажиров говорил мне с тоской в голосе:

— Как здорово ты живешь! Полная свобода — отправляешься куда захочешь, когда захочешь... Честное слово, мне бы тоже так хотелось.

— Так в чем же дело? Присоединяйся! — предлагал я. — Ты можешь продавать билеты, следить за тем, чтобы люди из толпы не оказывались перед крыльями, помогать пассажирам пристегиваться на переднем сиденье. Может быть, мы сумеем заработать на жизнь, может быть — вылетим в трубу, но в любом случае — добро пожаловать, присоединяйся!

Я говорил это совершенно спокойно. Во-первых, потому, что вполне мог позволить себе пользоваться услугами продавца билетов, а во-вторых — я знал, какой последует ответ.

Сначала — молчание, потом:

— Ой, спасибо, только знаешь, мне тут как раз работа подвернулась. Если бы не работа, я бы...

И это говорило о том, что каждый тоскующий вовсе не тосковал и в молитвах своих просил отнюдь не свободную жизнь бродячего летчика, а вполне надежное и основательное рабочее место. Как та девушка, которая молилась о том, чтобы не лишиться жилплощади в Нью-Йорке, а не о траве в Вайоминге или о чем-нибудь другом — неизвестном и непознанном.

В полете я время от времени возвращаюсь к мысли об этом. Мы всегда получаем то, о чем молимся, нравится нам это или нет. И никакие извинения, никакие оправдания не принимаются. И с каждым новым днем наши молитвы все упорнее и упорнее превращаются в факты нашего собственного бытия — мы становимся теми, кем больше всего хотим стать.

И мне кажется, что это — вполне справедливо. Во всяком случае, я бы не сказал, что мне не нравится то, как устроен этот мир.

Возвращение пропавшего летчика

На бреющем полете мы шли на север над пустыней штата Невада звеном из двух дневных истребителей *F-100D.* В тот раз я был ведущим. Бо Бэвен на своей машине шел справа в двадцати футах от кончика моего крыла. Было ясное утро, я помню, и на крейсерской скорости мы летели в трехстах футах над землей. С моим радиокомпасом что-то случилось, и я наклонился проверить предохранитель и пощелкать переключателем, чтобы посмотреть, подаст ли прибор хоть какие-то признаки жизни. В тот момент, когда я решил, что дело в антенне и что мне вряд ли вообще следует в этом полете рассчитывать на радионавигационные приборы, в наушниках послышался пробившийся невесть откуда голос Бэвена. Это была не команда, и даже не предостережение... Он просто спокойно спросил:

— В твои планы входит столкновение с этой горкой?

В испуге я вскинул голову. Прямо передо мной возвышалась испещренная расселинами небольшая гора. Коричневые скалы, песчаные осыпи, вьющиеся растения, покачиваясь, неслись на нас со скоростью в триста морских миль в час. Бэвен не произнес больше ни слова. Он не нарушил строй и не отвернул в сторону, продолжая лететь точно так же спокойно, как задал свой вопрос... Ну что ж, если твой выбор — лететь вперед, будем лететь. И в скалах останется не одна воронка, а две.

Я потянул ручку на себя, недоумевая, откуда могла взяться эта горка. Она пронеслась в сотне футов под нами* и скрылась из вида — загадочно безмолвная, как безнадежно погасшая звезда.

Мне никогда не удастся забыть тот день, вернее, то, как самолет Бэвена не изменил направление полета до тех пор, пока наши машины не сделали это вместе. Это был наш с ним последний полет звеном. Спустя месяц срок нашей мирной службы в ВВС истек и мы, снова став гражданскими людьми, расстались, пообещав друг другу еще когда-нибудь встретиться. Потому что все, кто летает, обязательно когда-нибудь встречаются.

Вернувшись домой, я тосковал по скоростным полетам ровно столько, сколько времени мне потребовалось на то, чтобы обнаружить — возможности авиационного спорта ничуть не хуже. Я открывал для себя групповой пилотаж, воздушные гонки, посадки в чистом поле вдали от аэродромов и многое другое, что можно было делать на легких самолетах, способных пять раз подняться в воздух и приземлиться на расстоянии, необходимом для одного-единственного взлета *F-100*. Летая, я думал о том, что Бо, наверное, делает такие же открытия, что он, как и я, продолжает летать.

Но он не летал. Он не просто уволился из ВВС, он пропал. И не просто занялся бизнесом, а умер мучительной смертью летчика, отвернувшегося от искусства полета. Он медленно задыхался, бизнесмен в приличном синем костюме с галстуком наступил ему на горло, загнал в удушливый тупик заказов, ордеров и чеков, сумок для гольфа и стаканов с коктейлями.

Однажды, пролетая через Огайо, я встретился с ним и общался достаточно долго для того, чтобы понять: человек, владеющий теперь его телом — вовсе не он, не тот, кто летел в тот день со мной крыло к крылу прямо в склон горы. У него хватило вежливости на то, чтобы вспомнить, как меня зовут, но разговор о самолетах не пробудил в нем ровным счетом никакого интереса. Он только поинтересовался, почему я так странно на него смотрю. Он настаивал на том, что именно он и есть Бо Бэвен, счастливый

* Тридцать метров.

сотрудник компании, производящей стиральные машины и пластмассовые изделия.

— Стиральные машины — исключительно нужная вещь, — сообщил он мне, — ты и представить себе не можешь насколько.

Мне показалось, что где-то в самой-самой глубине его глаз я заметил крохотный слабенький сигнал, который подавал мой друг, оказавшийся в ловушке. Но через мгновение все исчезло, скрытое маской. За столом с табличкой «Фрэнк Н. Бэвен» сидел вполне респектабельный деловой человек. Фрэнк!

Когда мы с ним летали, назвать Во по имени «Фрэнк» означало в открытую заявить, что он вовсе тебе не друг. И теперь эта бестактная офисная крыса совершила ту же ошибку — он не имел ничего общего с человеком, которого обрек внутри себя на заточение и смерть.

— Безусловно, я счастлив, — заявил он. — Конечно, приятно было полетать на *сотках*, но ведь это не могло продолжаться вечно, правда ведь?

Я улетел, а Фрэнк Н. Бэвен вернулся к работе за своим столом в офисе, и мы надолго расстались. Возможно тогда, в пустыне, Бо своим вопросом спас мне жизнь, но теперь, когда пришла моя очередь спасти его, я не нашел нужных слов.

Спустя десять лет после того, как мы уволились из ВВС, я получил письмо от Джейн Бэвен: «Думаю, ты обрадуешься, узнав, что Бо сделал крутой поворот и вернулся к своей первой любви. Теперь его бизнес напрямую связан с авиацией — на фирме «Америкен Эйркрафт» в Кливленде. Стал совсем другим человеком...»

— Друг мой, Бо, прости меня, — подумал я. — Десять лет в заточении! Теперь ты выбираешься на волю, разрушив стены тупика. Не так-то просто тебя прикончить, а?

Через два месяца я приземлился в кливлендском аэропорту и взял такси до «Америкен Эйркрафт». На заводской стоянке в ожидании отправки выстроились ряды ярко раскрашенных *Янки**. Прямо через стоянку мне навстречу шел Бо Бэвен. Белая

* American Aircraft AA-1 «Yankee».

рубашка и галстук были на месте, но все равно это был не бизнесмен Фрэнк, а мой друг Бо. Местами на нем сохранилась Фрэнкова маска — отдельные кусочки, — но лишь для пользы дела. Человек, ранее отделенный от неба стеной, был теперь на воле и в полной мере владел этим телом.

— Может, узнаешь — не нужно ли доставить одну из этих машин на Восток? — поинтересовался я. — Могли бы с тобой слетать.

— У кого узнаю? Можем взять любой и лететь, — сказал он, ничуть не изменившись в лице.

Его офис назывался теперь «Кабинет начальника отдела сбыта» — слегка захламленное помещение с окном, выходившим в цех. На книжном шкафу — ободранная и слегка помятая модель *F-100*. Кое-каких деталей недостает, но зато — гордое устремление прямо в потолочные небеса. Фотография на стене — звено из двух *Янки* над пустыней Невады.

— Знакомая картинка? — коротко спросил он.

Не знаю, что он имел в виду — звено или пустыню. И то, и другое было знакомо мне и Бо; бизнесмен Фрэнк никогда не видел ни того, ни другого.

Он провел меня по заводу, свободно ориентируясь в месте, где вдыхают жизнь в бесшовные спортивные *Янки*, подобно тому как сам он вернулся к жизни из тупика прижатого к земле тела. Он говорил о том, как собирают *Янки* без клепаных швов, о прочности сотовой конструкции кабины, о сложностях, возникающих при проектировании дюралевого кроя, об особенностях формы штурвала. Деловой разговор о технических вопросах, с той лишь разницей, что делом его теперь были самолеты.

— Ладно, парень, расскажи-ка мне лучше о себе, каково оно было — в последние десять лет? — сказал я, расслабившись на сиденье его машины, в то время как он внимательно смотрел на дорогу по пути домой.

— Я думал об этом. Первый год был очень тяжелым. По дороге на работу я смотрел на облака и думал о солнце — там, над ними. Было ужасно трудно.

Он вел машину быстро, делая резкие повороты и не отрывая глаза от дороги.

— Да, в первый год было плохо. К концу второго года я почти научился об этом не думать. Но иногда, краем уха неожиданно уловив звук двигателя пролетающего где-то над облаками самолета, я не успевал собраться, и мысль все же возникала. Или, бывало, летал по делам в Чикаго и сквозь иллюминатор видел облака сверху — тоже все вспоминалось. И я думал: «Да, было, часто и здорово, просто наслаждение, такое было ощущение чистоты и все такое прочее». Но потом авиалайнер приземлялся, и были дела, тяжелый день, а на обратном пути я спал, и мысли больше не приходили.

Мелькали деревья на обочине.

— Я не был счастлив, работая в той компании. Она не имела никакого отношения к тому, что я знал и что было мне интересно. Мне было наплевать, продадут они новую стиральную машину или нет, уйдет партия синтетической резины или зависнет, возьмут вагон капроновых ведер или откажутся. Совершенно наплевать.

Мы остановились у его дома, окруженного подстриженными кустами за белым штакетником, на Мэпл-стрит, Чэгрин Фоллс, штат Огайо. Прежде чем выйти из машины, он сказал:

— Пойми меня правильно. Раньше о том, что там, над сплошными облаками, я думал только тогда, когда летал в одиночестве. Я видел солнце — такое, какое ожидал увидеть. Все было здорово. Чистые верхушки туч подо мной, тех самых, которые снизу кажутся грязными и мрачными. Но разные там возвышенные мысли о божественном — они ведь не приходили мне в голову, вот в чем дело.

«Все было так просто: я вырывался из туч и говорил про себя: «Я здесь. Господи, и я вижу мир таким, каким видишь его Ты». А он отвечал: «Есть». Или просто щелкал кнопкой микрофона, чтобы дать мне понять, что я услышан».

«Меня всегда поражала огромность и величие того, что над облаками. И сам факт, что я — там, лечу в бескрайности этого простора, касаясь макушек гигантских грозовых туч, а люди на земле в это время всего-навсего думают, не открыть ли зонтик».

«А тогда эти мысли то и дело преследовали меня по пути в офис».

Мы направились к дому, а я все пытался вспомнить. Нет, никогда я не слышал от него таких вещей, он ни разу не говорил об этом вслух.

— Сейчас, — сказал он после ужина, — очень и очень немногие знают «Америкен Эйркрафт». Люди либо не имеют о нем понятия, либо отмахиваются, говоря: «А-а-а, это дело гиблое, оно прогорит. А может, уже прогорело». И это хорошо, потому что тогда говорю я: «Нет, это не гиблое дело, а фирма «Америкен Эйркрафт». На нас работают профессионалы!..» И все такое прочее. И они — *действительно* профессионалы. Это, кстати, еще одно, что меня привлекало, когда я бросил эту работу со стиральными машинами — я не хотел работать с... ладно, скажем так, я хотел работать в более профессиональной организации.

Мы испытывали *Янки* перед тем, как отогнать его в Филадельфию. Я вспомнил слова Джейн Бэвен, сказанные ею накануне:

— Я не знаю его, и никогда не узнаю. Но когда Бо перестал иметь отношение к самолетам, он стал совсем другим. Его все это доставало, он сделался вялым, он все время тосковал. Он не говорил о своих чувствах, он вообще не склонен переливать из пустого в порожнее. Но когда он, наконец, ушел оттуда, у него был выбор — два замечательных рабочих места. Одно — в крупной сталелитейной компании. Это было очень надежно, он до конца жизни мог бы там работать. Второе — работа в «Америкен Эйркрафт». Но эта фирма могла свернуть свою деятельность буквально на следующий день. И мы это знали. Но после первого же собеседования все стало ясно.

И она громко рассмеялась.

— Конечно, он не переставая твердил, что сталелитейная компания — это было бы просто замечательно, и гораздо надежнее... Но я знала, что все это пустые слова... Мне все было ясно.

Янки выкатился на взлетную полосу. Это был один из первых полетов Бэвена после многих лет на земле.

— Давай, Бо, — сказал я, — твой самолет.

Он дал полный газ, вышел на осевую, и мы обнаружили, что в жаркий день на земляном покрытии с травой полоса для *Янки* требуется не такая уж короткая. Мы оторвались от земли после достаточно длинного разбега и полого взмыли в воздух.

Десять лет отсутствия практики. Это было очень заметно, несмотря даже на то, что речь шла о человеке, бывшем некогда лучшим летчиком, чем я когда-либо надеялся стать. Он плохо чувствовал машину, мысль его гналась за самолетом вместо того, чтобы его опережать, и маленький чувствительный *Янки* то и дело скакал вверх-вниз в его несколько грубоватых руках.

Но вот что странно — он был абсолютно уверен в себе. Он вел машину грубо и вполне отдавал себе в этом отчет, ум его едва поспевал за самолетом, и это он тоже знал, но знал он также и то, что все это — нормально, что нужно просто снова привыкнуть к полету и на это ему потребуется не так уж много минут.

Он вел *Янки* так, как привык летать, как летал на *F-100D*. Изменение курса не было мягким плавным виражом, принятым в гражданской авиации, но — БАХ! — круто опрокидываясь на крыло, машина врезается в стену воздуха, *поворачивает*, а потом хлестко возвращается в горизонтальное положение.

Я не мог удержаться от смеха. Впервые я смог взглянуть на мир глазами другого человека, я увидел то, что было у него на уме. Я видел не скользящий со скоростью ста двадцати пяти миль в час крохотный гражданский *Янки* со стосильным двигателем и винтом фиксированного шага, а с ревом несущиеся вперед пятнадцать тысяч фунтов массы одноместного дневного истребителя *F-100D* с вырывающимся из сопла пламенем цвета алмаза, смазанную скоростью землю внизу и ручку управления в его руке, единственным волшебным движением которой можно было заставить весь мир бешено вращаться, или перевернуться вверх тормашками, или вынудить небо потемнеть.

Янки не возражал против такой игры, ведь его система управления очень похожа на систему управления *сотки*. Штурвал легкий и чувствительный, как у гоночной *Феррари*, прямо так и хочется крутить на полной скорости четырехвитковые бочки. Просто ради развлечения.

Бо вновь открывал для себя когда-то так хорошо знакомое ему небо.

— Купим ли мы когда-нибудь самолет? — сказала Джейн. — Надеюсь. Ведь он должен летать. Я не могу объяснить почему — он всегда держит свои мысли при себе, никогда не знаешь, что у него на уме, но я думаю, он просто чувствует себя лучше, более живым, что ли... Может быть, это звучит банально, но, когда он может летать, жизнь имеет для него больше смысла.

Для меня это звучало отнюдь не банально. Прищурившись, Бо вгляделся в горизонт:

— Похоже, там есть разрыв в облачности. Над или под, что скажешь?

— Ты летишь, тебе и решать.

— Тогда — под.

Он решил так просто для того, чтобы был повод нырнуть вниз. Как большущая летучая мышь, *Янки* метнулся к деревьям. Мысль Бо была теперь впереди самолета, он радовался этому, но улыбку, конечно же, сдерживал. Крылья машины вернулись в горизонтальное положение, и мы понеслись на восток прямо над Пенсильванским шоссе.

— Он немного опасается дать себе волю и увязнуть по самые уши, — предположила Джейн. — Он чуть-чуть чересчур подозрителен для того, чтобы снова так же полностью увлечься самолетами, как когда-то. Он не отпустит себя. Но есть одна вещь... Видишь ли, ему не нужно говорить много слов. Он может общаться с помощью полета.

Ты права, Джейн. Это буквально висело в воздухе, когда он летел. Десять лет на земле, в течение которых ему хотелось криком кричать. И теперь, когда пришло время летать снова — всего лишь перегнать машину прямым курсом в Филадельфию. Вместо того, чтобы добираться туда бочками и мертвыми петлями. Ему не нужно было говорить ни единого слова.

— А что ты помнишь о полете по приборам? — спросил я.

— Ничего.

— О'кей, тогда смотри на приборы. А я буду вместо диспетчера. Четыре-девять Лима, есть на экране, поднимитесь до трех тысяч, поворот вправо, курс два-ноль, при пересечении радиуса шесть-ноль Потстауна доложите.

Я намеревался завалить его командами, но ничего не получилось. Я предложил ему цель, он прицелился и выстрелил, не прибегая ни к каким оправданиям. *Янки* поднялся вверх, выполнил — теперь уже мягкий и плавный — вираж. Он вслух вспоминал:

— Радиус всегда направлен от станции, да?

— Да.

Пересекая радиус, он доложился. Итак, я наблюдал за тем, как мой друг снова учится и как небо сдувает пыль и паутину с человека, который был некогда замечательным пилотом и вполне мог снова таковым стать.

— Я вступаю в аэроклуб *Янки*, — сообщил он мне.

А в другой раз сказал:

— Наверное, не слишком дорого сейчас купить *Каб* или *Чемп*, правда? Просто так, чтобы всегда иметь возможность полетать. Ну и, конечно, в качестве капиталовложения. Цены вон как растут — может получиться вполне приличное вложение.

Мы подошли к аэропорту, и — вот оно опять — я смотрел его глазами и видел гладкий серебристый нос со стрелкой указателя скорости, и мы заходили на посадку на скорости в сто шестьдесят пять узлов плюс два узла на каждую тысячу фунтов топлива сверх тысячи, и гул двигателя *GE-57* истребителя *F-100D* звучал у нас в ушах — касание — 1959/1969 год — *F-100/Янки* — Невада/Пенсильвания, США.

Затем — сразу же после касания — он поддернул нос вверх, так высоко, что мы почти зацепили землю хвостовым костылем.

— Бо, ты что делаешь?!

Я забыл. Мы всегда поступали так, чтобы сэкономить тормозной парашют. Аэродинамическое торможение. Он, разумеется, тоже позабыл, для чего при посадке задирают нос.

— Дерьмовая посадка, — сказал он.

— Да, довольно мрачно. Похоже на то, что ты безнадежен, Бо.

Однако надежда все же была. Потому что мой друг — тот, кто спас мне жизнь и так долго сам был мертв, — летал. Он снова был жив.

Слова

Мы находились в пятидесяти милях к северо-западу от Чейинн на высоте двенадцати тысяч пятисот футов. Двигатель продолжал спокойно работать, направляя *Стрелу** вперед. После взлета прошло три часа, и я надеялся, что ничего не изменится в течение предстоящих тридцати часов перелета через страну. Показания приборов на панели управления были спокойными и удовлетворительными, все говорило о том, что дела идут нормально. Видимость не ограничена. Я еще не заполнил план полета.

Я пребывал там, наверху, продолжая полет и думая о семантике, совершенно при этом не предчувствуя, что мне предстоит через четыре с половиной минуты. Разглядывая горы и необъятную пустыню вокруг, и высоту, и давление масла, и амперметр, и первые за день редко разбросанные облака, я задумался о словах авиации и об их значениях для остального мира.

Вот, например, о *плане полета*. Для думающих людей он явно означает план расчета полета. План полета — это определенный порядок, дисциплина, обязательство перемещаться по небу с целью. Полет без этого плана для любого рационального человека — это полет, лишенный порядка, дисциплины, ответственности и цели. Температура масла — семьдесят пять градусов по Цельсию... Чувствуешь себя неплохо, когда на *Стреле* установлен охладитель масла.

Но для Федерального Управления Авиации, по-моему, *план полета* — это план совсем не для полета. А просто форма ФУА

---

* Самолет Piper «Arrow».

7233-1. План полета — всего лишь листок бумаги величиной пять на восемь дюймов, который заполняется для оперативности при поиске и спасении на случай задержки прибытия самолета в пункт назначения. Для осведомленных план полета — это листок бумаги. Неосведомленные верят, что план полета — это план расчета полета.

Проверив, что двигаюсь на запад от Чейинн, я вспоминал сообщение в колонке новостей: «Сегодня реактивный грузовой самолет переехал легкий тренировочный аэроплан *Сессна*, припаркованный и привязанный в аэропорту. На *Сессну*, раздавленную в лепешку, не был заполнен план полета...»

Незаполненный план полета на газетном языке значит: «Виновен. Причина аварии. Получил по заслугам».

Почему Федеральное Управление Авиации не ознакомило газетчиков со значением термина *план полета*? Не потому ли, что Управление хочет, чтобы они верили, что каждый, кто не запросил службу розыска и спасения по форме 7233-1, является виновником и причиной аварии? Поразительно, как удобно в момент происшествия напомнить журналистам, что легкий аэроплан не был в плане полетов, или еще лучше, когда они спросят: «У маленького самолета был план полета?», ответить неохотно, с болью: «Ну, господа, нет. Нам очень неприятно говорить об этом, но на маленький самолет план полета заполнен не был».

Уже не оставалось и двух минут до наступления события, относительно которого у меня не было ни малейшего предчувствия. Курс 289 градусов. Высота 12 460 футов. Но я продолжал размышление о словах. Их так много, так много ярлыков и терминов, тщательно подобранных официальными лицами, что подозрительные пилоты могли бы посчитать их за хитро расставленные ловушки для граждан, научившихся летать частным образом.

Диспетчерская вышка, оператор воздушного движения.* Откуда появились эти названия? Они ничего не контролируют, ничем не управляют. Люди, сидящие в этой вышке, беседуют с пи-

* Англ. Control tower, air traffic controller.

лотами, сообщают им летные условия. Каждую мельчайшую операцию по контролю и управлению выполняют летчики. Так что, семантическая деталь нисколько не важна?

Сколько раз вам приходилось слышать от нелетающих: «На вашем аэродроме нет диспетчерской вышки? Разве это не *опасно*»? Вообразите себе их чувства, когда в официальной терминологии они найдут для аэродрома без контрольной вышки термин *неуправляемый аэропорт*! Попытайтесь это объяснить корреспондентам газет.

Слова сами по себе говорят, что несчастного случая можно ждать каждую минуту, самолеты будут падать с неба на школы и детские дома. А вот описание миллионов и миллионов взлетов, такой взлет совершается каждый день и каждую минуту. «*Легкий самолет поднялся с неуправляемого аэропорта, без радиоуправления, без плана полета*».

Авиатрасса звучит подобно автомобильной трассе, как будто это ровное место на земле, где быстро и компактно мчатся автомобили. На самом же деле авиатрасса — это некий коридор воздушного пространства, в котором самолеты должны лететь по возможности ближе друг к другу, иначе это было бы небо без границ.

Квадрантная высота. Очень технический авторизованный термин, описывающий систему, которая в самом лучшем случае гарантирует, что каждое столкновение на средней высоте произойдет под углом менее чем 179 градусов.

Обзор других самолетов. Это тоже совсем просто. В любом обществе, отказавшем в доверии человеку, в любой цивилизации, требующей гарантированной защиты от падающих с неба консервных банок вместо индивидуальной заботы, система обзора смущает отсутствием благородства. Почему? Так проще, вот и все.

Мое время закончилось, я летел точно на высоте 12 470 футов, на тридцать футов ниже предписанной квадрантной высоты для полетов в западном направлении. Я находился на трассе *Виктор 138*, на пути от Чейинн к Мэдисон Боу, над штатом Вайоминг.

Другой самолет тоже был на трассе *Виктор 138*, тоже на высоте 12 470 футов, но он летел в направлении, которое вывело бы его носовую часть через воздушный винт моей *Стрелы*, через кабину и заднюю часть фюзеляжа, а следовательно, и через ось руля направления в пустое пространство. Еще один самолет летел на тридцать футов ниже — на неправильной высоте. У меня было преимущественное право на занятие этой трассы, но у него — *С-124*, который тогда был одним из самых крупных четырехмоторных грузовых самолетов в мире.

Мы со *Стрелой* решили не спорить о правах и осторожно повернули с трассы. Мы убедились, что 124-й — на самом деле огромный самолет.

Я был поражен. Почему этот человек, профессиональный пилот, пилот Военно-Воздушных Сил занял МОЮ высоту! Он же не на своей высоте! Двигаясь на восток, он занял высоту западного направления. Как может профессиональный пилот в таком гигантском самолете так сильно ошибаться?

Конечно же, мы не ускользнули в последнюю минуту. *124* достаточно громадная туша, чтобы ее нельзя было увидеть задолго до последней минуты. Но все же это случилось, и прямо на моей высоте сотни тонн алюминия и стали летели в неверном направлении.

Если бы я был увлечен изучением своей карты и этот гигант действительно пустил *Стрелу* по воздуху, нет и тени сомнения по поводу сообщения, которое появилось бы в газете. После объяснений о том, как *Стрела* была стерта в порошок ударом крыла грузового самолета, и небольшого красочного описания столкновения в новостях появилось бы заключение следующего характера: *Представители Федерального Управления Авиации выразили сожаление по поводу случившегося и сообщили, что на малый самолет не был заполнен план полета.*

С масляным манометром — через всю страну

Возникало ли у вас когда-нибудь ощущение, что всем вокруг известно нечто, о чем вы не имеете ни малейшего понятия? И для всего мира это нечто — вещь вполне само собой разумеющаяся, вы же о ней слухом не слыхивали, как будто бы пропустили Большой Небесный Инструктаж или что-то в этом роде.

Одним из ключевых пунктов Большого Небесного Инструктажа, очевидно, был вопрос о том, что *на старых аэропланах от побережья до побережья в Северной Америке не летают*. Речь шла, разумеется, о тех, кто находится в своем уме. И тут вдруг является старина Бах, который на Инструктаже отсутствовал.

Мне очень хотелось завести себе *Детройт Паркс Р-2А* — скоростной биплан с открытой кабиной. Я нашел такой самолет в Северной Каролине и решил выменять его за свой *Фэйрчайлд-24*, который находился в Калифорнии. На первый взгляд, логичнее всего было бы отправиться в Северную Каролину на *Фэйрчайлде*, там его оставить, взять биплан и на нем вернуться в Калифорнию. Правда ведь? Однако если это звучит логично и с вашей точки зрения, значит, Большой Небесный Инструктаж мы с вами прогуляли вместе. Ну что ж, стало быть, мы относимся к тем самым двум процентам человечества, которые составлены вечно всюду опаздывающими субъектами.

Итак, не придумав ничего лучшего, я полетел на своем моноплане в Лимбертон, Северная Каролина. Снабженный множеством приборов, которые исправно жужжали в кабине, самолет с ровным урчанием и без особых трудностей проделал этот перелет. А затем я променял его на этакую трещетку — ревущий, хрюкающий, насквозь продуваемый всеми ветрами биплан с одним-единственным заслуживающим доверия прибором — масляным манометром. Ни о каком электрооборудовании, не говоря уже о радио, этот доисторический экземпляр никогда не слыхал и, кроме того, чрезвычайно подозрительно относился к любому пилоту, который учился летать не на *JN-2* или на *Американском Орле*.

Во время Инструктажа, я уверен, обсуждался и следующий аспект: *чтобы, посадить старый биплан при боковом ветре на полосу с твердым покрытием, необходимо быть воистину могучим авиатором*. Что и объясняет, почему в Крисчент-Бич, Южная Каролина, при повороте во время рулежки я вдруг услышал донесшийся откуда-то снизу крайне неприятный хруст. После чего правое колесо шасси отвалилось, а правое нижнее крыло свернулось в этакий замысловатый крендель. Потом я немного послушал отдаленный рокот Атлантического океана, а позже — после наступления темноты — печальный стук дождя. Он барабанил по жестянке ангара, в котором стояла моя груда обломков. Пролететь мне оставалось всего лишь каких-нибудь двадцать шесть сотен миль. Эх, выпить бы ядовитого зелья из болиголова или броситься в море с высокого моста. Но мы — не попавшие на Инструктаж — так беспомощны, что, видимо, заслуживаем жалости, и потому, несмотря ни на какие лишения, нам все же удается кое-как проползти по жизни. Жалость в этом случае исходила от предыдущего хозяина *Паркса* по имени Ивэндер М. Бритт, хранителя неиссякаемого источника южного гостеприимства.

— Не переживай, Дик, — сказал он, когда я позвонил ему, — я сейчас приеду и привезу полный комплект запчастей для шасси. Кстати, и крыло запасное имеется. Не волнуйся, я уже выезжаю.

А вместе с ним сквозь дождь явился и полковник Джордж Карр — странствующий пилот, боевой летчик, командир эскадрильи, реставратор старинных аэропланов.

— И это все?! — произнес Карр, когда увидел мою развалину. — А я-то я подумал, у тебя и вправду что-то поломалось.

Вэндер мне такого наговорил. Давайте-ка разберемся с этим домкратом, и завтра ты у нас уже будешь в небе!

Ассоциация любителей антикварных аэропланов подставила надежное плечо одному из своих членов, попавшему в беду, и от Гордона Шермана, председателя отделения Ассоциации в штатах Северная и Южная Каролина и Вирджиния, словно из самого Небесного Града, прибыло редкостное старинное колесо от его аэроплана *Иглрок*. Через несколько дней мы с *Парксом* были в полном порядке, совсем как в тот день, когда я выкатил его с фабрики. Узнав кое-что о боковом ветре и полосах с твердым покрытием, нижайше поблагодарив наших благодетелей и получив от полковника Карра продовольственный паек, мы осторожно отправились в полет длиною в двадцать шесть сотен миль.

Итак, мы — тридцатипятилетние ровесники — осторожно пробирались на Запад. Очень скоро я обнаружил, что первые странствующие пилоты, летавшие на *Парксе* и его современниках, были самыми замасленными и самыми замерзшими людьми на всем белом свете. После каждого приземления в поле или на аэродроме в ход идет шприц, запускающий густую клейкую смазку в каждую коробку с шатунами. Пять цилиндров, десять коробок. После каждого полета в ход идет ветошь, посредством которой вытирается масло с шатунной коробки и со всего, что находится за двигателем: с защитных очков, с ветровых стекол, с фюзеляжа, с шасси, со стабилизаторов. Вытирать надо быстро, пока не застыло. Двигатель *Райт J-6-5 Вихрь** — вредное маслянистое создание. И открывая каждое утро капот двигателя, чтобы профильтровать топливо, странствующий пилот получает от него в награду липкий аэрозольный плевок в физиономию — отличительный знак своего призвания в виде масляной пленки.

Я, разумеется, и прежде знал, что чем выше поднимаешься, тем ниже температура воздуха. Об этом мне не раз сообщали приборы, установленные на самолетах, с которыми мне доводилось сталкиваться прежде. Однако одно дело — смотреть на стрелку прибора в секторе «ХОЛОД», и совсем другое — ощу-

* Wright «Whirlwind».

щать, как этот самый ХОЛОД шастает по кабине и забирается под кожаную летную куртку и, проникая сквозь неисчислимое количество свитеров и шерстяных рубашек, пробирает до самых костей. С этим аспектом ХОЛОДА я познакомился на собственном опыте. Только забившись поглубже под ветровое стекло, мне кое-как удавалось избегать звенящих ледяных ножей ветра, несущегося со скоростью сотни миль. Сидеть же, скрючившись над штурвалом, на протяжении трех часов кряду — занятие менее чем приятное.

В самом начале знакомства с *Парксом* мне открылся самый великий и основополагающий факт. Мы летели на запад в первые дни весны 1964 года, и я осознал: наслаждение полетом над землей обратно пропорционально скорости, с которой ты над нею пролетаешь. Над лугами Алабамы я в первый раз увидел, что каждое дерево весной — это ярко-зеленый фонтан листьев, брызнувших навстречу солнцу. Луга иногда похожи на укатанные площадки для игры в гольф самых престижных клубов страны, и мне с трудом удавалось сдерживать себя от того, чтобы приземлиться и в свое удовольствие поваляться в этой нетронутой яркой траве. *Паркс* отнюдь не был абсолютно уверен в моем праве быть его пилотом, но тем не менее время от времени он демонстрировал мне виды своего мира — такого, каким он был тогда. Фермы проплывали под нами чередой — продуваемые всеми ветрами, каждая — оплот бытия в тупике грунтовой дороги, царящий над своими полотнищами полей и лесов точно так же, как в те времена, когда *Паркс* был новеньким и созерцал все это впервые. Во дворах ферм стояли автомобили и грузовики 1930 года, на лугах паслись коровы 1930 года, и сам я на какое-то время превратился в замерзшего и промасленного Базза Баха — странствующего пилота в девственном пространстве нетронутых небес. Иллюзия была настолько хороша, что казалась правдой.

Но как только я отвлекся на минуту, чтобы сделать заметку в уголке маршрутной карты, *Паркс* весьма явственно продемонстрировал мне свой ревнивый нрав. Ровно и монотонно ревел двигатель. Я взглянул в сторону и написал на карте: «Деревья —

зеленые фонтаны». В тот миг, когда кончик карандаша заканчивал выводить «...ны», мотор взревел погромче, в расчалках взвыл ветер. Резким движением я вскинул голову и увидел огромную царственную землю — она спешила мне навстречу, чтобы меня уничтожить. Тихий мягкий голос произнес:

— Летишь со мной, будь добр — лети, а не делай какие-то там заметки и не раздумывай о вещах посторонних.

Да, надуть *Паркс* управлением без рук было невозможно, и каждая моя попытка отвлечься от ее насущных нужд неизменно заканчивалась совершенно непредсказуемым фортелем с ее стороны.

Часы сплетались в длинные дни полетов. Подо мной неторопливо проплывал облик американского юга. Трехчасового полета было достаточно, чтобы ветровое стекло передней кабины покрылось изрядным слоем масла и грязи, но пять цилиндров *Вихря* продолжали громыхать, не пропуская ни одного такта. Когда *Паркс* счел, что я уже созрел для обучения, он рассказала мне кое-что о людях.

— Держись подальше от больших городов, — говорил он, — в маленьких у людей есть время быть открытыми, дружелюбными и очень добрыми. Загляни, например, в Рэйвилл, штат Луизиана. Приземлись на закате в крохотном аэропорту. Подрули к короткому ряду ангаров. Заправочная колонка. Никого вокруг. Заглуши двигатель у вывески «Авиаобслуживание Адамса» — там, где стоит гусеничный трактор *Грумман*, а на стене висит большой красный огнетушитель. Выберись из кабины, потянись и начни вытирать масло. И тут вдруг появится пикап и кто-то крикнет: «Эй, привет!»

На дверце грузовичка написано: «Авиаобслуживание Адамса», из него выглядывает улыбающийся водитель в старой фетровой шляпе с загнутыми вверх полями.

— Подумал, у вас *Стирмэн*, когда вы пролетали над моей фермой, но ваш слишком маленький, чтобы быть *Стирмэном*, и звук двигателя не похож на двести двадцатый. Что это у вас за машина?

— *Детройт-Паркс*. Почти такой же, как *Крайдер-Рэйснер 34*, знаете?

Завязался разговор об аэропланах, и этот человек оказался Лайлом Адамсом, владельцем компании, занимавшейся обработкой посевов. Когда-то он объезжал диких лошадей, разводил бульдогов, был летчиком чартерных рейсов, доставлявшим любителей рыбной ловли и охоты в нетронутые уголки дикой природы. На протяжении всего обеда Адамс говорил о полетах и встречных ветрах, крутых поворотах во время рулежки, задавал вопросы и отвечал на мои. Он пригласил замерзшего, промасленного странника к себе в дом, познакомил с семьей, показал фотографии самолетов и мест, в которые на них летал.

На следующее утро в пять тридцать он приехал, чтобы пригласить аэронавта на завтрак, а потом помог ему завести мотор. Еще один взлет, прощальное покачивание крыльями и долгие холодные часы в острых вихрях ветра, в негреющем утреннем свете медленно вползающего на небосвод солнца.

Вдоль шоссе номер восемьдесят мы пролетели несколько сотен миль над девственными просторами западного Техаса, двигаясь большей частью на высоте пяти футов над абсолютно пустынной дорогой, чтобы укрыться от вездесущего встречного ветра. Большая земля — вот она, всегда здесь, всегда ждет и наблюдает за каждым движением винта того аэроплана, который осмелился пересечь ее. Я вспомнил о своем пищевом НЗ и о канистре с водой и порадовался тому, что они у меня есть.

Впереди маячила гроза, раскинувшаяся на вершине косого столба серого ливня.

— Впереди приключение, — сообщил я *Парксу*, потуже затягивая ремни безопасности.

Я мог свернуть вправо и полететь вдоль железной дороги, избежав тем самым встречи с дождем. А мог полететь налево — вдоль автострады — и прорваться сквозь него. Я всегда считал, что нужно поднять перчатку, коль скоро тебе ее бросили, и мы продолжили свой путь над шоссе. Как раз в тот момент, когда я закончил привязываться и первые капли дождя ударили по ветровому стеклу, заглох двигатель. Это было уже слишком. Я принялся судорожно думать, и, когда нас резко занесло вправо, мысли мои почему-то сосредоточились на аварийном комплекте. Очень уж пустой выглядела пустыня. *Вихрь* же судорожно хватал воздух, фыркал и задыхался. Индикатор наличия топлива светился, смесь хорошая, горючего в баке много. Магнето. Промокли магнето. Переключил на правое магнето, и *Вихрь* прекратил кашлять, заработав ровно и без сбоев. Левое — он снова замирает. Быстро включаем правое. Карта, карта, где же карта? Так, ближайший город... (в расчалках нарастает рев ветра)... Фэйбенс, штат Техас, и двадцать миль на запад... отсюда до Фэйбенса (теперь ветер уже буквально визжит)... только не сейчас, самолетик!!! Я же просто в карту заглянул! Все нормально! Меняем курс... До Фэйбенса — двадцать миль, и если я полечу над железной дорогой, она повернет налево... (ветер затихает, становится спокойным и мягким, по карте поползли тени)... О'кей! Только без сцен — здесь не место и не время! Пустыня внизу, неужели не понятно? Камни кругом. Хочешь без крыла остаться или без колеса?

Паркс настроился лететь над железной дорогой, но каждый раз, когда мне хотелось напугать себя, я перебрасывал переключатель магнето в положение «левое» и слушал, как задыхается и умолкает двигатель. Прошло несколько минут, и я с облегчением приземлился на песке близ Фэйбенса, штат Техас. Расстелив под крылом спальный мешок и парашют, я положил под голову куртку вместо подушки и уснул без снов.

К утру магнето высохли и были готовы к работе, а работой был перелет через пустыню протяженностью в семьсот миль. Действительно, в нашей стране много песка. И гор. И выжженной солнцем травы. И железнодорожные рельсы, прямые, как упавшие сосны, упираются в горизонт.

Когда мы пересекали границу Аризоны, левое магнето начало жаловаться снова. И мы проделали на правом магнето пятьсот миль между артиллерийскими полигонами, расположенными к югу от Феникса, и прорвались сквозь пыльную бурю над Юмой!

Вышло так, что левое магнето вовсе меня не напугало! Если одно магнето выходит из строя, то двигатель может работать на другом. Если бы отказало правое магнето, я бы приземлился на восьмидесятом шоссе и воспользовался аварийным комплектом. Возле Палм-Спрингс в Калифорнии левое магнето заработало снова. Должно быть, оно отказывает, если перегревается. Надо его немного охладить, и все будет в порядке.

— Почти дома, — подумал я.

— Почти дома, — сказал я *Паркс*. — Теперь уже недалеко.

Но к западу от гор шли штормы с дождем и сильными ветрами, продувавшими долины. Если бы у меня был сейчас мой *Фэйрчайлд* с его приборами и радио! Мы с *Парксом* попробовали пройти возле Джулиан и поплатились за свою неповоротливость, будучи отброшенными назад в пустыню. Мы попытались пройти через коридор к Сан-Диего, и впервые в жизни я двигался назад, когда спидометр показывал семьдесят миль в час. Мрачное чувство возникает, когда для уверенности то и дело поглядываешь на спидометр, чтобы убедиться, что это происходит наяву. Однако единственным, уверенность в чем сделалась непоколебимой, было то, что *Паркс* просто не в состоянии пробиться на запад против ветра. Двинулись дальше на север, навстречу длительной и личной битве с долиной у Бэннинга и с горой Маунт-Сан-Джасинто.

— Ну и здоров же ты! — думал я, разглядывая гору, заснеженная вершина которой была окутана штормовым облаком. Мы сделали еще одну попытку прорваться сквозь дождь, и в этот раз рассерженные на горы магнето не обращали на потоки воды никакого внимания.

Все же это был полет, полет и полет, до тех пор, пока мы не приземлились на скользкой от дождя полосе в Бэннинге.

Через час, отдохнувший и готовый продолжать битву, я увидел просвет в облаках на западе над низкой грядой холмов. Мы взлетели и снова попали в дождь — дождь, похожий на россыпь стальной дроби, и дождь, вымывающий замасленные очки до чистоты хрусталя. И вихри над холмами вновь заставляли двигатель останавливать время, и отрицательное ускорение вытягивало топливо из карбюратора.

Внезапно все закончилось. Последняя гряда холмов осталась позади, а впереди были облака, рассеченные устремленными вниз гигантскими полосками солнечного света. Как будто мы достигли наконец Земли обетованной, и было принято решение, что малышка *Паркс* довольно тяжело повоевал сегодня и показал себя с наилучшей стороны, а потому борьба больше ни к чему. Наступил один из моментов, которые запоминаются летчикам навсегда, когда после серого, свистящего стальными пулями дождя наступает солнечный свет; после бешеного вихря — подобная зеркальной глади успокоенность воздуха, после величественных нахмуренных гор и яростных туч — маленький аэропорт, последняя посадка и дом.

Пропустите этот Большой Инструктаж на небе, — и вам придется самим открывать полеты от побережья к побережью на старых аэропланах. И если никто не подскажет, учиться вам придется у самого самолета.

Каков урок? На старых бипланах с открытой кабиной можно совершать тысячемильные перелеты, знакомиться со своей страной и с жизнью самых первых летчиков, которым обязана своим существованием авиация. И узнавать кое-что о себе самих. И, вероятно, что-то еще, о чем не говорят ни на каких Инструктажах.

Самолет — всего лишь машина

Самолет — это машина. Он не может быть живым. Равно как не может он желать, или надеяться, или ненавидеть, или любить.

Машина, которая называется «самолет», состоит из двух основных частей, именуемых «двигателем» и «планером», каждая из которых изготовлена из самых обычных машиностроительных материалов. Никаких таинств, никакой магии, накаких заклинаний не используется для того, чтобы заставить любой самолет летать. Он летает в соответствии с известными и непреложными физическими законами, которые не могут изменяться ни по каким причинам.

«Двигатель», говоря коротко, есть кусок металла определенной формы, в определенных местах которого просверлены соответствующие отверстия, укреплены необходимые пружины и клапаны, установлены подшипники и передающие валы. Он отнюдь не оживает вследствие того, что его монтируют в передней части планера. Вибрации же, которые он производит во время работы, обусловлены ускоренным сгоранием топлива в его цилиндрах, работой его движущихся частей и силой, которую создает вращающийся пропеллер.

«Планер» есть некоторое подобие клетки, построенной из стального проката и дюралюминиевых листов. Листовой металл, ткань, провода и тросы. Гайки и болты. Планер изготавливается в строгом соответствии с расчетами авиаконструктора — человека очень мудрого и практичного, который этим зарабатывает себе на жизнь и отнюдь не склонен безумствовать в истерии эзотерического мумбо-юмбо.

В самолете нет ни одной детали, для которой не существовал бы чертеж. Ни одной части, которую невозможно было бы разобрать на простейшие пластины, отливки и кованые детали. Самолет был изобретен. Он не «обрел бытие» и никогда не входил в жизнь. Самолет — такая же машина, как автомобиль, как бензопила, как сверлильный станок.

Возможно, кто-нибудь — вероятнее всего, начинающий летчик-курсант — станет утверждать, что самолет — воздушное создание и потому имеет в себе особые силы, которых нет у сверлильного станка?

Чушь. Самолет — не создание вовсе. Он — машина. Слепая, немая, холодная и мертвая. Все силы доподлинно известны. Миллионы часов исследований и летных испытаний раскрыли нам все, что только может быть известно о самолете. Подъемная сила, тяга, сопротивление. Углы атаки, центры давления, соотношение необходимой мощности и реальной, сопротивление увеличивается пропорционально квадрату скорости.

Однако встречаются все же летчики, которые почему-то хотят верить в то, что самолет — живое существо. Но вы — вы не верьте. Это абсолютно невозможно.

Взлетные характеристики любого самолета, например, зависят от нагрузки, мощности двигателя, аэродинамических коэффициентов, а также от высоты местоположения взлетной полосы над уровнем океана, уклона и качества ее поверхности, от скорости и направления ветра. Все это можно точно измерить и математически оценить, ввести в компьютер, и он выдаст точное значение минимально необходимой для взлета длины полосы.

Ни в одном техническом руководстве вы не найдете ни единого предложения, ни единой фразы, ни одного слова, ни одного самого слабого намека на то, что рабочие характеристики машины могут меняться в зависимости от чаяний пилота и его надежд, его мечтаний, его доброго отношения к своему самолету. Сейчас для вас критически важно об этом знать.

Рассмотрим пример. Вот летчик. Зовут его, скажем... м-м-м... ну, допустим, Эверетт Донелли. И допустим, он учился летать на *7АС Аэронка-Чемпион*, номер 2758Е.

Прошло время, и Эверетт Донелли стал, скажем, штурманом на авиалиниях компании «Юнайтед Эйр-Лайнс». Потом он стал капитаном и ради забавы решил разыскать тот *Чемп*, на котором когда-то учился летать. Допустим, он расспрашивал людей и писал письма, полтора года летал по всей стране и в конце концов обнаружил останки машины с номером 2758Е в развалинах рухнувшего ангара заброшенного аэропорта. Допустим, два года у него ушло на то, чтобы восстановить самолет, собственными руками перебрав его по винтику, изготовив все, чего недоставало и что было безнадежно повреждено. Ну а после этого он, наверное, пять лет летал на своем *Чемпе* и отклонил далеко не одно очень выгодное предложение его продать. Вероятнее всего, он содержал свою машину в идеальном состоянии, потому что это была часть его жизни, которую он очень любил. И, разумеется, любовь к жизни заставляла его любить и ту ее часть, которой был самолет.

А теперь давайте предположим, что однажды Эверетту пришлось сделать вынужденную посадку на заснеженной площадке высоко в горах из-за разрыва маслопровода. Допустим, он залатал маслопровод, долил масло из банок, которые всегда имел при себе в полете, и собрался взлететь.

А вот теперь давайте будем читать очень и очень внимательно. Предположим, что, если бы Эверетту Донелли не удалось в тот раз подняться в воздух, он бы замерз в горах и труп его был бы захоронен под толстым слоем снега, выпавшего во время бурана 8 декабря 1966 года. Поскольку никаких дорог в той части горного массива, предположим, нет, равно как нет там и ни малейших признаков цивилизации. И еще скажем, что площадка, на которой Эверетт приземлился, окружена плотным кольцом шестидесятифутовых сосен. И ни малейшего ветерка, ни дуновения.

Я предложил вам рассмотреть ситуацию. Теперь давайте введем исходные данные в компьютер вместе с характеристиками данного конкретного *Чемпа*, высотой места над уровнем океана, типом почвы и состоянием снежного покрова на той площадке в тот день. Некоторое время компьютер подсчитывает и в конце концов выдает окончательный результат: минимально необходимое расстояние для преодоления при наборе высоты препятствия высотой шестьдесят футов составляет 1594 фута при условии безупречного пилотирования.

Эверетт Донелли, вероятно, вполне представлял себе ситуацию, хотя и не мог рассчитать все с такой же точностью, как компьютер, но, измерив шагами расстояние от точки возможного начала разгона до основания стволов деревьев, получил 1180 футов. Если откатить машину немного назад, так чтобы ее хвост оказался между двумя деревьями, можно выиграть еще семь футов. 1180 или 1187 — разница небольшая, вследствие которой ровным счетом ничто не меняется. Площадка на 407 футов короче, чем минимально необходимо.

А теперь давайте рассмотрим некоторые факты, которые не могут иметь никакого отношения к разбегу при взлете *Аэронки-Чемпиона* номер 2758Е.

Допустим, Эверетт Донелли знает о надвигающемся буране и реальной перспективе гибели от холода в изуродованном самолете. Все это неминуемо случится, если он не сможет взлететь с первого раза.

Он вспоминает тот день, когда впервые увидел этот солнечно-желтый с багрянцем забрызганный грязью *Чемп* на летном поле в Пенсильвании, где после войны он учился летать. Он вспоминает, как все лето напролет и все выходные работал, чтобы заплатить за курсы.

Он вспоминает пятнадцать тысяч летных часов и то, как вновь нашел этот *Чемп* под обломками ангара.

Он вспоминает годы, ушедшие на восстановление машины, и первый полет Джин Донелли на этом самолете. И еще то, что ни на какой другой машине, кроме *Чемпа* с номером 2758Е, она летать не согласится.

3 – 4584

Он вспоминает самый первый полет своего сына и самый первый его самостоятельный полет — в день, когда мальчишке исполнилось шестнадцать.

И он запускает двигатель и садится в кабину, дает полный газ, и *Чемп* начинает двигаться в направлении противоположного конца площадки, потому что пришло время отправляться домой.

Поверьте, все, что было сказано выше о самолетах, — чистейшая правда. И проведенное мною коротенькое исследование было выполнено безупречно, поскольку в нем сконцентрировался весь опыт самолетостроения, начиная с того времени, когда человек впервые поднялся в воздух на самолете. Не существует ни одной теории, которая не была бы практически опробована авиаинженерами и авиаконструкторами.

И все теории, и все факты утверждают, что всякая попытка взлететь при дистанции разбега на 407 футов короче, чем необходимо, для Эверетта Донелли смертельна. Лучше вырыть яму и попытаться пережить буран. Пусть лучше ураганный ветер разнесет самолет на части. Тогда хотя бы пилот может попробовать выбраться из диких гор пешком. Все что угодно — лучше, чем попытка преодолеть заведомо непреодолимое препятствие.

Как мы уже убедились, самолет есть машина. Это не мои измышления и не моя прихоть. Я вообще тут ни при чем, ибо таково утверждение десятков тысяч блестящих умов, подаривших человечеству искусство и скорость полета. А я всего лишь задался целью выяснить, верит ли хотя бы один из них, что самолет есть нечто большее, чем просто машина. Но в тысяче книг и полумиллионе страниц схем, чертежей и формул нет ни слова, оставляющего хотя бы слабую надежду на ошибочность моих расчетов необходимой длины разбега для самолета Эверетта Донелли там, на крохотном плато среди гор. Никто, ни единый голос не намекает на то, что при определенных условиях летчик, который любит свой самолет, может заставить машину на несколько мгновений ожить, и испытать ответную любовь к своему пилоту, и продемонстрировать ее, свершив маленькое летное чудо. Ни единого слова об этом нигде.

Компьютер сформулировал окончательный приговор: необходимый разбег должен равняться 1594 футам. Это — абсолютный минимум.

Уверяю вас, ошибки здесь нет. Ни под каким видом *Чемп* не мог преодолеть стену этих деревьев. Это было просто-напросто невозможно. Согласно расчетам, самолет должен был врезаться в деревья на высоте двадцати восьми футов от поверхности земли, набрав к этому моменту скорость в пятьдесят одну милю в час. Сила удара по главному несущему лонжерону правого крыла в семидесяти двух дюймах от центроплана была бы достаточной для того, чтобы сокрушить главный и задний лонжероны. Смещение центра тяжести заставило бы самолет перевернуться и зарыться носом в землю. Сила удара о землю превзошла бы допустимые нагрузки на узлы крепления двигателя. Двигатель вдавился бы внутрь фюзеляжа, проломив при этом огнеупорную переборку и пробив топливный бак. Брызнувший на горячие выхлопные трубы бензин мигом испарился бы, а пламя из-под головок разгерметизированных вследствие деформации корпуса двигателя цилиндров подожгло бы эти пары. Через четыре минуты тридцать секунд самолет был бы полностью охвачен пламенем. И неизвестно, хватило бы этого времени на то, чтобы тот, кто находился в машине, успел прийти в сознание после удара, выбраться наружу и удалиться на безопасное расстояние. Последний пункт, а именно степень достаточности промежутка времени для выполнения определенных действий, не описывается законами аэродинамики и теоретической механики сопротивления материалов и потому является величиной неопределенной.

Все это было описано мною с одной лишь целью: еще раз напомнить вам о том, что самолет, на котором летают, — не более чем машина. И как бы нежно вы к нему ни относились, как бы его ни лелеяли, машиной он и останется. Самолет суть машина.

И потому в то утро я никак не мог увидеть, как Эверетт Донелли садится на своем *Чемпе* и подруливает к заправке.

И я, конечно, не мог ему заявить:

— Эверетт, ведь ты же — мертвый!

А он никак не мог рассмеяться в ответ и сказать:

— Ты что, спятил? Я такой же мертвый, как ты. А ну-ка, поведай мне, как это вышло, что я погиб?

— Ты совершил вынужденную посадку в горах в сорока двух милях на север от Бартонз-Флэт, площадка была только 1187 футов длиной, высота над уровнем океана — 4530 футов, нагрузка — 6,45 фунта на квадратный фут площади крыла.

— А, да, точно, сесть пришлось. Маслопровод полетел. Но я на него зажим с прокладкой поставил. Потом масла немного долил, взлетел и даже домой успел до урагана. Останься я там — не сладко мне было бы, верно?

— Но ведь разбег...

— Ты уж поверь! Я когда приземлился дома — посмотрел: в колесах иголки сосновые застряли. Но старина *Чемп* иногда проделывает дивные вещи. Если с ним хорошо обращаться.

Это не могло произойти. Ни при каких условиях это не может произойти. И если вы когда-нибудь услышите о подобном случае с каким-нибудь пилотом, если что-то в этом роде произойдет с вами — не верьте. Этого не может быть.

Самолет не бывает живым.

Самолет не может знать, что такое «любовь».

Самолет суть холодный металл.

Самолет — всего лишь машина.

Девушка из давным-давно

— Я хочу лететь с тобой.

— Будет холодно.

— Все равно я хочу лететь с тобой.

— И продувать будет, и масло кругом, и шум такой, что даже думать невозможно.

— Я знаю, я пожалею о том, что на это решилась. Но все равно, хочу лететь с тобой.

— И ночевать придется под крылом, в дождь и в грозу — прямо в грязи. А питаться — в крохотных кафе небольших городишек.

— Знаю.

— И никаких жалоб. Ни единой.

— Обещаю.

Итак, после несчетного количества дней молчаливых колебаний, моя жена наконец решилась заявить, что желает отправиться в передней кабине моего странника-биплана — с ревом и сквозняком — в полет длиной в тридцать пять сотен миль. Через весь гористый Запад и Великие равнины к холмам Айовы и обратно в Калифорнию через Скалистые горы и Сьерра-Неваду.

У меня вполне были причины на то, чтобы предпринять этот перелет. Один раз в год тысяча с лишним медленных громыхающих машин — арфоподобных из-за множества струн-растяжек, стоек и распорок, антикварных принадлежностей древних небес — слетались отовсюду на травяной ковер в самом центре летней Айовы. Это было место, где летчики делились друг с другом своими матерчато-аэролаковыми радостями и брызго-масляными горестями, радуясь встрече с друзьями — такими же помешанными на аэропланах и в них влюбленными. Все эти люди — одна семья, и я тоже принадлежу к ней. Мне необходимо было встретиться с ними со всеми, это и было причиной, побудившей меня отправиться в путь.

Бетт было гораздо труднее на это решиться. Когда она договаривалась о том, чтобы в течение этих двух недель за детьми присматривали, ей пришлось признать, что она отправляется со мной, потому что ей хочется лететь, потому что это будет занятно, потому что после она сможет сказать: «Я это сделала». Конечно, для принятия решения ей потребовалось определенное мужество, однако меня не оставляли сомнения относительно того, сможет ли она справиться с задуманным, ибо я был твердо убежден: она понятия не имеет обо всем том, с чем ей предстоит столкнуться во время перелета.

Мне уже приходилось совершать дальний перелет на этой машине. Я перегонял самолет в Лос-Анджелес из Северной Каролины, через неделю после того, как купил его там у одного коллекционера старинных аэропланов. За тот полет со мной приключилась одна небольшая авария и одна поломка двигателя, в течение трех дней я промерзал буквально до костей, два дня летел над пустыней в такую жару, что мотор грелся почти до предельно допустимых температур. Я вступал в сражения с ветрами, гнавшими аэроплан назад. Однажды мне пришлось лететь под плотным покровом тяжелой облачности так низко, что самолет время от времени цеплял колесами верхушки деревьев. Короче, в тот раз я натерпелся более чем достаточно. Теперь же предстоявший перелет был на тысячу миль длиннее, и лететь я должен был не один, а с женой.

— Ты уверена, что желаешь принять в этом участие? — спросил я, выкатывая биплан из ангара, когда первые лучи солнца из-за горизонта коснулись края предрассветного неба. Она усердно возилась со спальными мешками, упаковывая что-то в комплект для выживания.

— Уверена, — бесстрастно ответила она.

Должен признаться, где-то внутри я был съедаем жутким любопытством относительно того, удастся ли ей совладать со всей этой ситуацией. Ни ее, ни меня никогда особенно не привлекали приключения в поле и жизнь без привычных удобств. Нам нравилось читать, время от времени ходить в театр и, поскольку я был военным летчиком, летать. Мне нравился мой аэроплан, однако мне приходилось считаться с его возможностями. Дело в том, что всего лишь за день до вылета я закончил ремонтировать двигатель, и это была пятая серьезная неисправность за последние пять месяцев. Я надеялся, что покончил наконец со всеми причинами возможных поломок, но тем не менее дал себе зарок лететь так, чтобы в случае выхода двигателя из строя всегда иметь возможность спланировать и приземлиться на какой-нибудь ровной площадке. И я вовсе не был уверен, что нам удастся осуществить всю эту затею с Айовой. Шансы были примерно пятьдесят на пятьдесят.

Но решимость ее была непоколебима.

— Вот теперь-то, — думал я, вдыхая в старенький двигатель оглушительное чихание его синевато-сизо-дымной жизни и проверяя показания приборов, — мы и поглядим, что за человек та женщина, на которой я женился семь лет назад.

Для Бетт, в здоровенной шубе поверх летного костюма образца 1929 года, прихваченной ремнями безопасности к сиденью открытой передней кабины, началось испытание. Поток воздуха, отбрасываемый пропеллером, уже хлестал ее по лицу.

Спустя полчаса, когда температура окружающего воздуха опустилась до двадцати восьми градусов*, к нам присоединились еще два старинных самолета — монопланы с закрытыми кабинами. Я знал, что в обеих моделях установлены обогреватели. Помахав друзьям, я пристроился к ним на высоте пяти тысяч футов и скорости в девяносто миль в час. Я был им рад: если двигатель заглохнет, мы будем не одни.

Мы шли в нескольких ярдах от них, и мне было видно, что жены пилотов в кабинах были одеты в юбки и легкие блузки.

* По шкале Фаренгейта. 2 градуса мороза по Цельсию.

Меня же под кожаной курткой с шарфом била крупная дрожь, и я задавал себе вопрос: интересно, раскаивается Бетт в своем решении или еще нет?

Несмотря на то что расстояние между нашими кабинами составляло всего три фута, из-за яростного ветра и рева двигателя мы не могли расслышать друг друга, даже вопя что есть мочи. Ни радио, ни проводной бортовой связи у нас не было. Когда нужно было перекинуться словом-другим, приходилось прибегать к языку жестов или передавать друг другу вырываемый ветром из рук клочок бумажки с нацарапанными на нем пляшущими буквами.

И тут, в то самое время, когда я, дрожа, размышлял о том, готова ли моя зачехленная в кучу одежек жена признать, что сделала глупость, она потянулась за карандашом.

— Ну вот, — подумал я, пытаясь угадать, что она напишет, — «С меня довольно!» или «Холодина невыносимая!».

Вырывавшийся из рта пар дыхания мгновенно уносил ветер. А может быть, просто:

— Извини меня!

Все зависит от того, насколько ее одолел ветер и как глубоко успел проникнуть мороз. Ветровое стекло перед нею было покрыто мельчайшими брызгами грязного масла. Когда она обернулась, чтобы вручить мне записку, я увидел такие же брызги на ее ветрозащитных очках. Тонкими пальцами в кожаной перчатке она протянула мне из огромного мехового рукава записку. Зажав ручку между колен, я взял измятый клочок бумаги. Мы отлетели от дома всего на сто пятьдесят миль — еще не поздно было вернуться и оставить ее там. На бумажке было написано одно-единственное слово:

— Здорово!

И маленькая улыбающаяся физиономия рядом.

Бетт смотрела, как я читаю. Когда я поднял глаза, она улыбнулась.

Ну и что прикажете делать с такой женой? Я улыбнулся в ответ, откозыряв ей приложенной к шлему рукой в летной перчатке.

Через три часа, после короткой остановки для заправки, мы оказались над самым сердцем Аризонской пустыни. Был почти полдень и даже на высоте пяти тысяч футов стояла жара. Шуба Бетт громоздилась на сиденье рядом с нею горой, мех на вершине которой трепетал в струе ветра. В миле под нами расстилалась ярчайшая иллюстрация значения слова «пустыня». Голые, изъеденные ветром и перепадами температуры камни, мили и мили песков — абсолютно и безнадежно пустых. Если бы двигатель решил вдруг заглохнуть, с посадкой на песок не возникло бы никаких проблем. И самолет остался бы ни капельки не поврежденным. Однако жара внизу была испепеляющая, горячий воздух дрожал и переливался, и я с благоговением вспомнил о канистре воды, упакованной нами в комплект для выживания.

И тут меня вдруг пронзила запоздалая мысль. По какому праву я позволил своей жене занять место в передней кабине? Если заглохнет двигатель, она окажется в пяти сотнях миль от дома и детей, один на один с хрупким крохотным бипланом в самой середине величайшей пустыни Америки. С песком и змеями, и слепящей белизной солнца, без единой травинки, без единого деревца насколько хватает глаз. Каким слепым, бездумным, безответственным должен быть муж, позволивший своей жене — совсем молоденькой — подвергнуться всем этим опасностям. Пока я донимал себя подобными размышлениями, Бетт обернулась ко мне и показала рукой в перчатке — «гора» — сложив пальцы вместе и направив их вверх. Затем она нахмурилась, давая понять, что гора внизу отличается особой неприветливостью, и указала вниз. Она была права. Однако гора выглядела всего лишь немногим более сурово, чем вся остальная поверхность мертвой земли под крыльями.

Правда, благодаря горе мне удалось найти себе оправдание. Та, кого я так старался уберечь и укрыть в надежности домашнего уюта, открывала для себя мир, рассматривая землю этой страны в ее истинном облике. И пока она видела ее такой, пока во взгляде ее светилась радость, а не страх, благодарность, а не тревога, — я был прав в том, что взял ее с собой сюда. В то мгновение я радовался тому, что она отправилась в это путешествие.

Аризона проплывала под нами, и в какую-то минуту пустыня внизу как по мановению волшебной палочки уступила место возвышенностям, поросшим клочками соснового леса, речушкам и лугам с разбросанными то тут, то там уединенными ранчо.

Биплан мягко скользил сквозь небо, но я ощущал некоторое беспокойство. Что-то не то происходило с давлением масла. Оно медленно упало с шестидесяти фунтов до сорока семи. Еще в пределах нормы, однако все равно нехорошо — давление масла в самолетном двигателе должно быть очень устойчивым.

Бетт спала у себя в передней кабине, ветер перекатывался через ее голову и теребил шерсть на макушке шубного холма. Я был доволен тем, что она заснула, и сосредоточился на воспроизводимых в уме схемах устройства старенького движка, пытаясь вычислить, в чем дело. И тут мотор заглох — в двух тысячах футов над поверхностью земли. Образовавшаяся тишина казалась чем-то настолько неестественным, что Бетт проснулась, ища глазами аэропорт, в котором мы, как она решила, приземляемся.

Аэропорта не было. Мы были отделены от него расстоянием никак не меньшим, чем пятьдесят миль, и чем дольше я сражался с мотором, возясь с органами управления, тем однозначнее осознавал, что до аэропорта нам не дотянуть.

Биплан вываливался из неба, довольно быстро теряя высоту. Я помахал крыльями нашим друзьям, давая понять, что у нас возникли некоторые затруднения. Оба пилота немедленно развернулись и направились к нам, но сделать они ничего не могли, разве что наблюдать, как мы снижаемся.

Горы впереди и сзади были сплошь покрыты лесом. Мы планировали в узкую долину, на краю которой стояло ранчо и виднелся окруженный изгородью луг. Я повернул к лугу — единственной во всей долине полоске ровной земли.

Бетт взглянула на меня, выгнув вверх брови в немом вопросе. Она отнюдь не выглядела испуганной. Я кивнул, давая ей понять, что все нормально и что мы приземляемся на лугу. Я вполне готов был позволить ей испугаться, поскольку сам на ее месте едва ли преминул бы это сделать. Ведь для нее это была первая вынужденная посадка. Для меня — шестая. Некоторая часть меня критически наблюдала за ее поведением — как она отнесется к остановке двигателя. Ведь если верить газетам, за этим событием всегда с роковой неотвратимостью следует чудовищная катастрофа и гигантские заголовки на первой полосе.

Там было два поля — одно рядом с другим. Сделав один круг над ними, я выбрал то, которое показалось мне более ровным. Вопросительно подняв брови, Бетт указала в сторону второго поля. Я отрицательно покачал головой. Что бы ни означал твой вопрос, Бетт, мой ответ — нет. Дай я сперва посажу машину, а потом будем разговаривать.

Быстро теряя высоту, биплан скользнул вниз, пересек ограду и тяжело рухнул на землю, один раз подпрыгнул, снова приземлился и, трясясь и громыхая, покатился по изрытому твердому полю. Я очень сильно надеялся на то, что ни в одной из колдобин на пути самолета не отдыхала в блаженной расслабленности корова. Я заметил нескольких на склоне холма, когда заходил на посадку. Прошло еще несколько секунд, и коровий вопрос превратился в чисто умозрительную абстракцию, потому что самолет, в последний раз качнувшись, остановился. С невозмутимым спокойствием я ждал вопросов жены, которые должны были возникнуть после ее первой вынужденной посадки. Я пытался предугадать, что она скажет:

— «И это твоя Айова?», или «Ты не знаешь, где находится ближайшая железнодорожная станция?», или «Что же теперь делать?»

Подняв на лоб очки, она улыбнулась:

— Ты что, не заметил аэропорт?

— ЧТО!!!

— Аэропорт, милый. Вон то маленькое поле — неужели ты не видел? Там и конус ветровой торчит.

Она спрыгнула на землю:

— Во-о-н там, видишь?

Там действительно возвышалась мачта с конусом. Единственным моим утешением могло служить лишь то, что единственная грунтовая взлетно-посадочная полоса казалась даже более короткой и неровной, чем поле, где мы находились.

Та часть меня, которая оценивающе присматривалась к моей жене — а в тот миг часть эта была всем мной без остатка, — громко расхохоталась. Передо мной стояла совершенно незнакомая мне девушка. Очень молодая и очень красивая — с лицом, сплошь вымазанным маслом, кроме светлого отпечатка летных очков вокруг глаз, — она улыбалась мне озорной и немного ехидной улыбкой. Никогда и никем я не был настолько безнадежно, до полной беспомощности очарован, как в тот день — этой невероятной женщиной.

Не было никакой возможности объяснить ей, насколько блестяще она прошла испытание. Экзамен был закончен в тот же миг, а журнал для отметок — выброшен прочь.

На секунду земля вздрогнула, когда самолеты наших спутников пронеслись над нами на бреющем полете. Мы помахали им, давая понять, что с нами все в порядке и что биплан цел. Они сбросили записку. В ней говорилось, что, если нам нужна помощь, мы должны им просигналить знаками и тогда они тут же сядут. Я махнул им, чтобы они продолжали свой путь. Мы находились в хорошей форме, а в Фениксе у меня было несколько друзей-авиаторов, которые могли помочь разобраться с мотором. Монопланы еще раз прошли над нами, покачали крыльями и исчезли за вершинами гор на востоке.

В ту ночь, после того как двигатель был отремонтирован, состоялось мое знакомство с прекрасной молодой женщиной, летевшей в передней кабине моего самолета. В морозной темноте прозрачной ночи мы расстелили спальные мешки, забрались в них — голова к голове, ноги в противоположные стороны — и, вглядываясь в сверкающий вихрь центра галактики, толковали о том, каково оно — быть существами, живущими на краю такого немыслимого скопления солнц.

Биплан вернул меня во времени в его собственный 1929 год. Окружающие холмы стали холмами 1929 года, и солнца в непостижимой бесконечности — солнцами 1929 года. Я узнал, что ощущает путешествующий во времени, попадая во времена, когда не был еще рожден, и влюбляясь там в стройную темноглазую красавицу в летном шлеме и ветрозащитных очках. И я понял, что обратный путь в мою собственную жизнь закрыт для меня навсегда. Мы спали в ту ночь на самом краю нашей таинственной галактики — прекрасная незнакомка и я.

Уже без монопланов рядом, в одиночестве, наш биплан прокотал над Аризоной и оказался в небе штата Нью-Мексико. Перелеты были длинными и трудными: четыре часа в кабине, короткая остановка — бутерброд, бак горючего, кварта масла — и снова полет. В измятых ветром записках, которые передавала мне жена, сквозил ум — такой же изысканно-ясный и безупречный, как ее тело.

«Солнце похоже на красный шарик, который выскакивает из-за горизонта, словно мальчишка там отпустил ниточку».

«Оросительные разбрызгиватели ранним утром похожи на пушистые перышки, которыми равномерно утыкано все поле».

Десять лет я летал, и десять лет на все это смотрел, но ни разу не видел, пока человек, никогда ранее ничего этого не видевший, не выделил для меня эти картинки рамками записок на клочках бумаги, переданных из передней кабины.

«Неправильной формы ранчо Нью-Мексико постепенно переходят в шахматную доску Канзаса. А верхушка Техаса проскакивает инкогнито где-то в промежутке. Ни тебе фанфар, ни вышки нефтяной — никаких отметок».

«Кукуруза от горизонта до горизонта. Как миру удается поедать столько кукурузы? Кукурузные хлопья, кукурузный хлеб, кукурузное печенье, воздушная кукуруза, кукурузный пудинг, кукурузное масло, кукурузные чипсы, кукурукукурузаза».

Время от времени — вполне практический вопрос.

«Во всем небе — одно-единственное облако. Почему мы направляемся прямо к нему?» Отвечаю пожатием плеч. Она отворачивается и продолжает наблюдать и размышлять.

«Занятно обгонять поезд, когда одновременно виден и тепловоз, и хвост».

Посреди прерии возникает большой город и в дрожащем мареве величественно плывет к нам от горизонта.

«Что за город?»

Отчетливо шевеля губами, — чтобы она могла прочитать по их движениям, — выговариваю название.

Она прижимает к моему ветровому стеклу бумажку с написанным на ней «ХОМИНИ?» Я отрицательно качаю головой и проговариваю слово еще раз.

«ХОМЛИКК?»

Я повторяю еще раз — ветер уносит слово прочь.

«ЭМЭНДИ?»

«ОЛМОНДИК?»

«ОЛБЭНИ?»

«ЭЙБЭНИ»

Я продолжал проговаривать слово — все быстрее и быстрее, менее и менее четко.

«ЭЙБИЛИН!»

Я кивнул, и она принялась глядеть вниз на город под крыльями, имея теперь возможность как следует его исследовать.

Три дня биплан летел на восток, удовлетворенный тем, что ему удалось переместить меня в его время и представить этой шустрой юной леди. И ни разу больше двигатель не заглох и не дал сбоя, даже когда на подлете к Айове на него обрушился ледяной ливень.

«Мы что, собираемся сопровождать эту грозу до самой Оуттумвы?»

В ответ я мог только кивнуть и вытереть с очков брызги.

На слете я встретил друзей со всей страны. Жена — тихая и счастливая — все время была рядом. Она почти ничего не говорила, но внимательно ко всему прислушивалась, и ясные ее глаза подмечали каждую мелочь. Казалось, ей доставляет радость полуночный ветер, трепещущий в ее волосах.

Через пять дней мы отправились домой. Меня беспокоил скрытый страх — ведь мне предстояло вернуться к жене, с которой я больше не был знаком. С насколько большим удовольствием я стал бы скитаться по стране со своей новой женой-возлюбленной!

Первую записку я получил от нее над равнинами Небраски, после того как мы отлетели от Айовы уже на несколько часов.

«На слет собираются личности. Об этом говорит все — и то, где они бывали, что совершили, что знают, что планируют на будущее».

Потом она долго молчала, глядя на два других биплана, с которыми мы возвращались на запад, каждый вечер звеном из трех машин скользя сквозь неподвижность пламенеющего заката.

Наконец пришел тот час — он не мог не прийти рано или поздно — и мы во второй раз пересекли горы и пустыни, оставив брошенный ими нам вызов безмолвно лежать, обратясь в бесконечность небес. Последняя ее записка была следующей: «Я думаю, Америка станет более счастливой страной, если каждый ее житель по достижении восемнадцати лет проделает воздушное путешествие над всей ее территорией».

Наши спутники покачали на прощание крыльями и круто отвернули от нас в направлении своих аэропортов. Мы были дома.

В очередной раз биплан вернулся в свой ангар. Мы сели в машину и молча поехали домой. Мне было грустно, как бывает грустно всякий раз, когда закрываешь прочитанную книгу и неизбежно прощаешься с героиней, в которую успел влюбиться. Не важно, настоящая она или нет, просто хотелось бы побыть с ней подольше.

Я вел машину, она сидела рядом. Но через несколько минут все это должно было закончиться. Разметанные полуночным ветром волосы будут собраны в аккуратную прическу, и она снова сделается центром приложения запросов своих детей. Она вновь войдет в мир домашнего уюта, мир повседневности, в котором ни к чему разглядывать что-либо ясными глазами, незачем ни рассматривать сверху пустыню и горы, ни противостоять величественным ветрам.

Но книга все же не совсем закончилась. В потоке дел и суеты в самый странный и неожиданный миг юная леди, которую я открыл для себя в 1929 году и в которую влюбился еще до своего рождения, вдруг бросает на меня озорной взгляд, и я вижу слабый след масляных брызг вокруг ее глаз. И тут же она ускользает — прежде, чем я успеваю вымолвить слово, поймать ее руку и воскликнуть:

— Постой!

Аэропорт имени Кеннеди

Увиденный мною впервые международный аэропорт имени Кеннеди* воспринимался как вполне конкретное место — этакий гигантский остров из бетона, песка, стекла и окрашенных поверхностей, перманентная стройка с кранами, то и дело склонявшими стальные жирафьи шеи для того, чтобы осторожно взять в зубы очередную балку и поднять ее высоко в задымленные керосиновой гарью небеса, туда, где высятся железобетонные деревья каркасов все новых и новых конструкций.

Вполне конкретное место. Мне никогда даже в голову не приходило, что может быть иначе. Стерильное безмолвие темной предрассветной пустыни в светлые часы сменялось безумием часа пик начала двадцать первого столетия. Очереди из сорока, а то и шестидесяти авиалайнеров, ожидающих разрешения на взлет, посадка самолетов, прибывающих с пятичасовым опозданием, непрерывно плачущие дети на сумках и громадных чемоданах и взрослые, которые тоже нет-нет да и пустят слезу от усталости и нервного перенапряжения.

Но чем дольше я за всем этим наблюдал, тем яснее начинал отдавать себе отчет в том, что «Кеннеди» — не столько конкретное место, сколько железобетонная мысль с острыми и твердыми углами. Гордая каменная идея, над которой мы каким-то образом обрели власть во времени и пространстве, решив собраться здесь,

---

* «J.F.K.» — главный из аэропортов Нью-Йорка, самый большой международный аэропорт США и один из крупнейших, если не самый крупный, аэропорт мира.

в границах этого места, чтобы общими усилиями верить в ее реальность.

Где-то там уплотнение мирового пространства остается не более чем абстрактной умозрительностью, а рассуждения о пяти часах до Англии, обеде в Новой Зеландии и ужине в Лос-Анджелесе — досужими вымыслами. Но только не здесь. Ибо здесь нет места вымыслам и абстрактным допущениям. Здесь это происходит наяву. Вы смотрите на часы, поднимаясь на борт рейса номер 157 британской авиакомпании. Десять часов. К трем часам пополудни вы рассчитываете либо стать жертвой чудовищной катастрофы, либо ехать в лондонском такси.

Все в «Кеннеди» было создано для того, чтобы обратить эту идею в свершившийся факт бытия. Бетон, сталь, стекло, самолеты, рев двигателей, даже сама земля, которую возили сюда на грузовиках, чтобы засыпать трясины бескрайних болотистых пустошей, — все здесь служит этой одной-единственной цели. Здесь никто не читает лекций о разрывности пространственно-временного континуума, здесь просто его разрывают. С помощью бритвы гигантского крыла, рассекающего безумный ветер, с помощью сотрясающего землю рева мамонтоподобных двигателей, которые яростно вгрызаются в атмосферу разинутых металлических пастей воздухозаборников и каждую минуту пожирают десять тонн холодного воздуха, вспыхивающего керосиновыми кольцами огня и темнеющего затем в агонии, чтобы с бешеной силой быть выброшенным из угольно-черных сопел и превратиться в скорость и в полет.

Аэропорт имени Кеннеди — достойное творение великого мастера магического искусства. Поскольку независимо от вероисповедания человек попадает в Лондон через пять часов, а тот, кто завтракал в Нью-Йорке и съел обед на борту, ужинать будет уже в Лос-Анджелесе.

* * *

Толпы. Мне они обычно не нравятся. Но почему же тогда я стою сейчас здесь — в час пик в одном из крупнейших аэропортов мира — и чувствую себя уютно и счастливо, наблюдая за тем, как роятся вокруг тысячи и тысячи людей?

Потому, вероятно, что эта толпа — особого сорта.

Человеческие реки в любом другом месте мира, струящиеся по тротуарам, вливающиеся в поезда подземки, протекающие сквозь автобусные станции каждое утро и каждый вечер, — это потоки людей, которым известно только то, где они и куда направляются, а также то, что этот путь был многократно пройден ими до, и будет пройден после, еще, и еще, и еще много раз. Такого рода знание облекает подавляющее большинство представителей человечества в маску лжи, и редко кто обнаруживает свой внутренний самообман, скрывая страдания, которые испытывает в попытках преодолеть житейские проблемы, и наслаждение прошедшими и грядущими радостями жизни. Бредущие в этих толпах не есть люди, но лишь тени — носители людей, сосуды с людьми, заточенными внутри. Это напоминает бесконечную процессию экипажей с зашторенными окнами.

Однако в аэропорту имени Кеннеди толпа не составлена из людей, которые появляются здесь каждое утро и каждый вечер. И отнюдь не всякий из присутствующих вполне уверен в том, где он находится, или же в том, где ему следует находиться. Кроме того, воздух напоен таинственным ароматом исключительности ситуации, близкой к критической, и потому вполне естественным здесь выглядит обращение к совершенно незнакомому человеку, просьба о помощи и сама помощь тому, кто растерян в большей степени, чем ты сам. Путы, которыми укреплены маски, дают слабину, занавески задернуты не так плотно, и время от времени можно увидеть того, кто внутри.

Как-то, стоя на балконе второго этажа и глядя вниз, я вдруг подумал, что люди со всего мира, толпящиеся там, — это те, кто правит странами, кто направляет весь ход истории. Это было так неожиданно. В этом человечестве чувствовался разум, и юмор, и уважение к ближнему. Вот они — те, кто управляет правительствами, протестует против несправедливости, изменяет устройство общества; вот они — члены высшего суда своей страны, обладающие большей властью, чем любой государственный институт, любая армия, соединением воли своих сердец они способны опрокинуть любое зло, они суть те, к чьим идеалам взывают жаждущие творить любое благо. Для них выходят газеты, делаются вещи, снимаются фильмы, пишутся книги.

Должно быть, в толпах «Кеннеди» есть и преступники — подлые и развратные, грязные жестокие людишки. Но вряд ли их так уж много, вероятно — единицы. Иначе как могло случиться, что я ощущаю такую теплоту внутри, глядя на скопление народа внизу?

Здание для пассажиров международных рейсов. Вот в потоке людей — темноволосая девушка в дорожном костюме цвета темного вина. Она медленно продвигается к выходу, хотя видно, что ей хотелось бы проделать свой путь как можно быстрее. Пятница, восемь четырнадцать вечера. Девушка направляется к автоматическим дверям в северной части здания. Может быть, прилетела, а может — улетает. Лицо ее в некотором беспорядке, она уделяет не слишком много внимания проблеме перемещения в пространстве, но в общем, с полной невозмутимостью позволяет толпе увлечь себя в направлении выхода.

— ОСТОРОЖНО! — кричит носильщик, пытаясь притормозить багажную тележку в последнее мгновение перед тем, как та мягко толкает девушку. Но он все же немного отвернул в сторону, поэтому стальные колеса прокатились в двух дюймах от пальцев ее ног.

Темноволосая девушка в костюме цвета вина наконец заметила тележку, мгновенно остановилась на полушаге, на лице ее беззвучно возникло выражение «Ай!».

Тележка прокатывается мимо нее и ее улыбки по поводу этого маленького представления, адресованной носильщику, рассыпающемуся в извинениях за то, что не доглядел.

Потом он говорит:

— Осторожнее надо быть, мисс.

И они расходятся, не переставая улыбаться. Она выходит через одну дверь, он — через другую, а я остаюсь стоять на балконе с чувством привязанности и любви ко всему человечеству.

Смотреть на людей в аэропорту имени Кеннеди — это все равно что созерцать огонь. Или море. Я могу часами молча стоять на балконе просто созерцая людские водовороты внизу и время от времени подкрепляясь купленным в буфете бутербродом. Каждую секунду я встречаю десятки тысяч людей, узнаю их, прощаюсь с ними, а они либо не знают того, что я вижу их, либо им нет до этого никакого дела, они бредут мимо, погруженные в размышления о чем-то своем — о том, что им делать со своими жизнями и своими странами.

Я не люблю толпу вообще, но некоторые толпы мне нравятся.

* * *

В заполненном бланке значилось:

Линора Эдвардс, девяти лет. Говорит по-английски, самостоятельно путешествующий ребенок. Рост: маленький для ее возраста. Адрес: Мартинсайд Роуд Кингз Стэндинг ЗБ. Бирмингем, Англия. Прибывает одна рейсом авиакомпании «ТВА». Должна сделать пересадку на рейс до Дэйтона, штат Огайо. Просьба встретить и обеспечить пересадку. Ребенок направляется на три недели к отцу. Родители в разводе.*

На один день я присоединился к сотрудникам службы содействия путешествующим. Мне всегда хотелось узнать, чем занимается эта служба. Я часто видел ее представителей на железнодорожных вокзалах, но никогда не замечал, чтобы они кому-то в чем-то содействовали.

Марлин Фельдман, хорошенькая девушка, в прошлом работавшая секретарем в юридической фирме, взяла бланк, вручила мне нарукавную повязку службы содействия и повела в сторону здания прибытия международных рейсов. Наша малышка должна была прилететь в три сорок выходного дня. Около шести нам стало известно, что ближе к семи часам, возможно, поступит информация о времени ожидаемого прибытия рейса из Лондона.

* TWA — Trans World Airlines.

— Похоже, не успеет пересесть на дэйтонский рейс, — констатировала Марлин тоном, говорившим о ее умении всегда быть готовой к самому худшему. Наверное, у адвоката, на которого она работала, был хороший секретарь. Ни капли не теряя самообладания, она спокойно пыталась собрать воедино расползавшиеся во все стороны нити еще совсем недавно казавшегося столь безупречным плана сопровождения крошки Линоры Эдвардс.

— Ежедневно часами толчешься в аэропорту, но тем не менее каждый взлет и каждая посадка остаются захватывающим зрелищем. И когда кто-нибудь взлетает, думаешь: «Жаль, что я не у них на борту...» Алло, «Юнайтед»*? Служба содействия на проводе. У вас есть ночной рейс до Дэйтона, Огайо?

Ночного рейса до Дэйтона не было.

В восемь вечера самолет, на борту которого находилась Линора Эдвардс, все еще не приземлился. В аэропорту стояла невообразимая духота из-за чудовищного скопления пассажиров и встречающих. Воздух был наполнен гулом двигателей.

Марлин Фельдман не отходила от телефона ни на минуту. Предполагалось, что ее рабочий день должен был закончиться в пять. В восемь тридцать она все еще не обедала.

— Еще минутку. Один звонок и пойдем есть.

Она в двенадцатый раз набирает «ТВА», и наконец-то они дают время ожидаемого прибытия... Осталось двадцать минут.

— А вот и обед, — сказала Марлин.

И это буквальным образом соответствовало истине. Все рестораны в «Кеннеди» всегда безнадежно переполнены и сплошь увиты длиннющими очередями томящихся в ожидании столика, зато конфетные автоматы почему-то не пользуются популярностью. На обед она купила в автомате сырный сандвич с орехами, а я — батончик «Эрши».

Линору мы отыскали в толпе возле таможни. Она стояла в ожидании своего белого чемодана у линии подачи багажа.

— Добро пожаловать в Америку! — приветствовал я ее.

Она никак не отреагировала.

---

* «United Airlines».

Однако с Марлин заговорила — очень ясным голоском с британским произношением:

— Я полагаю, мой самолет уже улетел?

— Боюсь, что да, солнышко, а следующий рейс будет только завтра утром. Но ты не волнуйся, мы все устроим наилучшим образом. Хорошо долетела?

Через таможню мы проскочили, даже не остановившись возле конторки. Я питал слабую надежду на то, что белый чемоданчик в моих руках не набит битком контрабандными алмазами или героином. Выглядел он вполне безобидно, но никогда нельзя быть ни в чем уверенным на сто процентов.

Мы медленно протискивались сквозь толпу, людей, стоящих в очереди на автобус до Нью-Еарз-Таймс-Сквер, направляясь к офису службы содействия. Простите! Извините, пожалуйста! Позвольте! Разрешите пройти! О чем думала бедная малышка? Вся эта неразбериха, два незнакомых взрослых человека, самолет улетел, следующий рейс — только на следующий день... Она была спокойна, как поверхность чая в чашке на столе. Если бы в девять лет я оказался один в чужой стране, с пятичасовым опозданием... Я бы уже дымился зеленым дымом от нервного перенапряжения.

Марлин снова села на телефон, стараясь дозвониться до Дэйтона и поговорить с отцом девочки за его счет.

— Мистер Эдвардс? Служба содействия аэропорта имени Кеннеди. Линора у нас. На свой рейс она не успела, поэтому в аэропорт ехать не нужно. На ночь мы ее пристроим, не волнуйтесь. Как только все образуется, я вам позвоню.

— Как ты, малыш? — спросила она у девочки.

— Нормально.

Наконец все было устроено. Линора осталась в международной гостинице компании «ТВА», ее взяла с собой стюардесса рейса, которым прилетела девочка, с тем чтобы утром отвезти малышку в терминал компании «Юнайтед Эйрлайнс».

Звоним отцу в Дэйтон, чтобы сообщить имя стюардессы и телефон их номера в гостинице:

— Линора прилетит завтра. Рейс 521 до Дэйтона, прибытие десять двадцать шесть утра. Правильно. Да. Да. Да, конечно, обязательно. Пожалуйста.

Она положила трубку.

— О'кей, Линора, — сказала она, когда со звонками наконец было покончено, — завтра утром — в восемь пятнадцать — я встречу тебя возле справочного бюро «Юнайтед» и мы посадим тебя в твой самолет. О'кей?

Подошла стюардесса «ТВА». Прежде чем они растворились в толпе, Линора положила в сумочку книжку, которую читала. Книга называлась «Животный мир лесов».

— Я не думал, что ты должна приходить на работу раньше половины девятого, Марлин, — сказал я. — Разве тебе не нужно выспаться, если накануне пришлось на пять часов задержаться на работе?

Она пожала плечами:

— Восемь тридцать, восемь пятнадцать — какая разница? В любом случае не погибну, если даже пятнадцать минут не досплю.

* * *

— Восемьдесят процентов людей, находящихся в данный момент в аэропорту имени Кеннеди, в большей или меньшей мере заблудились, — объясняла мне сотрудница бюро информации. — Некоторые так нервничают, что совершенно теряют способность мыслить здраво. И потому понятия не имеют, куда идут. Везде все написано, но они не читают указателей...

ПОСАДКА НА МЕЖДУНАРОДНЫЕ РЕЙСЫ ВЫХОДЫ 1-7 СМОТРОВАЯ ПЛОЩАДКА С ЮНАЙТЕД В НЕБО ВЫХОД АЭРОПОРТ ЛОС-АНДЖЕЛЕС ОСТАНОВКА АВТОБУСА ВЕРТОЛЕТНАЯ СЛУЖБА НЬЮ-ЙОРК ЭЙРВЭЙЗ ИНФОРМАЦИЯ И ЗАКАЗ МЕСТ В АВТОБУСАХ ПО ТЕЛЕФОНУ СЛУЖЕБНЫЙ ВХОД ПОСТОРОННИМ НЕ ВХОДИТЬ ПРИБЫТИЕ ОТПРАВЛЕНИЕ КАССЫ ПРЕДВАРИТЕЛЬНОЙ ПРОДАЖИ БИЛЕТОВ ВНИМАНИЕ ПО ЭСКАЛАТОРУ НЕ БЕЖАТЬ ЭТО ОПАСНО PERSONAS SIN BOLETAS NO MAS ALLA DE ESTE

PUNTO METERED ТАКСИ С ЛИЦЕНЗИЯМИ ПОЛИЦЕЙСКОГО УПРАВЛЕНИЯ ЦЕНА УСЛУГ ПО СОДЕЙСТВИЮ В ПЕРЕСАДКЕ В АЭРОПОРТУ ИМЕНИ КЕННЕДИ 25 ЦЕНТОВ ПРОКАТ АВТОМОБИЛЕЙ СТОЙКА МЕЖДУ ВЫХОДАМИ А И Б БЕСПЛАТНАЯ СЛУЖБА СОДЕЙСТВИЯ ПЕРЕСАДКЕ ДЛЯ ПРИБЫВШИХ К ВОСТОЧНОМУ ТЕРМИНАЛУ ЛЕСТНИЦА НА ВТОРОЙ ЭТАЖ У КАССЫ НЕВОСТРЕБОВАННЫЙ БАГАЖ ДОСТАВЛЯЕТСЯ В ОФИС БАГАЖНОЙ СЛУЖБЫ К ВЫХОДАМ НА ПОСАДКУ 1234567 СТОП ВОЗЬМИТЕ БИЛЕТ РЕГИСТРАЦИЯ РЕЙСЫ 53 311 409 SE PROHIBE FTJMAR DESPUES DE PUNTE ESTE АНГАР ТОЛЬКО ДЛЯ АВТОБУСОВ ПАРКОВКА АРЕНДОВАННЫХ АВТОМОБИЛЕЙ ДВИЖЕНИЕ ПО ЛЕВОЙ ПОЛОСЕ НЬЮ-ЙОРК БРУКЛИН ЛОНГ-АЙЛЕНД И СТОЯНКА ЛЕВЫЙ ВЫЕЗД СТОЛОВАЯ ОТКРЫТА ДО 3 АЭРОФЛОТ МОСКВА ОСТАНОВКА АВТОБУСА ОБСЛУЖИВАЮЩЕГО ТЕРМИНАЛЫ ЭКСПРЕСС ДО АЭРОПОРТА ЛА ГУАРДИА КИНОЗАЛ ТЕЛЕФОН ПОПРОБУЙТЕ НЕБЕСНЫЙ КОКТЕЙЛЬ ОТКРЫТО С 10.30 ДО ПОЛУНОЧИ ПОЧТОВЫЕ МАРКИ ПРОВЕРЯЙТЕ БАГАЖНЫЙ ЧЕК ЧТОБЫ НЕ ПЕРЕПУТАТЬ БАГАЖ МНОГО ПОХОЖИХ СУМОК ПОЖАЛУЙСТА СРАВНИТЕ ЧЕК С ЯРЛЫКОМ НА СУМКЕ СПАСИБО ИНФОРМАЦИЯ О НАЛИЧИИ МЕСТ И БИЛЕТЫ БЕСПЛАТНЫЙ ТЕЛЕФОН ДЛЯ ПРЯМОЙ СВЯЗИ 1НАЖАТЬ НУЖНУЮ КНОПКУ 2СНЯТЬ ТРУБКУ И ГОВОРИТЬ В СЛУЧАЕ ПОЖАРА СТЕКЛЯННУЮ ДВЕРЬ РАЗБИТЬ ТАКСИ ДО ТАЙМС-СКВЕР $9 ДО СТАНЦИИ ГРАНД-ЦЕНТРАЛ $9 ДО АЭРОПОРТА ЛА-ГУАРДИА $4 АВТОБУСЫ ДО ГРИНВИЧ-ВИЛЛИДЖ РИВЕРСАЙД СТАМФОРДА ДАРЬЕНА НОРУОЛКА УЭСТПОРТА БРИДЖПОРТА МИЛФОРДА НЬЮ-ХЭЙВЕНА МЕРИДЕНА И ХАРТ-ФОРДА ИНФОРМАЦИЯ ПО ЭТОМУ ТЕЛЕФОНУ ПРЯМОЙ СВЯЗИ АВТООБСЛУЖИВАНИЕ НЬЮ-ДЖЕРСИ ТРЕНТОН ВУДБРИДЖ ПРИНСТОН БЕР-ГЕН-КАУНТИ БРЮНСУИК НЬЮАРК АЭРОПОРТ УЭСТЧЕСТЕР АВТОМОБИЛИ ДО НЬЮ-РОШЕЛЬ УАЙТ-ПЛЭЙНС ТЭРРИТАУНА И РАЙ-РОКЛЕНД-КАУНТИ ДО НЬЯКА И СПРИНГ-ВЭЛЛИ

СЛУЖБА СОДЕЙСТВИЯ ПУТЕШЕСТВУЮЩИМ ОБРАЩАЙТЕСЬ В БЮРО НАХОДОК СТРАХОВАНИЕ ПАССАЖИРОВ НАЗЕМНЫЕ КОММУНИКАЦИИ JFK КОКТЕЙЛИ ПОЖАЛУЙСТА СТОЙТЕ НА СЕРЕДИНЕ БЕГУЩЕЙ ДОРОЖКИ ДЕРЖАСЬ ЗА ПОРУЧЕНЬ БУДЬТЕ ВНИМАТЕЛЬНЫ ПРИ ВЫХОДЕ ПОСЕТИТЕ КАФЕ С ВИДОМ НА ЛЕТНОЕ ПОЛЕ ОБЕДЫ УЖИНЫ КОКТЕЙЛИ ИНФОРМАЦИЯ О ПОГОДЕ РАСПИСАНИЕ ИНФОРМАЦИЯ О ПРИБЫТИИ И ВЫЛЕТЕ РЕЙСОВ ВЫХОД ВЫХОД ВЫХОД ПАРКОВОЧНАЯ ПЛОЩАДКА НОМЕР 3 ВНИМАНИЕ ВСТРЕЧАЮЩИХ ПАССАЖИРЫ ПРИБЫВАЮТ К ВЫХОДАМ ВЕРХНЕГО УРОВНЯ ЧАСТНАЯ СОБСТВЕННОСТЬ БЕЗ РАЗРЕШЕНИЯ НЕ ПАРКОВАТЬ ЗОНА ПРИНУДИТЕЛЬНОЙ БУКСИРОВКИ ПЕШЕХОДНАЯ ДОРОЖКА ВЫ НЕ ЗАБЫЛИ ЗАПЕРЕТЬ АВТОМОБИЛЬ? ПЛАТНОЕ СТЕНОГРАФИРОВАНИЕ НАЧИНАЯ С ЭТОГО МЕСТА КУРЕНИЕ ЗАПРЕЩЕНО РАЗМЕН ДЕНЕГ КРЫТАЯ СТОЯНКА НАЖАТЬ ВОРОТА ОТКРЫВАЮТСЯ АВТОМАТИЧЕСКИ ПЕШЕХОДАМ ВЫХОДИТЬ НА ПОЛОСЫ ДВИЖЕНИЯ ЗАПРЕЩАЕТСЯ ОТКРЫТО НЕ ВХОДИТЬ ОБМЕН ВАЛЮТ СПРАВКИ КАССА СТОЙКИ РЕГИСТРАЦИИ А В С ПАССАЖИРЫ УКАЗАННЫХ РЕЙСОВ ПРИБЫВАЮТ В ЗОНУ ВЫДАЧИ БАГАЖА НА НИЖНЕМ УРОВНЕ ОСТАНОВКА И ПОСАДКА ЗАПРЕЩЕНЫ ЭСКАЛАТОР БАР АВАРИЙНАЯ ОСТАНОВКА ИНФОРМАЦИЯ МОЖЕТ ИЗМЕНЯТЬСЯ: ИНФОРМАЦИЯ ПРЕДСТАВЛЕНА АВИАКОМПАНИЯМИ ДЛЯ НОЧНЫХ РЕЙСОВ О РЕЙСАХ НЕ УКАЗАННЫХ В РАСПИСАНИИ СПРАВЛЯЙТЕСЬ В ОФИСАХ КОМПАНИИ НА ПЕРВОМ ЭТАЖЕ ИЛИ В ДИСПЕТЧЕРСКОЙ СТОИМОСТЬ РАДИО СПРАВКИ 10 ЦЕНТОВ ОПУСТИТЬ ОДИН ДАЙМ ИЛИ ДВЕ ПЯТИЦЕНТОВЫЕ МОНЕТЫ И НАЖАТЬ НУЖНУЮ ВАМ КНОПКУ ПРОСЬБА К ПРИБЫВШИМ ПАССАЖИРАМ ПРОЙТИ В ВЕСТИБЮЛЬ ПЕРВОГО ЭТАЖА ИНФОРМАЦИЯ DEUTCH ESPANOL FRANCIAS ITALIANO ПЕРЕХОД К ЭЙР КЭНЭДА НЭШНЛ ТОЛЬКО ДЛЯ АВТОБУСОВ КОМПАНИИ ТРАНСКАРИБИЭН 2 ЗДАНИЕ ПРИБЫТИЯ МЕЖДУНАРОД-

НЫХ РЕЙСОВ 3 ПОСАДКА НА РЕЙСЫ ДО ЛАС-ВЕГАСА ЛОНДОНА РИМА ПАРИЖА КЛИВЛЕНДА ЛОС-АНДЖЕЛЕСА САН-ФРАНЦИСКО МАДРИДА ЧИКАГО ОКЛЕНДА БОСТОНА СЕНТ-ЛУИСА ТЕЛЬ-АВИВА АФИН ЦИНЦИННАТИ АВТОМАТИЧЕСКАЯ ДВЕРЬ НЕ РАБОТАЕТ ВОЗЬМИТЕ БИЛЕТ БЕЗНАЛОГОВАЯ ТОРГОВЛЯ СУВЕНИРЫ ПОЧТА БЕЗНАЛОГОВАЯ ТОРГОВЛЯ СПИРТНОЕ 322 323 КРУГЛОСУТОЧНАЯ СТОЯНКА СТОП ЗОНА ОТПРАВЛЕНИЯ-ПРИБЫТИЯ СЛЕДУЮЩИЙ ВЫЕЗД НАЛЕВО — 150-Я УЛИЦА ГРУЗОВАЯ ЗОНА СЕВЕРНЫЙ ПАССАЖИРСКИЙ ТЕРМИНАЛ СТОЯНКА ТАКСИ ТОЛЬКО ТАКСОМОТОРАМ АДМИНИСТРАЦИЯ АЭРОПОРТА ПРИНОСИТ ИЗВИНЕНИЯ ЗА ВРЕМЕННЫЕ НЕУДОБСТВА СВЯЗАННЫЕ С РАСШИРЕНИЕМ ЗДАНИЯ ПРИБЫТИЯ МЕЖДУНАРОДНЫХ РЕЙСОВ И КОРПУСА ДЛЯ ЛЕТНОГО СОСТАВА МЫ ЗАБОТИМСЯ О ВАШЕМ БЛАГЕ СТОЯНКА МУНИЦИПАЛЬНОГО ТРАНСПОРТА ПРИ НАРУШЕНИИ ПРИНУДИТЕЛЬНАЯ БУКСИРОВКА ЗА СЧЕТ ВЛАДЕЛЬЦА ТОЛЬКО ДЛЯ ТРАНСПОРТА ПАССАЖИРОВ «ТВА» СТОЯНКА ЗАПРЕЩЕНА РЕГИСТРАЦИЯ БАГАЖА ТЕЛЕФОНЫ К САМОЛЕТАМ ПРОХОД ТОЛЬКО ДЛЯ ПАССАЖИРОВ ВЫСТАВКА ЖИВОПИСИ И ИЗДЕЛИЙ НЬЮ-ЙОРКСКОГО ЦЕХА ХУДОЖЕСТВЕННЫХ РЕМЕСЕЛ ВЫХОДЫ 8—15 ДАЛЬШЕ ПРОВОЖАЮЩИМ ПРОХОД ЗАПРЕЩЕН ПРОСЬБА НЕ НАРУШАТЬ ГАЗЕТЫ МИРА РАЗВОЗКА СОТРУДНИКОВ СТОЯНОЧНОЕ ПОЛЕ НОМЕР 7 ЦЕНТР УПРАВЛЕНИЯ ПЕШЕХОДАМ ПРОХОД ЗАПРЕЩЕН ПРОХОД К СТОЯНКЕ — ТОЛЬКО ПО ПЕШЕХОДНОМУ ПЕРЕХОДУ КРАТКОВРЕМЕННАЯ ОСТАНОВКА ДЛЯ ВЫСАДКИ И ПОСАДКИ ВХОД ОСТАНОВКА АВТОБУСА НЕ ОСТАНАВЛИВАТЬСЯ — ВЪЕЗД ДЛЯ ТРАНСПОРТА СЛЕДУЮЩЕГО ОТ ВОСТОЧНОГО ЗДАНИЯ ОБЩЕСТВЕННЫЙ ТРАНСПОРТ ПОГРУЗКА ВНИМАНИЕ ВОДИТЕЛЕЙ ГРУЗОВИКОВ РАБОТАЮТ ЛЮДИ АВТОБУСЫ ДО НЬЮ-ЙОРКА ДАЛЬШЕ ПРОХОД ТОЛЬКО ДЛЯ ПАССАЖИРОВ С БИЛЕТАМИ. Везде все написано, но никто не читает указателей.

* * *

Аэропорт имени Кеннеди — аквариум. Он построен на самом дне грандиознейшего из океанов. Мы прибываем сюда в крохотных воздухонаполненных носителях и быстренько перебираемся в воздухонаполненные камеры, функционирующие на дне в режиме полного самообеспечения. В каждой камере — свои кафе, рестораны, книжные лавки, комнаты отдыха, смотровые площадки, с которых открывается вид на обширные равнины подводной вселенной.

Из этой вселенной являются диковинные рыбы, полого спускаясь с верхних уровней. Они разворачиваются, светя всеми оттенками невиданных радуг, мерцающих в окружающем их жидком пространстве. Золото и серебро, красный и оранжевый, и зеленый, и черный, тысячекратно выросшие обитатели тропических морей. Стотонная рыба-ангел, макрели весом в полмиллиона фунтов каждая роятся прямо напротив наших гигантских иллюминаторов. Самые разные размеры, расцветки, формы — каждое семейство рыб кучкуется на своем собственном месте кормежки.

Они длиннее, чем тепловоз, они возвышаются на семьдесят футов, их огромные плавники раскинулись на пятьдесят футов в каждую сторону, они движутся величественно и безмолвно, и бесконечное спокойствие несут с собой, направляясь каждая к своему гроту. Нежные людоеды, способные заглотить сотню или три сотни Ион, каждый из которых в большей или меньшей мере страшится судьбы и верит в то, что великая рыба дружественно отнесется к нему еще в одном, всего лишь в одном-единственном странствии.

Сами же рыбы невозмутимы. Гигантские левиафаны уткнулись носами прямо в наше стекло, и мы можем заглянуть им в глаза и увидеть в них целенаправленную мысль — они думают, они готовятся к очередному путешествию сквозь весь океан, к очередному прыжку с одного континента на другой.

Когда последний Иона надежно запечатан внутри, жабры делают вдох, хвостовые плавники начинают шевелиться. Рыба бодро отплывает, поворачивается, демонстрируя все свои цвета и надписи, и направляется к месту, где, как ей известно, имеется свободное пространство, достаточное для того, чтобы в нем протянулась длинная стрела восходящего броска прочь от океанского дна.

Они кажутся такими маленькими издалека — они взвешены в прозрачной бесконечности океана, сосредоточившись на устремлении к цели, позабыв обо всем другом, упорно и настойчиво прокладывая свой путь сквозь ветры и вихри моря, взмывая все выше и выше над дном в облаках текучего ила, и по плавной кривой поднимаются все ближе к поверхности моря, чтобы там развернуться и отыскать свой путь, и, устремившись к своему бесконечно удаленному горизонту, раствориться в безмолвии прозрачной голубизны.

Они приходят и уходят, они аккуратно отрыгивают Ион всего мира и так же аккуратно заглатывают следующую их порцию. Рыбы — планетарные странники — приходят для того, чтобы в свое время с ними познакомились те, кто сейчас наблюдает за их жизнью сквозь иллюминатор смотровой площадки. Некоторые из наблюдателей уже имеют в этом деле огромный опыт, они помнят названия рыб на латыни, знают все их привычки и места обитания.

Другие же знают лишь то, насколько могучи эти великие рыбы.

* * *

Много лет тому назад, когда самолеты еще не имели радиосвязи, а диспетчерские вышки только появились, у диспетчера на вышке была «световая пушка», из которой он должен был стрелять цветным лучом в направлении самолета, сигнализируя пилоту, что именно тому, по мнению диспетчера, следовало в данный момент делать. Прерывистый зеленый: свободно для рулежки. Непрерывный красный: стоп. Непрерывный зеленый: разрешаю посадку.

Сегодня вся связь между диспетчером и пилотом осуществляется с помощью первоклассного радиооборудования, которое всегда работает безупречно. Еще бы — потратив на приобретение одного комплекта радиоаппаратуры три тысячи долларов, авиакомпания вполне вправе рассчитывать на безупречность его работы.

И тем не менее первым, что привлекло мое внимание, после того как я преодолел последний пролет лестницы, ведущей в диспетчерскую центра управления аэропорта имени Кеннеди, была световая пушка. На кабеле она свисала прямо с потолка. Совершенно неподвижно. Ее покрывал толстый слой пыли.

По периметру квадратного — двадцать на двадцать футов — помещения до уровня талии взрослого человека размещались стойки радио и радиолокационной аппаратуры, блоки включателей освещения взлетно-посадочных полос, блоки диспетчерской связи, самописцы дистанционных регистраторов погодных условий, индикаторы датчиков скорости и направления ветра. (Мне всегда было немного странно, что даже стотонный авиалайнер вынужден садиться против ветра. Казалось бы, такая прозрачная и почти эфемерная вещь, как ветер, можно было бы уже давно обрести независимость от него — ан нет.)

В комнате было пять человек, четверо молодых и один постарше — начальник смены, сидевший за своим столом. Остальные стояли, глядя вниз — на расстилавшиеся перед ними дали их королевства — аэропорт имени Кеннеди.

Позднее утро пасмурного дня — все вокруг накрыто непроницаемой чашей серого тумана. На востоке ничего не видно дальше Джамайка Бэй, на юге — дальше правой полосы номер тринадцать. На севере и западе видимость ограничена границами территории аэропорта.

Диспетчерская вышка возвышается в самом центре огромного круга, по периметру которого проходят рулежные дорожки — по часовой стрелке на юг от вышки, против — на север. Периметры сходятся к началу дорожки, ведущей к правой взлетной полосе номер тринадцать.

Ее сестра — левая полоса номер тринадцать — предназначена только для посадки. Сейчас она уже заброшена, почти никто здесь не приземляется. В тумане она выглядит особенно одиноко.

Немыслимо круто самолеты взмывают вверх, едва оторвавшись от взлетной полосы, и я с невольным содроганием слежу за тем, как решительно они вгрызаются в высоту. Это говорит о мастерстве, этим взлетом пилоты зарабатывают свой хлеб. И самолеты исчезают в пасмурном небе с носами, неестественно устремленными вверх.

В данный момент — двадцатиминутная задержка взлета. Двадцать минут ожидания в очереди на взлет. Но на вышке все спокойно. Молодые сотрудники пользуются передышкой, чтобы поговорить о том, кто когда пойдет в отпуск, потянуться и перекурить прямо здесь в кубике комнаты с кондиционированным воздухом.

Внизу виднеется бассейн-охладитель системы кондиционирования. Его фонтаны сейчас выключены. На стоянках — много свободных мест. Вдоль раскинувшихся по дуге терминалов протянулось редколесье работающих кранов. Три возле терминала британской авиакомпании, четыре — возле «Нэшнл», три — возле «ТВА», два — рядом с «Пан-Американ». Авиакомпании строят ответвления терминалов для принятия новых больших самолетов. Всего — пятнадцать работающих кранов. Они поднимают бетонные блоки и стальные балки.

Начальник смены — опытный сотрудник — открывает измятый белый кулек и выкладывает на стол три бутерброда с ветчиной на ржаном хлебе. К нему обращается диспетчер наземных перемещений:

— «Истерн» запрашивает время задержки. Есть новые данные?

— Так, шесть... — говорит сам с собой начальник, — скажи — полчаса.

Диспетчер щелкает кнопкой микрофона:

— «Истерн» триста тридцать, ориентировочная задержка — полчаса.

У каждого диспетчера — наушники, настроенные на свою собственную радиочастоту, поэтому мне не слышно, что ответил триста тридцатый. Наверное:

— А-а-а, есть.

— Хороший бутерброд, — непроизвольно вырвалось у начальника смены.

Это открыло тему — завязался разговор о видах бутербродов, потом — об обедах вообще, о курином бульоне...

В диспетчерской — четыре экрана радиолокаторов.

А также экземпляр «Нью-Йорк Пост».

И звук открывающейся двери доносится снизу. Человек поднимается неспеша, задумчиво пожевывая зубочистку.

— А, Джонни, пришел, — говорит наземный диспетчер, — а я совсем уже было решил, что сегодня останусь без обеда.

Он кратко обрисовывает сменщику обстановку — кто где — и вручает ему микрофон. Сменщик кивает и открывает банку «Колы», не переставая жевать свою зубочистку.

У самого края тумана на тринадцатую левую садится семьсот седьмой*.

Отсюда терминал «ТВА» напоминает голову гигантской осы с разинутыми челюстями, туловище и крылья которой зарыты в песок. Оса созерцает диспетчерскую вышку.

В очереди на взлет стоят двадцать самолетов.

— Вот, Джонни, — говорит диспетчер отправления, протягивая тому полоску бумаги с цифрами.

— Гм... Еще один *Гугенот*, — произносит Джонни, глядя на цифры. — Кучкуются на подходах.

— Я тебе говорю, Боб, мы точно тут скоро крышей поедем со всеми этими гугенотами... «Америкэн» сто восемьдесят третий, сэр, вам необходимо развернуться, та часть рулежной дорожки закрыта.

Выруливающий по внешнему периметру семьсот двадцать седьмой *Триджет*** медленно останавливается и как бы нехотя начинает разворачиваться. В сотне ярдов впереди него вместо

---

* Боинг-707.

** Боинг-727.

рулежной дорожки — голая земля, и несколько грейдеров разгребают ее, ползая туда-сюда, туда-сюда.

— Когда уже они уберутся и вернут нам аэропорт, — говорит Джонни.

— Будем говорить — сорок минут. Сорок минут задержки...

Когда я уходил из диспетчерской, задержка уже достигла часа, а очередь на взлет состояла из сорока самолетов.

Земля «Кеннеди» — два отдельных королевства. Одно — Королевство пассажиров, где правит клиент и все вершится сообразно его воле. Пассажир царствует над всеми землями вовне, над вестибюлями, магазинами и пунктами по оказанию разнообразных услуг, над таможней, билетными кассами, представительствами авиакомпаний, а также над девятью десятыми каждого самолета, начиная с хвоста — в той его части, где стюардессы ублажают пассажира непоколебимой уверенностью и прохладительными напитками.

Оставшаяся одна десятая самолета — это Королевство летчиков. А летчики — народ очаровательный и довольно типичный. Практически все они больше всего на свете любят летать и работают на летных палубах гигантских реактивных авиалайнеров вовсе не потому, что жаждут помочь пассажирам добраться до мест назначения. Просто им нравится летать, и они хорошо умеют делать свою работу, а в любом другом деле толку от них было бы не так уж много. Из этого правила, как и из всякого другого, бывают исключения. Встречаются среди летчиков и те, кто может хорошо работать на другом месте. Но лучшими из пилотов такие люди никогда не становятся. Они способны точно исполнять инструкции и требования руководств, но, когда дело доходит до необходимости проявить настоящее летное мастерство (сейчас это случается крайне редко, и чем дальше — тем реже), оказывается, что эти люди в небе — чужие.

Лучшими пилотами становятся те, кто начал летать еще мальчишкой, ускользая таким образом от напряженности и тоски перипетий приземленного человеческого бытия. По характеру своему будучи неспособными вынести дисциплину и скуку колледжа, они либо проваливались на экзаменах, либо бросали его по своей воле и все свое время отдавали летному искусству — либо вступая в ряды ВВС, либо выбирая самый трудный путь: аэродромный служитель и ученик — уборка ангаров, заправка самолетов горючим; летчик малой авиации — обработка посевов, катание пассажиров; инструктор — постоянные переезды из одного аэропорта в другой... В конце концов приходит решение: а почему бы не попытаться устроиться пилотом дальних авиалиний какой-нибудь из крупных компаний? Терять-то все равно нечего. Попытка и — слава Богу — положительный результат: взяли!

Все летчики всего мира живут одним и тем же небом. Но в жизни пилотов дальних авиалиний все же больше обусловленности, чем в жизни всех других летчиков, в том числе — военных. Они должны всегда быть в начищенной обуви и в галстуке, быть неизменно вежливыми с пассажирами, в точности выполнять все пункты требований авиакомпании и Федерального Свода Летных Правил. Они никогда не имеют права выходить из себя.

Взамен они получают: а) большее количество денег за меньший объем работы, чем любой другой наемный работник где бы то ни было; и что особенно важно: б) возможность летать на великолепных самолетах, не чувствуя себя никому за это обязанными.

Для устройства на работу в крупнейшие авиакомпании нынче требуется высшее образование, поэтому по-настоящему самых лучших пилотов-практиков эти компании заполучить к себе на работу не могут, уступая их авиакомпаниям местного значения (которым, впрочем, действительно нужны особо высококлассные пилоты для выполнения самых различных задач), сельскохозяйственным концернам и частным фирмам, занимающимся авиа-извозом. Не совсем понятно — при чем здесь высшее образование. Ведь, в случае чего, пилоту, получившему блестящую научно-теоретическую подготовку, приходится полагаться только на пункт номер такой-то инструкции по правилам таким-то. Летчик же, которого учила сама жизнь, вернется и посадит самолет, потому что за ним — реальное знание, порожденное интересом и любовью, а не перечнем требований к сотрудникам авиакомпании.

Сообщение между двумя королевствами в лучшем случае одностороннее... Никто из не-пилотов не смеет вступить в Королевство летчиков. А по большому счету, сообщение между ними вообще отсутствует. Общеизвестно, что самые лучшие из летчиков чувствуют себя на земле не в своей тарелке. Кроме тех моментов, когда речь заходит о самолетах и летном искусстве — единственная тема, на которую они способны общаться.

В «Кеннеди» летчики, которые идут с работы, попадаются довольно часто — в почти одинаковых униформах и фуражках с белым верхом, независимо от компании, на которую они работают, и страны, откуда родом. Неловкость их очевидна, они замкнуты в себе, взгляд — строго перед собой: поскорее выбраться за пределы Королевства пассажиров в какое-нибудь более удобное место.

Каждый из них с болезненной ясностью отдает себе отчет в своей чужеродности здесь, в пространствах вестибюлей и украшенных рекламой залов. Для каждого из них нет ничего более загадочного и непонятного, чем человек, избравший участь пассажира вместо того, чтобы стать летчиком, тот, кто полету предпочел в этой жизни что-то другое, кто может оставаться счастливым вдали от самолетов. Пассажиры принадлежат к чуждой расе человеческих существ, и летчики стараются держаться настолько далеко от них, насколько это позволено правилами приличия. Спросите как-нибудь пилота, сколько у него есть настоящих друзей, которые не летают. Вряд ли он сможет назвать хотя бы одного.

Пилот находится в состоянии блаженного безразличия ко всему, что происходит в аэропорту и непосредственного отношения к полетам не имеет. Королевство пассажира для летчика практически не существует в природе. Правда, время от времени он может окинуть людей в аэропорту взглядом, выражающим почти отеческое сострадание. Мир его кристально чист, в нем нет места ни циникам, ни дилетантам. Все в нем очень просто. В центре реальности этого мира — самолет, относительно которого вращаются скорость и направление ветра, температура воздуха, видимость, состояние полосы, навигационные приборы, разрешение на полет, а также погода в аэропорту назначения и запасном аэропорту. Вот, в основном, и все. Имеются, конечно, и другие элементы: стаж, проверка физической формы раз в полгода, предполетные проверки самолета, но все они — дополнительные и не относятся к сердцевине его королевства. Пробка на шоссе, в которой застряли десять тысяч автомобилей, забастовка строительных рабочих, организованная преступность переходит всякие границы и ежегодно приносит аэропорту миллионные убытки — ему до этого дела нет. Единственная реальность для летчика — его самолет и те факторы, которые воздействуют на него в полете. И именно поэтому воздушный транспорт оказывается самым безопасным средством передвижения в истории человечества.

Перспектива

Всего лишь несколько лет назад вид железнодорожной колеи приводил меня в изумление. Я часто стоял между рельсами и наблюдал, как они, уходя во вселенную и все больше сближаясь, соприкасались и пять миль шли вместе к горизонту на западе. Огромные локомотивы с шипением, свистом и грохотом проносились на запад через город, а так как эти великаны могли двигаться только по этим рельсам, я был уверен, что за тем местом, где рельсы сходятся, должна быть груда дымящихся обломков. Судя по тому, как машинисты, проезжая перекресток железной дороги с Главной Улицей, с усмешкой прощались с ней небрежным взмахом руки, я знал, что они были отчаянно храбрыми людьми.

В конце концов я обнаружил, что на самом деле рельсы за городом не сходятся, но так и не мог преодолеть свой страх по отношению к железной дороге до тех пор, пока не встретился со своим первым самолетом. С тех пор я облетел всю страну и не увидел ни одной пары соединившихся рельс. Никогда и нигде.

Несколько лет назад меня удивляли туман и дождь: почему однажды происходило так, что вся земля становилась серой и мокрой и весь мир превращался в жалкое, скучное, тоскливое место? Я поражался, как в один миг вся планета становилась унылой и бесцветной и как еще вчера такое яркое солнце превращалось в пепел. Книги пытались дать объяснения, но я так и не нашел подходящего, пока не начал свое знакомство с самолетом. Тогда я открыл для себя, что облака совсем не закрывают весь мир, даже находясь под жесточайшим дождем, промокший до нитки на взлетной полосе, я знал — чтобы снова найти солнце, нужно просто взлететь выше облаков.

Сделать это было нелегко. Существовали определенные правила, которым необходимо было следовать, если я действительно хотел достичь свободы ясного пространства. Если бы я по собственному выбору пренебрег существующими правилами и стал неистово бросаться по сторонам, настаивая на том, что я сам мог бы отличить, где верх, а где низ, повинуясь импульсам тела, а не логике разума, я бы неизбежно упал вниз. Для того чтобы найти это солнце, даже сейчас я должен не верить своим глазам и рукам и полностью положиться на приборы, и неважно, что их показания могут выглядеть странными и бессмысленными. Доверие к этим приборам — единственный способ пробиться к солнечному свету. Я открыл, что чем толще и темнее облако, тем дольше и внимательнее я должен следить за стрелками и вверить себя своему опыту, читая их показания. Я убеждался в этом снова и снова: если бы я продолжал подъем, я мог бы достичь пика любого шторма и наконец подняться к солнцу.

Приступив к полетам, я узнал, что с воздуха трудно увидеть границы, разделяющие страны, со всеми их небольшими дорогами, шлагбаумами и контрольными пунктами и знаками **«Запрещено!»** На самом деле с высоты полета я не мог даже сказать, когда я перелетал границу одной страны и вступал на территорию другой и какой язык был в моде на земле.

Поднимая правый элерон самолет накреняется вправо, и я нашел, что совсем неважно, какой он — американский или советский, британский или китайский, французский, или чешский, или немецкий, — не имеет значения и кто управляет им, и какие знаки различия нарисованы на крыле.

В своих полетах я видел это и многое другое, и все-все попадает под одну мерку. Это — перспектива. Это перспектива, поднимаясь над железнодорожной колеей, показывает, что нам нечего бояться за безопасность локомотивов. Это перспектива освобождает нас от иллюзий гибели солнца, наталкивая нас на мысль о том, что, если подняться достаточно высоко, мы поймем, что солнце вовсе никогда и не покидало нас. Это перспектива показывает иллюзорность границ между людьми, и только в нашей собственной вере в существование этих барьеров они реальны. Реальны из-за нашего низкопоклонства и раболепия и постоянного страха перед их силой ограничивать нас. Это перспектива оставляет свою печать на каждом, кто поднялся первый раз в самолете: «Эй, внизу транспорт... машины как *игрушки*!»

По мере того как пилот учится летать, он открывает для себя, что машины внизу *действительно* игрушки. Чем выше поднимаешься, тем дальше видишь ее, менее значительными становятся дела и критические состояния тех, кто прирос к земле.

И когда время от времени мы проделываем свой путь по этой маленькой круглой планете, — полезно знать, что большую часть этого пути можно пролететь. И в конце нашего путешествия даже можно обнаружить, что перспектива, которую мы открыли для себя в полете, значит для нас нечто большее, чем все запыленные мили, когда-либо пройденные нами.

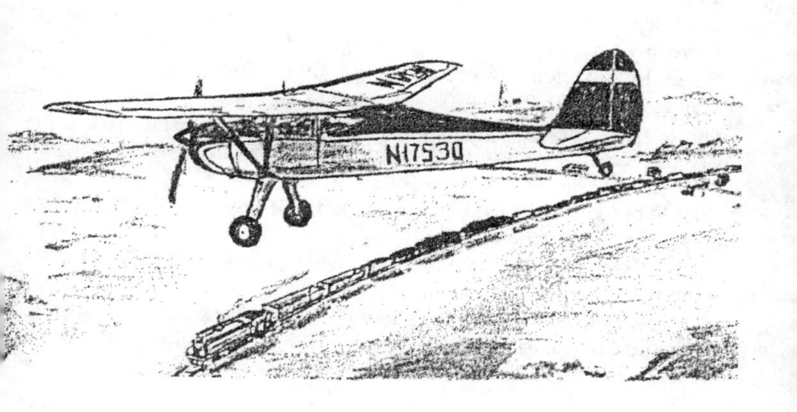

Наслаждаясь их обществом

— Ты нажимаешь этот маленький медный плунжер здесь... залей карбюратор перед запуском.

Уже месяц как было лето, и минута после восхода солнца. Мы стояли на краю луга в 16 акров, находящегося на расстоянии одной мили к северу от Феликстоу на дороге, ведущей в Инсвич. *Мотылек* Дэвида Гарнетта уже появился из своего укрытия, свежевычищенный, с расправленными по сторонам крыльями и спрятанным в траве хвостом. По всему лугу пробуждались первые ласточки и какие-то другие птицы. Ветра не было.

Я нажал на плунжер, и его слабый металлический писк был единственным утренним звуком, созданным человеком и продолжавшимся до тех пор, пока топливо не выплеснулось из мотора на темную траву.

— Если хочешь, можешь сесть в кабину сзади. Я готов к прогулке, — сказал он. — Осторожнее с компасом, когда будешь садиться. Я сам дважды сносил его. Если бы я был дома, я бы выбросил его и поставил какой-нибудь получше. Выключи зажигание.

Он спокойно стоял у пропеллера в твидовом летном костюме и наслаждался утром.

— Дэвид, в этой машине *действительно* есть переключатели?

Я почувствовал себя как какой-то житель колонии. Считаю себя пилотом самолета, а сам не могу даже найти магнитный переключатель.

— Ах, да, извини, я не сказал. На внешней стороне кабины, рядом с ветровым стеклом. В верхнем положении они включены.

— А, понятно.

Я проверил, чтобы все переключатели были внизу.

— Они говорят, что выключены.

Он пару раз прокрутил винт, спокойно и легко с видом человека, проделывавшего это тысячу раз и все еще наслаждающегося этим. Он научился летать довольно поздно. Ему потребовался 28-часовой инструктаж в парном полете, прежде чем он наконец один сел за штурвал *Мотылька*. Он ни хвастается, ни извиняется за это. Одно из лучших качеств Дэвида Гарнетта состоит в том, что он честен по отношению к себе и миру, и поэтому он — счастливый человек.

— Включить зажигание, — приказал он.

Щелкая переключателями, я перевел их в верхнее положение.

— Так. Горячо.

— Прости, я не расслышал.

— Включить зажигание.

Тренированным поворотом кисти он резко дернул пропеллер вниз, и мотор сразу же завелся. После короткого рева звук его работы стал спокойным и ровным при четырехстах оборотах в минуту, как у небольшой моторной лодки, спокойно стоящей на голубом утреннем озере.

Довольно неуклюже Гарнетт взобрался в переднюю кабину, поправил свой кожаный шлем и надел защитные очки от Мейфовитца, которыми он гордился, ведь это были действительно первоклассные очки. Когда он не летает, то его шлем и очки висят на крючке прямо над камином в Хитоне.

Я дал мотору прогреться в течение нескольких минут, тронул вперед рукоятку газа, и мы, царапая землю и раскачиваясь, двинулись навстречу длинному пути через все поле. У *Мотылька* не было тормозов, поэтому я быстро проверил на взлете магнето, и со всей своей мощью машина прыгнула в пространство.

Это немножко напоминало тот момент видового фильма, когда для достижения захватывающего эффекта фильм показывают сначала черно-белым, а потом — цветным. Как только мы оторвались от травы, солнце взорвалось лучами желтого света над всей Англией, и они как-то странно преобразили деревья и луга в настоящие британские темно-зеленые, а аллеи — в золотые и теплые. Я немного поиграл с аэропланом — ленивая восьмерка и крутой вираж, — но больше всего я проделывал простые развороты и подъем на высоту тысячу футов и резкое снижение до уровня моря ниже отвесных скал у океана, увертываясь от чаек.

Через час сгустился легкий туман, и облака опустили его к земле. Мы вошли в эту серую массу со скоростью между шестьюдесятью и семьюдесятью, с солнцем над головой — пока не прорвались на высоту трех тысяч футов, «...над долиной пара», как бывало говорил Дэвид. Солнце светило ярко, черные тени от шасси и провода опоясывали крылья. Мы были наедине с этим облаком и нашими мыслями в то утро. Только случайный скользящий внизу треугольник земли должен был напоминать нам, что где-то внизу еще существовала земля.

Наконец я заглушил мотор и повторил полет, о котором он мне говорил раньше:

«...да, были ангары и аэродромы... (и они там были, и через две мили — наш луг). Я сделал большое боковое скольжение, но даже при этом произошел «перелет» при посадке, и я снова сделал круг... (и я сделал тоже, мы были все еще на высоте двухсот футов, когда мы натолкнулись на аэродинамический барьер)... в этот раз мой подход был безупречным, а приземление удивительно мягким и фантастическим. Я находился на земле, но эта земля была нереальной, заточенная в дымку и мягкий солнечный свет. Реальность была высоко надо мной».

Я много летал с этим деликатным парнем, и в наше время, когда так мало настоящих друзей и когда лишь какой-то счастливчик может насчитать их больше трех, я могу сказать, что Дэвид Гарнетт — настоящий друг. Мы любим одни и те же вещи: небо, ветер, солнце; и когда вы летаете с тем, кто ценит то же, что и вы, вы можете сказать, что он — друг. Кто-либо еще в этом *Мотыльке*, кому наскучило небо, мог бы стать другом не больше, чем тот бизнесмен в 12-м ряду внизу по проходу в 707-м, хотя мы летали вместе с ним тысячу раз.

В некотором отношении я знаю Гарнетта лучше его собственной жены, потому что ей совершенно непонятно, почему ему хочется растрачивать время в этой шумной, продуваемой ветрами хитрой штуковине, которая разбрызгивает масло по всему лицу. А я на самом деле понимаю почему.

Но, вероятно, наиболее любопытная вещь, которая мне известна о Гарнетте, заключается в том, что, хотя мы много летали вместе и хотя я его хорошо знаю, я не имею никакого представления, как этот человек выглядит, или даже жив ли он еще. Так как Дэвид Гарнетт не только пилот самолета, но еще и писатель, и благодаря нашему единомыслию разговоры, которые мы вели, и места, которые мы облетели, были помещены между потрепанными обложками его книги «Кролик в воздухе», опубликованной в Лондоне в 1932 г.

Способ узнать любого писателя состоит, конечно же, не в личном знакомстве, а в чтении того, о чем он пишет. Только будучи напечатанным, он становится наиболее честным. Не имеет значения, что он мог бы сказать в приличном обществе, заботясь о соблюдении существующих в нем условностей: именно в его книгах мы находим реального человека. Дэвид Гарнетт, например, писал, что после того, как он отлетал те двадцать восемь часов вдвоем с инструктором, после тех тридцати шести уроков и после своего первого самостоятельного полета на *Мотыльке*, выйдя из кабины, улыбнулся и сразу подписался на продление летного времени. И это все, что мы увидели бы, если бы мы стояли и наблюдали за ним в ту среду в конце июля 1931 г. на аэродроме Маршалла.

Но так уж, на самом деле, его не тронул его первый самостоятельный полет? Чтобы выяснить это, нам нужно покинуть аэродром.

«На полпути домой я спросил себя высокомерным тоном, который так часто применялся по отношению ко мне:

«Вы уже летали самостоятельно?»

«Да».
«Летали самостоятельно?»
«Да!»
«Летали самостоятельно?»
«ДА!»

Звучит знакомо? Вспомните, когда вы учились летать, как вы, возвращаясь в своей машине домой после каждого урока, испытывали снисходительную жалость ко всем другим водителям, крепко привязанным к своим маленьким автомобилям и маленьким шоссе? «Кто из вас только что заглянул за горизонт и только десять минут назад выиграл суровую битву с боковым ветром на узкой взлетной полосе? Никто, вы говорите? Бедные люди... А Я СДЕЛАЛ ЭТО» — и, потянув на себя руль своего автомобиля, вы могли бы почувствовать, как легко он почти что полетел на колесах.

Если вы не забыли то время, значит, вы нашли бы друга в Дэвиде Гарнетте, а встретиться с ним можно где-то за доллар в одном из букинистических магазинов. Тысячи томов написаны об авиации, но мы не приобретаем автоматически в лице их авторов тысяч преданных и особых друзей. Тот редкий писатель, который появляется на страницах живьем, добивается этого благодаря тому, что отдает себя, описывая смысл не только тех событий и вещей, которые с ним происходили. Писателей, описывающих полет и преуспевших в этом, можно встретить вместе, особо стоящих на чьей-то личной книжной полке. Уйма книг о полетах осталась после Второй мировой войны, но почти все они переполнены фактами и волнующим приключением, и автор уклоняется от смысла этих фактов и от того, что стоит за этим приключением. Вероятно, он побоялся быть принятым за эгоиста, — вероятно, он забыл о том, что каждый из нас в момент достижения заветной цели становится символом всего страждущего человечества. В такой момент «Я» не означает эгоцентрическую персону Дэвида Гарнетта, а подразумевает всех нас, кто любил, и желал, и боролся, чтобы узнать, и кто в конце концов один пролетел на нашем *Мотыльке*.

Есть что-то и в сочетании факта и смысла, и чистой честности, что-то, что позволяет книге существовать, что помещает нас в эту кабину на радость и горе, направляя нас навстречу судьбе. И если ты шагаешь с человеком навстречу этой судьбе по одной тропе, существует вероятность, что он станет твоим другом.

За пределами Второй мировой войны. Например, мы знакомимся с пилотом по имени Берт Стайлз в книге, которую он назвал «*Серенада для Большой Птицы*». Большая Птица — это *Летающая Крепость Боинг B-17*, выполняющий боевые вылеты из Англии на территорию Франции и Германии. Во время полета с Бертом Стайлзом мы смертельно устаем от войны и от восьми часов в день на своем законном месте сидения и борьбы с самолетом и бездействия, когда с ним борется командир корабля. В нашей маске исчезает кислород, приближается зенитная артиллерия, вся черная и желтая и молчаливая, *мессершмитты* с черными крестами и *фоккеры* прокатываются сквозь нас в лобовых атаках, желтый огонь сверкает из их носовых орудий, шквалы осколков обрушиваются на самолет, стрельба продолжается, и вся Почетная Эскадрилья в своем полном составе внезапно появляется из воздуха с мощным шквалом выстрелов и оранжевого пламени из правого крыла. Рукоятки огня на себя — и Канал, наконец-то прекрасный Канал, и сразу же посадка на родную землю. И жуешь, не ощущая вкуса, и лежишь, как мешок, без сна, и сразу же лейтенант Порада резко бросает в просвет: «Пошли», завтрак в два тридцать, пятиминутка в три тридцать, заводим моторы, взлет — и опять мы на своих законных местах, и кислород исчезает в наших масках, приближается зенитная артиллерия, вся черная и желтая и молчаливая, *мессершмитты* с черными крестами и *фокке-вульфы* прокатываются сквозь нас в лобовых атаках, желтый огонь сверкает из их носовых орудий...

В полетах со Стайлзом славы нет, и бомбежка не является полетом. Это грязная тяжкая работа, которая должна быть сделана.

Много времени потребовалось, прежде чем я составил свое мнение о войне. Я американец. Мне повезло родиться у подножия гор Колорадо. Но однажды мне бы хотелось иметь право сказать, что я живу в этом мире, и да будет так.

«Если я переживу это, мне нужно заняться своим делом и узнать кое-что об экономике, и людях, и вещах... В конце концов имеют значение только люди. Каждая земля дорога кому-то, и она всегда стоит того, чтобы этот кто-то дрался за нее. Поэтому не земля, а люди много значат. По-моему, война именно об этом. За эти пределы я не могу уйти далеко».

После своего боевого путешествия на бомбардировщиках Стайлз добровольно совершал боевые вылеты на Р-51. В 1944 году 21 ноября он был сбит во время сопровождения бомбардировщиков в налете на Ганновер. Он погиб в возрасте 23 лет.

Но Берт Стайлз не умер, поскольку у него был шанс создать несколько чернильных образцов на двухстах бумажных страницах, и создав это, он стал голосом внутри нас и нашим внутренним зрением для того, чтобы мы могли смотреть, и удивляться, и откровенно говорить о его жизни, а потому и о нашей собственной.

В то время, тридцать лет назад, самая важная часть Берта Стайлза заключалась в желании засесть за лист бумаги недалеко от взлетной полосы Восьмой Эскадрильи Военно-Воздушных Сил, и сейчас, в эту минуту, эта же самая бумага перед нами — мы можем потрогать ее, познакомиться с ней и заглянуть внутрь. Эта важная часть и есть то, что делает любого человека тем, что он есть и значит.

Чтобы лично побеседовать с Антуаном де Сент-Экзюпери, нам пришлось бы, например, всматриваться в постоянно висящее над его головой облако дыма. Нам пришлось бы выслушивать его и беспокоиться о его воображаемых болезнях. Нам пришлось бы стоять в аэропорту и задавать себе вопрос... не забудет ли он сегодня снизить скорость при посадке?

Но как только различные поводы не писать бывали исчерпаны, и как только Сент-Экзюпери отыскивал свой чернильный колодец в комнатном хаосе, и когда ручка прикасалась к бумаге, он выпускал из плена самые трогательные и чудесные мысли о полете и человеке из когда-либо написанных. Нашлось бы немного таких пилотов, которые, читая его мысль, не могли бы кивнуть и сказать «это правда» и которые не могли бы назвать его другом.

«Берегись этого ручейка (говорил Гийоме), он проходит по всему полю. Пометь его на своей карте». А я должен был помнить ту змею в траве недалеко от Мортрил! Простираясь во всю длину среди зеленого рая запасной посадочной площадки, она лежала в ожидании меня на расстоянии тысячи миль от того места, где я сел. При случае она превратила бы меня в пылающие канделябры. А те храбрые тридцать овец, пасущихся на склоне холма, были готовы обвинить меня.

Ты думаешь, что луг пустой, и вдруг — бац! В твоих колесах тридцать баранов. Удивленная улыбка, и это все, что я мог прочитать в лице такой жестокой опасности.

Среди самых лучших писателей, описывающих полеты, мы ожидаем встретить очень высокопарных и выражающих свою мысль на бумаге весьма сложным слогом. Но это не так: на самом деле, чем выше мастерство писателя и чем ближе он к нам как друг, тем проще и яснее мысль, которую он сообщает. И странно, это сообщение мы не запоминаем, мы находим в нем то, что нам было известно всегда.

В «*Маленьком Принце*» Сент-Экзюпери раскрывает идею той особой дружбы, которая может возникнуть между пилотами самолета и другими пилотами, пишущими о полетах.

«Вот мой секрет, — сказал лис маленькому принцу, — очень простой секрет: *только сердцем можно видеть вещи правильно: главное невидимо глазу*».

«Главное — невидимо глазу», — повторил Маленький Принц, так что он, конечно же, запомнит это.

Сент-Экзюпери пишет о тебе и обо мне, о тех, кто точно так же, как и он, оказались втянутыми в полет, и мы ищем таких же друзей в его пределах. Не рассмотрев это невидимое, не распознав, что у нас больше общего с Сент-Экзюпери, и Дэвидом Гарнеттом, и Бертом Стайлзом, и Ричардом Хиллари, и Эрнестом Ганном, чем с нашим соседом, мы оставляем их неприрученными, и тогда они для нас друзья не больше, чем тысячи неизвестных лиц. Но как только мы поймем, что это реальный человек, который взялся за перо, это человек, который посвятил полету всю свою жизнь, — каждый из них становится для нас единственным во всем мире. Главное в них и в нас невидимо глазу. Мы являемся другом человеку не потому, что у него каштановые волосы, или голубые глаза, или шрам на подбородке после старой авиакатастрофы, а потому, что у него те же мечты, он любит то же добро и ненавидит то же зло. Потому что он любит слушать тикающий звук мотора теплым спокойным утром.

Голые факты бессмысленны.

ФАКТ: Человек, носивший униформу командира Французских Военно-Воздушных Сил, имя которого *Сент-Экзюпери*, в своем бортовом журнале записал семь тысяч часов летного времени и не вернулся из разведывательного полета над своей родной землей.

ФАКТ: Офицер разведки Люфтваффе Герман Корт вечером 31 июля 1944 года, в тот вечер, когда самолет Сент-Экзюпери был единственным пропавшим самолетом, повторяет сообщение: «Доклад по телефону... гибель самолета-разведчика, который горящим упал в море».

ФАКТ: Библиотека Германа Корта в Аикс-ля Чапель с ее почетной полкой для книг Сент-Экзюпери была разрушена во время бомбежки Союзной Авиацией.

ФАКТ: Ничто из этого не разрушило Сент-Экзюпери. Нет ни пули в его моторе, ни пламени в кабине, ни бомбы, разрывающей его книги в клочки, потому что настоящий Сент-Экзюпери, настоящий Дэвид Гарнетт, настоящий Берт Стайлз — это не плоть, и все они — не бумага. Они — это особый способ мышления, возможно, очень похожий на наш собственный, но в то же время, как лис нашего принца, единственный во всем мире.

А *смысл*?

Эти люди с их единственной реальной и вечной частью живы сегодня. Если мы отыщем их, мы можем наблюдать вместе с ними, и смеяться с ними, и учиться с ними. Их бортовые журналы переплавляются в наши, и наш полет и наша жизнь становятся богаче благодаря знакомству с ними.

Эти люди могут умереть, только если о них совершенно забудут.

Мы должны сделать для друзей то, что они сделали для нас, — мы должны помочь им жить. На тот случай, если вы могли и не встретить одного или двух из них, окажите мне честь и позвольте представить некоторых из них.

М-р Гарольд Пенроуз. «В небе без эхо» (Арно Пресс, Инк.).

М-р Ричард Хиллари. «Последний враг» (издавалась также под названием «Падение в пространстве»).

Лейтенант Джеймс Левеллин Рис. «Англия — моя деревня» (Книги для библиотек, Инк.).

Госпожа Молли Бернхайм. «Мое небо» (Издательство Макмиллан Ко, Инк.).

М-р Роальд Даль. «Вверх к тебе».

Мисс Дот Лимэн. «Один-один».

Сэр Франсиз Чичестер. «В одиночку через Тасманово море».

М-р Гилл Робб Вилсон. «Мир авиатора».

М-р Чальз А. Линдберг. «Дух святого Люиса» (Сыновья Чарльза Скрибнера).

Госпожа Энн Морроу Линдберг. «Север для Востока» (Харкорт Брейс Иованович. Инк.).

М-р Невил Шьют. «За поворотом», «Радуга и розы», «Пастораль» (Баллантайн Бук, инк.).

М-р Гай Мурчи. «Песня неба» (компания Хугтон Мифолин).

М-р К. Ганн. «Полуденное пламя» (Баллантайн Бук, инк.) «Судьба-охотник» (Саймон & Шустер, инк. Балантайн Бук, инк.).

Господин Антуан де Сент-Экзюпери. «Ветер, песок и звезды» (Харкорт Брейс Иованович, инк.), «Маленький принц» (Харкорт Брейс Иованович, инк.).

Если книга в печати, издатель указан. В остальных случаях посмотрите в библиотеках или букинистических магазинах.

Свет в ящике для инструментов

То, во что человек верит, по мнению философии, становится его реальностью. Итак, я в течение многих лет повторял снова и снова: «Я — не механик». Я не был механиком. Когда я произнес: «Я даже не знаю, каким концом отвертки забивают гвозди», я закрыл для себя целый мир света. Кто-то другой должен был работать с моим самолетом, иначе я не мог бы летать.

Затем случилось так, что я приобрел старый биплан со старомодным звездообразным двигателем, и не нужно было много времени, чтобы понять, что эта машина не потерпит того, кто ничего не знает об индивидуальности стосемидесятипятисильного «Райт Уирлуинд»* и о ремонте деревянных нервюр и стоек.

Вот так ко мне пришло самое необычайное событие в моей жизни. Я изменил привычное мнение. Я стал изучать механику самолетов.

То, что кому-то другому было известно давно, для меня было совершенно новым приключением. Двигатель, например, разъединенный и разбросанный на рабочей скамье, просто коллекция частей странных форм, — это холодное мертвое железо. И те же части, собранные и закрепленные болтами в холодном мертвом корпусе, становятся новым существом, законченной скульптурой, художественной формой, достойной любой галереи на земле. И, в отличие от любой другой скульптуры в истории искусства, мертвый двигатель и мертвый корпус оживают при прикосновении руки пилота, и их жизнь сливается с его жизнью. Сущес-

---

* Марка двигателя — Wright Whirlwind — «Вихрь».

твуя порознь, железо, дерево, ткань и человек прикованы цепями к земле. Вместе они могут подняться в небо, осваивая места, где никто из них до этого не был. Это было удивительным откровением для меня, так как я все время считал, что механика — это куски металла и ворчливые проклятия.

Все это я увидел в ангаре в момент, когда открыл глаза, как на выставке в музее, когда кто-то включил свет. Я увидел на скамье элегантность полудюймовой штепсельной розетки, спокойное простое изящество гаечного ключа, чисто вытертого от масла. Как студент-новичок художественной Академии, который в первый же день увидел работы Винсента Ван Гога, Огюста Родена и Александра Калдера, так я вдруг увидел работу фирмы «Снэп-Он и Крафтсмен» и «Кресэнт Тул Компани», молчаливо поблескивающую на старых стеллажах.

Мастерство инструментов привело к мастерству двигателей, и через некоторое время я стал понимать «Вихрь», думать о нем как о живом друге с причудами и фантазиями, а не как о таинственном мрачном незнакомце. Каким это было открытием — узнать, что происходит внутри этой серой стальной коробки за крутящимся всплеском лопастей пропеллера и резкими взрывами рокота мотора. Уже не было больше темно внутри этих цилиндров вокруг коленвала; там был свет — я знал! Там происходило всасывание воздуха, сжатие, воспламенение и разрежение. Там были конструкции, обеспечивающие давление масла для поддержания валов, крутящихся с высокой скоростью, беззаботные клапаны забора воздуха и измученные клапаны выброса, мечущиеся вниз и вверх согласно микросекундным графикам, проливая и выпивая свежий огонь. Там был хрупкий импеллер компрессора, отстукивающий семь раз по кругу при каждом повороте пропеллера. Стержни и поршни, кольца клапанов и рычаги шатуна — все стало иметь смысл, совпадающей с той же простой прямой логикой инструментов, которые крепили их на своих местах.

Изучив двигатели, я перешел к корпусу и узнал о сварных блоках и перегородках, стрингерах и шпангоутах, блоках и свинцовых белилах, мойке, сдвигах центров валов, боевом оснащении.

* * *

За спиной уже годы полетов, и все же это был первый день, когда я увидел самолет, изучал и наблюдал его. Все эти маленькие части, собранные вместе, должны создать готовый самолет — это здорово! Я терзался желанием владеть целым полем самолетов, потому что они такие симпатичные! Мне они были нужны для того, чтобы я мог обходить и осматривать их под сотней различных углов, в тысячах оттенков рассвета и сумерек.

Я начал покупать свои собственные инструменты, начал держать их на своем рабочем столе, чтобы иметь возможность смотреть и трогать их время от времени. Открытие, которое я сделал в механике полета, было совсем немалым. В ангаре я часами был поглощен самолетами Микеланджело, в цехах — изучением ящиков с инструментами Ренуара.

Самой высокой формой искусства был человек, управлявший собой и своим самолетом во время полета, стремящийся к единению с настроем своей машины. Я узнал благодаря безумно старому биплану, что для того, чтобы увидеть красоту и найти искусство, мне не нужно летать каждую минуту моей жизни. Мне нужно почувствовать гладкость металла гаечного ключа, походить по тихому ангару, просто открыть глаза на чудесные гайки и болты, которые были так близки от меня на протяжении долгого времени. Такие удивительные и чудесные создания эти инструменты, двигатели, самолеты и люди, когда включен свет!

Везде все о'кей

Часа в два ночи словно кто-то взял стофунтовую шутиху, зажег фитиль, запустил все это высоко в темноту над нами и нашими самолетами и удрал сломя голову.

Шар динамитного огня вырвал нас из сна, пули тяжелого дождя градом взрывались на наших спальных мешках, черные ветры рвали нас, словно одичавшие звери. Три наши самолета неистово подпрыгивали на туго натянутых привязных тросах, бешено дергались, взбрыкивали и рвались кувырком унестись в ночь вместе с обезумевшим ветром.

— Ухватись за стойку, Джо!

— Что? — Его голос относило ветром, он тонул в дожде и грохоте грома. Вспышки молний выхватывали его застывшим, того же цвета десяти миллионов вольт, что и деревья, несущиеся листья и горизонтально летящие дождевые капли.

— СТОЙКА! УХВАТИСЬ ЗА СТОЙКУ И ДЕРЖИСЬ!

Он всем телом бросился на крыло в тот момент, когда буря начала с треском обламывать ветви деревьев, — мы с обеих сторон удерживали самолет, чтобы он не утащил нас обоих под крыльями и не отправился разгуливать по всей долине.

Джо Джиовенко, хиппующий подросток из Хиксвилла, Лонг-Айленд, из тени Нью-Йорка, у которого общее представление о грозах ограничивалось тем, что они издают отдаленные глухие раскаты в летнее время где-то далеко за городом, сжимал, как удав, эту самую стойку, лицом к лицу сражаясь с ветром, молниями и дождем, а его спутанные темные волосы яростно клубились вокруг лица и плеч.

— СЛЫШЬ, МЭН! — орал он за секунду до очередного динамитного взрыва, — Я УЖЕ НАЧИНАЮ КОЕ-ЧТО СЕЧЬ В МЕТЕОРОЛОГИИ!

Спустя полчаса гроза откатилась дальше и оставила нас в теплой и темной тишине. Хотя мы видели небо, озаренное вспышками, и слышали рокот в горах на востоке, и с опаской оглядывались на запад, ожидая новых молний, тишина осталась с нами, и мы наконец вползли в потрепанные мокрые спальники. Хотя и спали мы изрядно промокшими, среди нас шестерых, оказавшихся там в ту ночь, не было никого, кто не считал бы Увлекательное Приключение-Перелет Через Страну одним из самых выдающихся событий в своей жизни. Но отнюдь не попыткой преодоления каких-то препятствий. Привело нас к этому или привело это к нам то общее, что было свойственно каждому из нас и потому нас объединяло — интерес к другим людям, обитающим на нашей планете в наше время.

Возможно, толчок этому Приключению дали газетные заголовки, или журнальные статьи, или выпуски новостей по радио. Со всеми этими бесконечными разговорами об отчуждении молодежи и разрыве между поколениями, разросшемся до непреодолимо глубокой пропасти, о том, что единственная надежда, оставшаяся у ребят по отношению к этой стране, — это снести ее до основания и не отстраивать ее вообще... может, с этого все и началось. Но задумываясь над всем этим, я обнаружил, что не знаю никого из таких ребят, не знаю никого, кто не был бы склонен поговорить с теми из нас, кто еще вчера сам был таким же пацаном. Я знал, что у меня в общем-то найдутся слова для того, кто говорит: «*Мир*», вместо «Привет», но я не вполне себе представлял, какие именно.

Что было бы, — думал я, — если бы человек на самолете с обтянутыми тканью крыльями приземлился где-нибудь на дороге и предложил подвезти голосующего парня с рюкзаком? Или еще лучше, что произошло бы, если бы пара пилотов нашла местечко в своих самолетах для пары городских ребят, и они махнули бы в полет миль на сто или на тысячу; в полет на одну-две недели над горами, фермами и равнинами Америки? Ребят, которые никогда прежде не видели свою страну дальше школьной ограды или путепровода скоростной магистрали?

Кто изменился бы при этом, — дети или летчики? Или и те, и другие, и какие это могли бы быть перемены? Где бы их жизни соприкоснулись, а где они оказались бы так далеко друг от друга, что и не дозваться?

Единственный способ выяснить, что произойдет с твоей идеей, — это испытать ее на практике. Вот так и появилось на свет Увлекательное Приключение-Перелет Через Страну.

Первый день августа 1971 года, день туманный и сумрачный, собственно, уже близился к вечеру, когда я приземлился в аэропорту Сассекс, Нью-Джерси, чтобы встретить остальных.

Луису Левнеру, владельцу *Тейлоркрафта* 1946 года выпуска, сразу пришлась по душе идея полета. В качестве цели мы выбрали слет Ассоциации экспериментальной авиации в Ошкоше*, штат Висконсин, — достаточное основание для полета, даже если все остальные откажутся в последний момент.

Гленн и Мишель Норманы, канадцы из Торонто, услышали об этом перелете, и хотя они не были совсем уж хипповыми ребятами, но с Соединенными Штатами они не были знакомы и горели желанием увидеть страну с борта своего *Ласкомба* 1940 года выпуска. А когда я приземлился, на летном поле меня поджидали двое молодых людей, выставивших себя напоказ всему свету как хиппи. Длинные волосы до плеч, головные повязки из каких-то тряпок, одеты в вылинявшие спецовки, у ног рюкзаки и спальные мешки.

Кристофер Каск, задумчивый, миролюбивый, почти всегда молчавший новичок, по окончании средней школы получил стипендию Ридженте, — отличие, которое достается двум процентам лучших учеников. Однако он не был убежден в том, что колледж — это лучший друг Америки, а получение диплома ради

---

* Ежегодные слеты EAA (Experimental Aviation Association) в Ошкоше — такое же знаменательное событие для энтузиастов авиации, как и авиасалоны в Ле-Бурже и Фарнборо для представителей авиационных фирм.

получения приличной работы не считал настоящим образованием.

Джозеф Джиовенко, повыше ростом, более открытый в общении с другими, все подмечал внимательным глазом фотографа. Он знал, что у видео есть будущее как у формы искусства, и к изучению именно этой формы он намеревался приступить осенью.

Никто из нас не знал в точности, как все получится, но перелет — это звучало интересно. Мы встретились в Сассексе и озабоченно поглядывали на небо, на туман и облачность, ограничиваясь редкими словами, так как пока еще не знали толком, как общаться друг с другом. Наконец мы кивнули, погрузили на борт наши спальники, запустили двигатели и резво покатили по взлетной полосе и дальше — в небо. Сквозь шум моторов невозможно было понять, что думали эти ребята, оказавшись в воздухе.

Сам я думал о том, что во время первого полета мы далеко залетать не будем. Облака клубились темно-серым варевом над западными вершинами гор, клочья тумана висели на ветвях деревьев. Поскольку путь на запад был для нас закрыт, мы пролетели десять миль на юг, затем еще пятнадцать, и наконец, оказавшись в клубящемся и все густеющем вокруг нас супе, приземлились на небольшой полоске травы поблизости от Андовера, штат Нью-Джерси.

В тишине этого места еще тише и незаметнее начался дождь.

— Многообещающим стартом это не назовешь, — сказал кто-то.

Но ребята не были обескуражены.

— Надо же — *свободная земля* в Нью-Джерси! — сказал Джо. — А я думал, она сплошь *заселена*!

Раскатывая одеяло на траве и мурлыкая себе под нос мотивчик на слова *Москиты, держитесь подальше от наших дверей*, я радовался, что отвратительная погода не справилась с нашим хорошим настроением, и надеялся, что завтрашний безоблачный рассвет застанет нас в пути над нашими горизонтами.

Дождь лил всю ночь. Он барабанил галечной дробью по перкалевым крыльям, шелестя в траве — сначала сухо, потом с плеском, по мере того как трава становилась болотистой жижей. К полуночи мы окончательно отчаялись увидеть хотя бы одну звезду или же как-то уснуть в этом болоте; в час ночи мы, по-прежнему скорчившись, сидели в самолетах, тщетно пытаясь вздремнуть. В три часа ночи, после многочасового молчания, Джо сказал:

— В жизни под этаким ливнем не мок.

Из-за тумана рассвело поздно... четыре дня кряду нас донимали туманы, облачность и дожди. Через четыре дня взлетов при малейшем прояснении неба, через четыре дня змееподобного просачивания в промежутки между грозовыми фронтами и скачков от одного маленького аэропорта к другому мы приблизились к Ошкошу, находившемуся от нас на расстоянии тысячи миль, в общей сложности всего на шестьдесят две мили. Мы спали в ангаре в Страдсбурге, штат Пенсильвания; в здании аэропорта в Поконо-Маунтин; в клубе летной школы в Лихайтоне.

Мы решили вести дневник перелета. За этим занятием, да еще из наших разговоров под дождями и в туманах, мы начали понемногу узнавать друг друга.

Джо, к примеру, был изначально убежден, что у каждого самолета есть своя личность, свой характер, как у людей, и он, не смущаясь, заявлял, что тот бело-голубой, стоящий там, в углу ангара, действует ему на нервы.

— Я не знаю почему. Все дело в том, как он стоит там и смотрит на меня. Мне это не нравится.

Летчики тут же ухватились за это, и пошли рассказы о самолетах, живших каждый на свой лад и делавших то, что сделать было невозможно, — одни взлетали, если приходилось, с немыслимо короткого разбега, чтобы спасти чью-то жизнь, другие невероятно долго планировали с остановившимися двигателями над гористой местностью. Потом пошел разговор о том, как действуют крылья, о ручках управления, о моторах и пропеллерах, потом о переполненных школах и наркотиках в студенческих городках, затем о том, как рано или поздно в жизни человека сбывается то, что он крепко задумал. Снаружи черный дождь; внутри — эхо и нестройный шум голосов.

В дневник же мы записывали то, что не решались произносить вслух.

«Это действительно что-то, — записал Крис Каск на четвертый день. — Каждый день — это целая цепь неожиданностей, происходят совершенно *невероятные* вещи. Один тип одалживает нам свой «мустанг», другой тип одалживает нам свой «*кадиллак*», все разрешают нам спать в аэропортах и буквально из кожи вон лезут, чтобы нам угодить. И неважно, где мы находимся и доберемся ли мы когда-нибудь до Ошкоша. Везде все о'кей!»

Доброта людей — это было нечто, во что ребята никак не могли поверить.

— Я обычно заходил с Крисом в магазин или шел следом за ним по улице, — сказал Джо, — и наблюдал за людьми, смотревшими на него. Его волосы были такими же длинными, как сейчас, даже длиннее. Они проходили мимо него, смотрели, иногда даже останавливались, кривились или отпускали какое-то замечание. Его осуждали. В их глазах видно было отвращение, а ведь они даже не знали, кто он такой!

После этого я принялся наблюдать за людьми, наблюдавшими за нашими хиппи. При первом их появлении всегда наступал шок, то же оцепенение, которое почувствовал и я, когда увидел их впервые. Но как только у кого-нибудь из них появлялся шанс заговорить, шанс показать, что они тихие, спокойные люди, которые не собираются швыряться бомбами и взрывать все подряд, как огонек враждебности исчезал за полминуты.

Однажды нас захватила плохая погода над горами Западной Пенсильвании. Мы удрали от нее, затем сделали круг и посадили наши самолеты на длинном поле скошенной травы близ городка Нью-Махонинг.

Едва мы выбрались на землю, как на пикапе, неторопливо поскрипывающем по мокрой стерне, к нам подкатил фермер.

— Неполадки какие-нибудь, а? — Сначала он произнес это, а потом нахмурился, увидев ребят.

— Нет, сэр, — сказал я. — Так, мелочи. Тучи опустились слишком низко, и мы решили, что лучше приземлиться, чем залетать выше в горы. Надеюсь, вы не возражаете...

Он кивнул.

— Нормально. У вас все в порядке?

— Спасибо вашему полю. У нас все хорошо.

Через несколько минут еще три грузовика и легковая машина сползли с грунтовой дороги на поле; повсюду шел оживленный, полный интереса разговор.

— ...вижу, они низко так летят там, над участком Нильссона, и тут я подумал, что с ним что-то случилось. Потом подлетели еще два и приземлились, и стало тихо, и я уж не знаю, что и подумать!

У всех фермеров короткая стрижка, все гладко выбриты, они настороженно поглядывали на длинные волосы и головные повязки и не вполне понимали, кто им тут свалился на голову.

И тут они услышали, как Джо Джиовенко говорит Нильссону.

— Это что, ферма? Настоящая ферма? Я никогда не видел настоящей... Я сам из города... а это что растет из земли, кукуруза?

Нахмуренные лица оттаяли в улыбках, словно одна за одной медленно загорались свечи.

— Само собой, это кукуруза, сынок, и вот так она растет, прямо здесь. Иногда приходится поволноваться. Хотя бы тот же дождь. Слишком много дождей, а потом сразу сильный ветер — и весь урожай полег, а у тебя неприятности, это уж точно...

Как-то тепло было наблюдать эту сцену.

Их мысли легко читались по их глазам. Хиппи, которых нужно опасаться, — это те мрачные типы, которым плевать на дождь, на солнце, на землю, на кукурузу... которые сами ничего не делают, а страну губят. Но эти ребята — они вовсе не такие, это сразу видно.

Когда горы очистились от туч, мы предложили прокатить кого-нибудь на самолетах, но ни у кого как-то не хватило духу подняться в воздух. Тогда мы завели моторы, рванули с сенокоса в небо, покачали на прощанье крыльями и полетели дальше.

«Потрясающе! — записал в дневнике Крис в тот вечер. — Мы приземлились на поле и разговаривали с фермерами, и те говорили с ирландским и шведским акцентом. Я и не знал, что такие есть в Пенсильвании. Все такие славные. Дружелюбные. Это по-настоящему открыло мне глаза. Многие мои естественные средства защиты сломлены. Просто надо не беспокоиться, а довериться ходу событий. Все мои маленькие планы на будущее были по-настоящему поколеблены. У меня уже больше ни в чем нет уверенности, и это хорошо, потому что это учит двигаться вместе с общим потоком».

Начиная с этого дня мы плыли на запад в чистой голубизне воздуха над чистой зеленью земли и фермами, похожими на ростки солнечного света.

После всех наших объяснений на земле Крис и Джо были готовы взять управление на себя. И первые же их часы полета со сдвоенным управлением проходили в полете строем.

— Маленькие поправки, Джо, МАЛЕНЬКИЕ ПОПРАВКИ! Ты хочешь держать другой самолет как раз где-то... здесь. Добро? Ну вот, получилось, ты уже летишь. Теперь полегоньку. Чуть добавь газу, чуть сбрось. ПОЛЕГЧЕ!

Прошло не так уж много времени, и они действительно научились удерживать самолеты в строю. Для них это был тяжелый труд, и давалось это им намного труднее, чем надо бы, но они сразу после взлета хищно дожидались момента, чтобы схватиться за ручки управления и еще немного потренироваться.

Потом они начали взлетать сами... сначала по-беличьи, панически и суетливо, перепрыгивая в последний момент через сигнальные огни взлетной полосы и указатели, стоящие вдоль нее. Когда они немного освоились, мы начали учиться сваливаться из строя через крыло в один-другой виток штопора, и наконец они начали сами приземляться, учась и впитывая в себя науку, как сухие губки, погруженные в море.

Ну а мы каждый день узнавали что-нибудь новое об их жизни и языке. Мы учились говорить на жаргоне хиппи, а моя записная книжка постепенно превращалась в словарь этого языка. Джо требовал, чтобы я выговаривал слова как можно небрежнее, — мы раз за разом учились говорить: «*Эй, мэн, что за дела*?», но это было потруднее, чем полет в строю... Я так и не смог этому как следует научиться.

— Знаешь, — говорил Джо, — что означает *Гм* или *Ух. Верняк* означает «я категорически согласен» — это говорится только в ответ на очевидное утверждение или для наколки.

— А что это такое, — спрашивал я, — когда «*устраиваешь тусовку*»?

— Не знаю. Я никогда ее не устраивал.

Хотя в моем словарике было довольно много слов из языка наркоманов (марихуана — это еще и *Мэри Джейн, травка, коробочка, зараза, дым и конопля**; «*пятак*» — это пятидолларовый пакетик травки, «*забалдеть*» — это ощущение, испытываемое при ее курении), ни один из ребят не брал с собой наркотиков в это Приключение-Перелет. Меня это озадачило, так как я полагал, что каждый уважающий себя хиппи должен выкуривать пачку сигарет с марихуаной в день, и я спросил об этом их самих.

— Куришь, в основном, от скуки, — сказал Крис, и мне стало ясно, почему я ни разу не видел их с наркотиками. Сражения с грозами, приземления на сенокосах, обучение полетам в строю, да еще взлеты и посадки, — о скуке тут не могло быть и речи.

В разгар моих уроков их языка я заметил, что ребята начали усваивать летный жаргон, обходясь без всяких словарей.

— Эй, парень, — спросил я как-то у Джо, — вот это словечко «*заторчать*», знаешь, — я не совсем врубился, что оно значит. Как бы ты его использовал в предложении?

— Можно сказать: «Мужик, я заторчал». Когда хорошенько обкуришься, у тебя такое чувство, словно шея всаживается тебе

* Cannabis sativa.

в затылок. — Он на минуту задумался, потом просиял. — Это точь-в-точь такое же ощущение, как когда выходишь из штопора.

И тут я сразу все понял о *торчании*.

Словечки вроде «волочить хвост», «тряпичное крыло», «конвейер»*, «петля», «срыв на горке» так и мелькали в их речи. Они научились вручную проворачивать винт, чтобы запустить мотор, они повторяли наши движения на сдвоенном управлении при каждом боковом сносе, скольжении на крыло, при каждой посадке на короткой полосе и при каждом взлете с грунта. Они схватывали все до мелочей. Однажды утром Джо, целиком поглощенный усилиями удерживать самолет в строю, крикнул мне, сидящему сзади: «Будьте добры, помогите мне оттриммировать самолет». Он не слышал, как я расхохотался. Неделей раньше «триммирование»** — это было нечто такое, что делалось с рождественской елкой.

Потом как-то вечером, сидя у костра, Крис спросил:

— А сколько стоит самолет? Или сколько надо денег, чтобы летать на нем, скажем, год?

— Тысячу двести, полторы тысячи долларов, — сказал ему Лу. — Летать можно и за два доллара в час...

Джо был поражен.

— *Тысяча двести долларов*! — Последовало долгое молчание. — Это же всего по шесть сотен на двоих, Крис.

Слет в Ошкоше был карнавалом, который не произвел на них никакого впечатления. Они были захвачены не столько самолетами, сколько идеей самого полета, идеей разъезжать на каком-нибудь воздушном мотоцикле, не обращая внимания на дороги и светофоры, и пуститься открывать для себя Америку. Это все больше и больше начинало занимать их мысли.

Райо, штат Висконсин, был нашей первой остановкой по дороге домой. Там мы прокатили над городом три десятка пассажиров. Ребята помогали пассажирам усаживаться в самолеты, рас-

* «Конвейер» (англ. Touch-and-go) — Взлет сразу после касания.

** Англ. «to trim» — *сбалансировать* (самолет в воздухе), также — *украшать* (рождественскую елку).

сказывали о полетах тем, кто пришел поглазеть, и обнаружили, что человек, имеющий свой самолет, может таким образом даже покрывать свои расходы. В тот день мы заработали пятьдесят четыре доллара в виде взносов и пожертвований, что обеспечило нас горючим, маслом и ужинами на несколько дней. В Райо городок устроил нам пикник с горой салатов, горячих сосисок, бобов и лимонада, что как-то сгладило воспоминания о ночах в мокрых спальниках за компанию с голодными москитами.

Здесь Гленн и Мишель Норманы расстались с нами, чтобы лететь дальше на юго-восток, встретиться там с друзьями и продолжать знакомиться с Америкой.

«Нет ничего более поэтического или радостно-печального, — записал Крис в дневнике, — чем провожать друга, улетающего в самолете».

А мы полетели на юг, теперь уже вчетвером на двух самолетах, на юг и на восток, и снова на север.

Вместо интенсивного воздушного движения мы увидели в тот понедельник всего два других самолета во всей воздушной зоне Чикаго.

Вместо 1984 мы видели внизу на сельских дорогах лошадей и повозки эмишей в Индиане и трехконные упряжки, тянущие плуги на полях.

В последний вечер нашего пути мы приземлились на сенокосе мистера Роя Ньютона, неподалеку от Перри-Сентер, штат Нью-Йорк. Мы поговорили с ним немного, прося разрешения заночевать на его земле.

— Конечно, вы можете остаться здесь, — сказал он. — Только никаких костров, ладно? Тут кругом сено...

— Никаких костров, мистер Ньютон, — пообещали мы. — Большое спасибо, что позволили нам остаться.

Позднее заговорил Крис.

— Если убить кого-нибудь, наверняка можно смыться на самолете.

— Убить, Крис?

— Что, если бы мы приехали на машине, или на велосипедах, или пришли пешком? Разве был бы он с нами таким же добрым и позволил бы нам остаться здесь? Зато на самолетах, да еще когда начало темнеть, — приземляйтесь сколько угодно!

Это звучало несправедливо, но это было именно так. Звание пилота давало определенные привилегии, и ребята это подметили.

На следующий день мы вернулись в аэропорт Сассекс, штат Нью-Джерси, и Увлекательное Приключение-Перелет Через Страну официально завершилось. Десять дней, две тысячи миль, тридцать часов в воздухе.

— Невесело мне, — сказал Джо. — Все закончилось. Это было здорово, а теперь все закончилось.

Только поздней ночью я еще раз раскрыл дневник и заметил, что Крис Каск внес туда последнюю запись.

«Я узнал *такую громадину всего*, — писал он. — Это открыло моему разуму целую кучу вещей, которые существуют за пределами Хиксвилла, Лонг-Айленд. Я многое увидел по-новому. Я теперь могу отступить немного назад и взглянуть на что-то под другим углом. При всем этом я почувствовал, что это важно не только для меня, но и для всех, кто был со мной вместе, и всех, с кем мы встречались, и я это понял еще тогда, когда оно происходило, а это совершенно обалденное чувство. Оно произвело много ощутимых и неощутимых перемен у меня в уме и в душе. Спасибо».

Это и был мой ответ. Вот что мы можем сказать ребятам, которые говорят «*Мир*» вместо «Привет». Мы можем сказать им «*Свобода*», и с верной помощью видавшего виды самолетика с матерчатыми крыльями мы можем показать им, что мы имеем в виду.

Слишком много тупых летчиков

Какой-то мудрец однажды сказал: «Беда не в том, что летает слишком много летчиков. Беда в том, что летает слишком много тупых летчиков!»

Есть ли на свете хоть один авиатор, который бы с этим не согласился? Сколько листьев в лесу, столько раз я входил в зону точнехонько на нужной высоте, на безупречном расстоянии от полосы, по посадочной прямой, — на точно выверенной дистанции планирования, на случай если заглохнет мотор, — словом, все тщательно подготовлено к развороту на цель. И тут я оглядывался и видел. Боже ты мой, какого-нибудь балбеса, который с ревом, на полном газу заходит с двух миль на посадку, и ему даже в голову не приходит, что его пропеллер может перестать вращаться.

И прощай моя распрекрасная схема движения, потому что я рывком даю газ, задираю нос и ухожу на малой скорости, чтобы спасти все, что еще можно спасти. Не раз я высказывал своей приборной панели, что вижу там внизу человека с головой из цельного куска дуба, человека, которому до лампочки, что если он летит по своей дурацкой схеме, то всем остальным он тоже ломает схемы, потому что каждый изо всех сил старается держаться от него подальше. И я, тихий и спокойный человек, который никогда даже голоса не повысит при виде демонической дурости, окружающей меня на земных дорогах, дурно отзываюсь о своих собратьях-летчиках, когда нахожусь в воздухе. С чего бы это?

5 – 4584

Возможно, я говорю о них дурно потому, что сколько угодно могу ожидать проявления невежества от кого-нибудь, ползающего по поверхности земли, но одного лишь совершенства я ожидаю от всякого, взлетающего в небеса, и обнаружив, что дело обстоит как раз наоборот, впадаю в жестокое разочарование.

Слишком много тупых летчиков? Еще бы. Если бы каждый мог быть таким же хорошим авиатором, как я и как вы, сегодня не было бы ни конфликтов во всей авиации, ни вопросов относительно ее будущего.

Все дело в обучении. Научите такого балбеса летать по правильной схеме, применив простой метод сброса газа, когда он, болтаясь, заходит на посадку, — и это его мигом научит! Создайте новые двигатели с заводской гарантией отказа не больше одного раза на каждые пятьсот летных часов — и повсюду в небесах будут летать только хорошие летчики.

Так я ворчу, мечу громы и молнии и делаю внушения своей приборной панели, примечая, где приземляются нарушители (и, само собой, *козлят** при посадке), и с тихой яростью глядя на них на земле. Однако стоит им выбраться из самолета, как они тут же исцеляются и становятся совершенно нормальными людьми, милыми, славными, улыбчивыми, не подозревающими, какую сумятицу они внесли в мою изумительную полетную схему. Я смотрю на них, потом в конце концов качаю головой и ухожу, не говоря ни слова.

А потом пришел момент, когда я сам сделал *козла* при посадке. Это я-то... *козла*!

Хотя этого никто не видел, хотя, разумеется, со мной это больше никогда не повторится, но все же это меня обеспокоило.

Беспокойство усилилось в небольшом городке Маунт-Эйр, штат Айова, как раз на закате над узкой полоской травы, где не было ни души, кроме воробьев да полевого жаворонка.

Со мной летели еще три самолета. Эти самолеты пилотировали: 1) пилот коммерческих чартерных рейсов, 2) командир лай-

---

* Козёл (слэнг) — подпрыгивание (или взмывание) после касания. Может привести к аварии в результате потери скорости и сваливания на крыло.

нера одной авиакомпании, находящийся в отпуске, и 3) студент третьего курса колледжа на первом в своей жизни собственном самолете.

На земле уже сгущались сумерки, и я немного тревожился за этого паренька. Я сделал разворот на посадку, и, не знаю почему, мне было чертовски трудно управлять самолетом при пробеге — я чуть не лопнул в своей кабине, пытаясь удержать биплан на прямой, и при этом прокатил по всей полосе до последнего фута. Командир авиалайнера сел следом за мной, тоже на повышенной скорости и с длинным пробегом. Затем сел пилот чартерных рейсов, и, насколько это позволяли условия, его приземление было ничуть не лучше наших. К этому моменту я уже всерьез забеспокоился за паренька... приземлиться здесь было далеко не просто, но бедняга должен был это сделать, чтобы не быть захваченным темнотой. Мы трое выбрались на землю из своих машин и собрались кучкой, полные тревоги.

— Спенс, здесь довольно круто, — сказал я командиру лайнера. — Как ты думаешь, студентик вытянет?

— Почем я знаю? Тут в конце полосы какой-то пакостный нисходящий поток.

Все мы, нахмурившись, смотрели, что будет дальше.

Студентик появился не сразу. Он сделал один низкий заход над самой травой, а потом сотворил нечто непонятное: он развернулся и приземлился с противоположной стороны. Посадка была красива, как картина Амендолы... его самолет приземлился на три точки, пробежал несколько сот футов и остановился. Мы втроем онемели.

В наступившей тишине этот юноша выключил мотор и выбрался из самолета.

— Что это с вами, братцы? — спросил он беззаботным тоном зеленого новичка. — С чего это вы решили садиться по ветру? Я глазам своим не поверил. Садиться же надо против ветра, так ведь?

Молчание продолжалось, и он заговорил снова.

— Дик? Спенс? Джон? Почему вы садились по ветру?

И пришлось мне держать ответ за опытных пилотов, за нас троих, имевших в сумме около пятнадцати тысяч летных часов.

— ...знаешь студент мы вот почему садились по ветру... э-э... мы садились по ветру потому что не хотели чтобы солнце слепило нам глаза знаешь когда солнце бьет в глаза сквозь пропеллер от мелькания начинает кружиться голова... — говорил я тихо и торопливо, надеясь, что кто-нибудь из них быстренько вмешается и сменит тему.

— То есть как это? — спросил озадаченно студент. — Солнце только что село: солнце уже десять минут как ушло за гору! Слушайте, мужики... вы не... вы случайно не сели по ветру по ошибке... ведь не по ошибке же?

— ...ну ладно студент если тебе непременно надо это знать то я был ведущим и приземлился по ветру по ошибке а Спенс и Джон шли за мной следом и сделали то же самое вот так все и случилось я здорово проголодался день был долгим ведь правда спенс хорошо бы что-нибудь перекусить как по-вашему слушай студент пойдем-ка по дороге поищем где поужинать...

— ПО ОШИБКЕ! Да тут же ветровой конус есть! Вы, все трое, все классные летчики... ПРИЗЕМЛИЛИСЬ ПО ВЕТРУ ПО ОШИБКЕ! — По-моему, нынешних пацанов учат бить наотмашь.

Он расхохотался и подавил хохот, лишь когда понял по нашим мрачным взглядам, что нам вовсе не до смеха и что если он немедленно не проявит уважения к старшим, то может кувырком полететь в реку.

Вот почти и весь рассказ. Время от времени даже седобородые ветераны с сорокалетним летным стажем случайно приземляются не в том аэропорту, и оказывается, что именно наши головы сделаны из цельного куска дуба... и теми самыми тупоголовыми балбесами в небесах оказываемся мы сами!

Что же делать, когда такой хороший летчик, как вы и я, случайно допускает какую-нибудь глупость?

Ответ все тот же. Обучение. Но на этот раз обучение особого рода, состоящее в том, что независимо от того, сколько раз до этого мы приземлялись или поднимали машину в воздух, мы никогда не должны позволять себе делать это бездумно или автоматически. Что вместе со знанием дела должно приходить понимание, что чем опытнее мы становимся, тем нестерпимее отзывается пронизывающей болью каждая совершенная нами глупость.

Вот это был, что называется, урок. За два прошедших с тех пор года никто из нас, троих ветеранов, не приземлился по ветру, и есть определенная надежда, что такое с нами больше не повторится. Но мы торжественно присягаем, как присягали на верность авиации, что, как только этот студентик один-единственный раз приземлится по ветру, ему не дадут об этом забыть до конца его дней.

Думай о черноте

Думай о черноте. Думай о том, что она над тобой, и под тобой, и вокруг тебя. Не кромешная чернота, а просто темнота без горизонта и луны, дающих ориентиры и освещение.

Думай о красноте. Поставь осторожно что-нибудь перед собой на приборной панели. Пусть она едва светится своими двадцатью двумя приборами с призрачными стрелками на тусклых отметках. Пусть краснота плавно растекается влево и вправо. Посмотри — и увидишь, что твоя левая рука лежит на рычаге газа, а правая рука сжимает рукоятку рычага управления с кнопкой в торце.

Но не гляди на то, что внутри, взгляни наружу и направо. В десяти футах от плексигласа, сохраняющего вокруг тебя давление, тускло вспыхивает красный проблесковый огонь.

Он находится в конце левого крыла ведущего самолета. Ты знаешь, что это самолет F-86F, что у него крылья прямой стреловидности под углом тридцать пять градусов; что в его фюзеляже стоит реактивный двигатель GE-27 с осевым компрессором и шесть пулеметов пятидесятого калибра; у него такая же, как у тебя, кабина, и человек в ней. Но все это ты лишь принимаешь на веру; ты видишь только тусклый проблесковый огонь.

Думай о звуке. Вой двигателя у тебя за спиной, непрекращающийся, низкий и жутковатый. Где-то на тускло светящейся перед тобой панели один из приборов показывает, что двигатель работает на девяносто пять процентов своей мощности; что горючее поступает в него под давлением в двести фунтов на квадратный дюйм; что давление масла в подшипниках составляет тридцать фунтов; что температура выхлопных газов за камерой сгорания и вращающейся турбины составляет пятьсот семьдесят градусов Цельсия. Ты слышишь этот вой.

Думай о звуке. Думай о легком шипении помех в пенорезиновых наушниках твоего защитного шлема. Помех, которые слышат еще три человека в радиусе шестидесяти футов. В шестидесятифутовом радиусе друг от друга четверо мужчин вместе-поодиночке со свистом рассекают черный разреженный воздух.

Нажми кнопку большим пальцем левой руки — и четверо мужчин услышат, что ты говоришь, что чувствуешь на семимильной высоте над невидимой землей. Темной землей, скрытой целыми милями темного воздуха. Но ты ничего не говоришь, и они тоже. Четверо мужчин, наедине со своими мыслями, летят вслед за проблесковыми огнями своего ведущего.

Во всем остальном у тебя нормальная и самая обычная будничная жизнь. Ты ходишь в супермаркет, ездишь на автозаправку, говоришь: «Давай где-нибудь сегодня поужинаем». Но время от времени ты оказываешься вдали от этого мира. В черной выси усыпанного звездами неба.

— «Шахматка», проверка кислородной системы.

Ты слегка отваливаешь в сторону от проблесковых огней ведущего и вглядываешься в тускло-красное освещение кабины. В уголке прячется светящаяся стрелка на отметке 2-50. Затем твой палец нажимает кнопку микрофона, — есть повод заговорить. После долгого молчания твои собственные слова странно звучат у тебя в ушах.

— «Шахматка Два», кислород в норме, 2-50.

И еще голоса в темноте:

— «Шахматка Три», кислород в норме, 2-30.

— «Шахматка Четыре», кислород в норме, 2-30.

И снова все заливает тишина, и ты снова подтягиваешься к красным проблесковым огням.

Что делает меня не таким, как человек, стоящий за мной в магазинной очереди? Хороший вопрос. Может, он думает, что я не такой, как все, из-за того, что у меня такая овеянная славой работа летчика-истребителя. Он судит обо мне по кадрам съемок, сделанных с помощью фотокинопулемета, которые показывают в выпусках новостей, и по серебристому инверсионному следу на воздушных парадах. Съемки и скорость — это просто часть моей работы, так же как подготовка годового финансового отчета — это часть его работы. Моя работа ничем не отличает меня от него. И все же я знаю, что я не такой, как он, потому что я располагаю такими возможностями, которых у него нет. Я могу отправиться в такие края, которых ему никогда не видать, если только он не посмотрит на звезды.

Однако не пребывание здесь отделяет меня от тех, кто всю жизнь проводит на земле; а то, как действует на меня это высотное одиночество. Я испытываю чувства, которые нельзя сравнить ни с чем и которых он не испытает никогда. Уже одна мысль о реальности пространства за пределами этой кабины вызывает странные ощущения. Всего в одиннадцати дюймах справа и слева от меня человек уже жить не может, там он чужой. Мы проносимся, словно испуганные олени через открытую поляну, зная, что остановиться — значит играть со смертью.

Ты автоматически легонько двигаешь ручкой управления, выравнивая свое положение относительно проблескового огня.

Если бы это был день, мы бы чувствовали себя как дома; взгляд вниз открыл бы нам горы и озера, дороги и города — все те знакомые предметы, к которым мы можем спуститься и немного расслабиться. Но это не день. Мы плывем сквозь черную жидкость, скрывающую наш дом, нашу землю. Стоит сейчас заглохнуть двигателю — и некуда будет спланировать, и невозможно принять решение, куда лететь. Мой самолет может планировать сотни миль, если обороты двигателя упадут до нуля и остынет сопло, но по инструкции я должен потянуть рукоятку катапультирования, нажать на ручку отстрела и сквозь тьму поплыть на парашюте вниз. В дневное время я по инструкции должен стараться спасти самолет, пытаться посадить его на какой-нибудь ровный участок. Но сейчас ночь, кругом темень, и я ничего не вижу.

Двигатель продолжает надежно работать, звезды светят, не мигая. Ты летишь за проблесковыми огнями и задаешь себе вопросы.

Если бы у ведущего сейчас заглох мотор, чем бы я мог ему помочь? Ответ простой. Ничем. Он летит всего в двадцати футах от меня, но если бы ему понадобилась моя помощь, ему до меня было бы как до Сириуса, сияющего над нами. Я не могу ни взять его к себе в кабину, ни удержать его самолет в воздухе, ни даже сопроводить его до освещенного аэродрома. Я мог бы сообщить его местонахождение спасательным группам и мог бы сказать «Удачи тебе» перед тем, как он отстрелит свое катапультное кресло в черноту. Летим мы вместе, но мы так же одиноки, как четыре звезды в небесах.

Ты вспоминаешь разговор с приятелем, который так и сделал, покинул свой самолет в ночном полете. У него загорелся двигатель, и остальная группа была совершенно бессильна чем-либо ему помочь. В то время как его самолет снижал скорость и терял высоту, один из них крикнул ему: «Не слишком тяни с катапультированием». Эти беспомощные слова были последним, что он услышал перед тем, как катапультировался в ночь. Эти слова — «Не слишком тяни» — сказал человек, которого он знал, с которым летал вместе, который ужинал вместе с ним и смеялся вместе с ним одним и тем же шуткам.

Четверо мужчин, летящих сквозь ночь вместе и каждый в одиночку.

— «Шахматка», проверка топлива.

Снова голос ведущего прорезает безмолвие мощного рева двигателя. Снова ты отваливаешь в сторону, вглядываясь в показания тускло светящейся стрелки.

— «Шахматка Два», двадцать одна тысяча фунтов, — твой по-чужому звучащий голос пробивается сквозь легкие помехи.

— «Шахматка Три», двадцать две тысячи.

— «Шахматка Четыре», двадцать одна тысяча.

И снова ты подтягиваешься в строй, назад, к проблесковым огням.

Мы взлетели всего час назад, а уровень горючего говорит, что пора снижаться. Как горючее скажет, так мы и делаем. Странно, какое огромное уважение мы испытываем к этому топливомеру. Даже пилоты, не питающие уважения ни к Божеским законам, ни к человеческим, уважают топливомер. Его законов не обойдешь, никаких туманных угроз наказания в неопределенном будущем. Ничего личного. «Если ты вскоре не приземлишься, — холодно говорит он, — твой двигатель остановится, когда ты будешь еще в воздухе, и ты выбросишься с парашютом в темноту».

«Шахматка», контроль снижения, и аэродинамические тормоза... выполнять.

Снаружи доносится рев черного воздуха по мере того, как две металлические пластины — твои аэродинамические тормоза — выталкиваются в воздушный поток. Красный огонь мигает по-прежнему, но теперь ты двигаешь вперед ручку управления, чтобы вслед за ним начать снижение к невидимой земле. Абстрактные мысли улетают в глубины твоего разума, и ты сосредоточиваешься на том, чтобы держать строй, и на крутом снижении. Такие мысли — только для высот, ибо по мере приближения земли тебя все больше занимает безопасное пилотирование. Преходящие, конкретные мысли, от которых зависит твоя жизнь, теснятся у тебя в мозгу.

Отверни чуть в сторону, ты слишком близко от его крыла. Лети ровно, не позволяй маленьким завихрениям вытолкнуть тебя из строя.

Безликая турбуленция порывами бьет по твоему самолету по мере того, как вы одновременно делаете разворот на двойной ряд белых огней, — разметку ожидающей вас посадочной полосы.

— «Шахматка», заходим на посадку, шасси выпущено у всех четверых.

— «Шахматка», вас понял. В зоне ваш номер первый, ветер северо-северо-восток, четыре узла.

Забавно, что, летя в наших герметически закупоренных кабинах со скоростью триста миль в час, мы все еще должны знать о ветре, о древнем ветре.

— «Шахматка», на траверзе.

Сейчас никаких мыслей, только доведенные до автоматизма навыки посадки. Аэродинамические тормоза и шасси, закрылки и ручка газа; ты летишь по маршруту захода на посадку, и через минуту слышишь успокаивающий визг колес по бетону.

Думай о белизне. Думай о слепящем искусственном свете, отраженном отполированными крышками столов в комнате для дежурных экипажей. Надпись на доске: «В эскадрилье вечеринка... в 21-00 сегодня. Все пиво, которое сможете выпить, — БЕСПЛАТНО!»

Ты на земле. Ты дома.

Находка в Фэризи

Это случилось во вторник, в городишке Фэризи, штат Вайоминг. Помню, я решил отсидеться недельку на земле, потому что квалифицированные механики были заняты и не могли заменить масло в моем самолете до следующего вторника. С момента предыдущей замены масла, которого хватало на двадцать пять летных часов, я налетал двадцать четыре часа пятьдесят семь минут, так что летать я, конечно, не мог.

Когда я уже выходил из ремонтной мастерской Федерального авиационного управления, с небес донесся грохот, и дюжина легких самолетов неожиданно приземлилась на траве, в запрещенном месте, да еще, как я позже узнал, без радио. Они молниеносно сосредоточились вокруг ремонтной станции ФАУ, дюжина одетых в черное мужиков в масках выпрыгнули из кабин и окружили нас, направив на нас взведенные револьверы 44-го калибра.

— Мы сейчас заберем всю вашу техническую документацию, — тихо и спокойно заявил предводитель шайки. Голову его обтягивал черный шелковый капюшон, и судя по тому спокойствию, с которым он целился в нас из своего револьвера, ясно было, что подобное он проделывал уже не раз. — Все, что у вас есть, все записи обо всех самолетах и двигателях, вынесите сюда, будьте добры.

Это было нелепо, невероятно, средь бела дня... и вооруженное нападение! Я хотел было закричать, но штатный инспектор ФАУ, не дрогнув ни единым мускулом, сказал:

— Делайте, как он говорит, ребята, отдайте им всю техническую документацию.

Трое штатных механиков отступили в контору под наведенными на них дулами.

— Что здесь происходит? — спросил я. — Что это такое?

— Ты там, потише.

— Что значит потише? Это же беззаконие! НА ПОМОЩЬ! ФАУ! ГРАБЯТ!

Когда я пришел в себя, я лежал на раскладушке в какой-то горной пещере, хорошо освещенной и очевидно являющейся частью обширного комплекса некоей скрывающейся группировки. Мой самолет был воткнут в каменный Т-образный ангар, вырубленный в громадной наклонной стене, а одетый в черное бандит как раз заканчивал замену масла. Затем он принялся снимать прерыватель-распределитель магнето, и тут я подскочил как ужаленный.

— Стой! Не смей этого делать! Ты не дипломированный механик! Поставь все на место!

— Ну, если я не дипломированный механик, тогда я не смогу поставить это на место, верно? — Он говорил спокойно, не глядя на меня. — Прошу прощения, что нам пришлось забрать вас с собой, но в Фэризи документации оказалось больше, чем мы рассчитывали, и мы были вынуждены позаимствовать ваш самолет, чтобы перевезти весь груз. Мы так подумали, что вы не захотите остаться без самолета. А ваше левое магнето при взлете сбросило пятьдесят оборотов в минуту.

Никакие доводы разума до таких людей не доходят, но я все еще был в замешательстве и мысли путались у меня в голове.

— Велика важность эти пятьдесят оборотов. Я могу сбросить даже семьдесят пять и все еще оставаться в рамках правил.

— Разумеется, можете, но пребывание в рамках правил не значит, что вы правы. — Он немного помолчал. — Точно так же, как быть правым не значит быть в рамках закона. Это магнето дает перебои зажигания каждые полторы минуты. Вы этого никогда не замечали?

— А как я мог заметить? Я никогда не летаю на одном магнето. Перед взлетом я проверяю оба, и если обороты падают меньше чем на семьдесят пять...

— ...вы спокойненько взлетаете.

— Конечно, взлетаю. Я учился по учебникам и летаю по учебникам.

Я всегда этим гордился.

— Да помогут нам небеса, — последовал краткий ответ бандита.

Спустя несколько минут, пока он был занят работой, я набрался храбрости и спросил:

— Что вы намерены со мной сделать?

— Отпустить вас. Как только мы расплатимся с вами за использование вашего самолета. Стоимость замены пружины прерывателя как раз послужит достаточным возмещением.

— Заплатить мне? Да ведь вы же бандиты! И ремонт этот незаконный! И кто подпишет все это в бортовом журнале?

Затянутый в черное головорез глухо рассмеялся.

— Это уже ваша проблема, приятель. Для нас главное, чтобы самолет работал так, как ему это положено. А бумажки — это ваше дело.

— А как насчет той технической документации, которую вы забрали. — Слова мои были остры, как бритва. — Вы были столь благородны, что заплатили и за нее?

— Я бы сказал, даже переплатили. Но это уже решает Дрейк. Мы оставили в Фэризи самый шикарный двигатель, какой у нас был... с максимальными отклонениями по всем параметрам не больше одной десятитысячной, — лучшая наша работа. Личная гарантия Дрейка на три тысячи летных часов. Парень. То, что мы отдаем ради получения технической информации...

— Но если вы, грабители, капитально отремонтировали его здесь, то он нигде не учтен, нигде не был принят!

Он снова рассмеялся, устанавливая диск на вал двигателя.

— Вы правы. Он нигде не был принят. Сегодня мы им оставили лучший в мире капитально отремонтированный двигатель, и это незаконно. И теперь им придется разобрать его на части, верно?.. изменить допуски, нарушить гарантию. Когда они соберут его заново, это будет уже совсем другой двигатель с гарантией на пятьдесят часов. Зато все законно, приятель, законно!

Он коснулся ряда кнопок на стене, набрав какой-то номер.

— Похоже, вам придется здесь заночевать. Скорость ветра на нашей северной полосе двадцать миль в час. На южной — двадцать три.

Безоговорочность его слов меня испугала.

— Двадцать миль в час — это ничего страшного, — сказал я. — Это в два раз меньше, чем минимальная скорость срыва моего самолета, а согласно учебнику, если скорость ветра меньше, чем...

— В этих горах такой ветер разметет вас в пух и прах со всеми вашими знаниями о вашем самолете.

— Если бы у тебя было время изучить мой бортовой журнал, — процедил я ледяным тоном, — ты бы увидел, что...

— ...что вы налетали в общей сложности 2648 часов и 29 минут. Наши компьютеры проанализировали ваши полеты. Тысячу часов вы летали на автопилоте, а все остальное время вы провели в попытках летать, как на этом самом автопилоте. По нашим меркам ваше суммарное летное время сводится к шестнадцати часам и шестнадцати минутам. Этого недостаточно, чтобы безопасно взлететь отсюда при двадцатимильном ветре. — Он слегка провернул винт.

— Одну минуточку. Не знаю, что у вас там за паршивый компьютер, зато я знаю, что я в состоянии управлять моим самолетом.

— Конечно, можете. В этом вашем журнальчике записано 2648 часов. — Он повернулся ко мне так резко, что я подпрыгнул, а его слова пулеметной очередью отскакивали от каменных стен. — Сколько высоты вы потеряете при развороте в сто восемьдесят градусов на посадочный курс, если двигатель заглохнет при взлете? Сколько времени займет выпуск шасси на одних только батареях? Что произойдет, если вы приземлитесь с лишь наполовину выпущенными шасси? Как вы произведете вынужденную посадку с минимальными повреждениями? Если вам придется пролетать через линии электропередач, где вы на них наткнетесь?

Долгое время было тихо.

— Ну, если двигатель глохнет при взлете, вы никогда не возвращаетесь на посадочную полосу; так сказано в учебнике...

— А учебник врет! — Он тут же пожалел о своей вспышке гнева. — Извините. Допустим, двигатель глохнет при взлете, когда вы уже набрали высоту пять тысяч футов и развернулись так, что вы находитесь над кромкой взлетной полосы?

— Ну, я, конечно, мог бы повернуть...

— Одна тысяча футов?

— Высоты вполне достаточно, чтобы...

— Пятьсот футов? Триста футов? Сто футов? Вы понимаете, что я имею в виду? Наши инструкторы учат тому, что пилот должен знать высоту своего разворота при любом взлете.

— Так у вас есть еще и подпольные инструкторы?

— Да.

— И, я полагаю, они учат выполнять штопоры и «ленивые восьмерки»...

— ...и планированию с остановившимся двигателем, и вынужденным посадкам, и высшему пилотажу, и полетам без триммеров, и... и еще многому такому, что вам и в голову не приходило за все ваши летные часы на автопилоте.

Я ответил с едким сарказмом.

— И все ваши ученики, я полагаю, получают свои лицензии при минимальном налете в тридцать пять часов?

— Наши ученики не получают никаких лицензий. Помните, мы же здесь вне закона? Мы судим о наших способностях по тому, насколько хорошо мы знаем себя и наши самолеты, день за днем. Всю бумажную волокиту и лицензии мы оставляем тем, кто живет по правилам, а не по знаниям. — Он покончил с магнето и снял диск. — Пойдемте поедим.

Столовая была гигантской подземной пещерой, освещенной высокими световыми панелями с впечатанными в них схемами и разрезами двигателей и частей самолетов. Зал был наполовину заполнен одетыми в черное мужчинами, а ряды черных шляп и черных револьверных поясов свисали с черных вешалок. Я пораженно заметил, что черный шелковый капюшон висел на первой вешалке.

— Дрейк будет рад составить вам компанию.

Менее всего я хотел ужинать вместе с предводителем этой банды грабителей, но сказать об этом вслух я не решился. Я последовал за моим спутником к угловому столу, за которым сидел худощавый с квадратной челюстью тип, весь в черном.

— Вот он, Дрейк. Мы поставили ему новую пружину в левое магнето, так что мы с ним в расчете.

— Спасибо, Барт. — Голос был низкий и уверенный, голос явного безумца, и относиться к нему следовало как к безумцу.

— Я требую соблюдения своих прав, — твердо заявил я. — Я настаиваю на том, чтобы меня немедленно отпустили и позволили покинуть этот воровской притон.

— Все ваши права при вас, — сказал он, — и вы можете улететь, когда захотите. Вы, разумеется, знаете, что в данный момент нисходящие потоки превышают ваши возможности поднять самолет в воздух. Мы также обнаружили, что в вашем четвертом шатуне появилась трещина и он может сломаться в любую минуту. Если он сломается в радиусе пятидесяти миль от этого помещения, вы не сможете посадить свой самолет, не разбив его. Если, зная все это, вы все еще хотите улететь, вы можете лететь. Вам может повезти с ветром, а шатун может сломаться не сразу.

Это был явно сумасшедший бандит, и я тут же опроверг его заявление.

— На этом самом самолете, мистер Дрейк, я налетал больше пятисот часов, и уж как-нибудь смогу безопасно на нем долететь при этом легком ветерке. А если бы вы не так спешили с моим похищением, то вы бы увидели, что мой двигатель налетал всего пятьдесят часов после капитального ремонта, выполненного респектабельной фирмой, за который я заплатил 1750 долларов, что подтверждено квитанцией и подписью инспектора в бортовом журнале.

Ужин был подан в полном молчании, и пока мы ели, Дрейк смотрел на меня безнадежным, чуть печальным взглядом отпетого преступника.

— Ваш четвертый шатун даже не знает, что такое бортовой журнал. Вас сильно утешит чтение бортового журнала и подпись инспектора, когда ваш двигатель остановится, а вам негде будет приземлиться?

Должен признать, от этого человека просто жуть брала. В самом деле, если допустить такую невероятную вещь, как отказ двигателя, налетавшего всего пятьдесят часов после капитального ремонта, *было бы* большим утешением снова прочесть фамилию инспектора. Но он сказал это, подразумевая, что глупо полагаться на чью-либо подпись. Я ему врезал прямо.

— Один шанс на миллион, дорогой Дрейк, и это не буду я. До тех пор, пока пилот придерживается правил, он в безопасности. Более того, все, что нарушает правила Федерального авиационного управления, несет в себе опасность. Кому, как не государственному ведомству лучше знать, что опасно, а что нет.

К моему изумлению, этот безумец рассмеялся. Не ехидно, а так, словно подумал о чем-то, что считал забавным.

— Да вам просто цены нет, — сказал он, все еще смеясь. — Или, может, я вас неправильно понял. Когда вы говорите об этом непогрешимом государственном ведомстве, вы имеете в виду то самое государственное ведомство, которое исключило штопоры из обязательных программ подготовки пилотов? То самое ведомство, которое заявляет, что достаточно обучать людей лишь подходам к срыву, а не самим срывам, и это при том, что срывы в штопор являются основной причиной гибели пилотов в наше время? Вы имеете в виду тот самый руководящий орган, который ставит механика с современной выучкой на обслуживание старого звездообразного двигателя и объявляет «вне закона» предпринимателя, который разбирается в двигателях лучше, чем все механики, вместе взятые? То самое ведомство, которое на каждого своего толкового работника считает своим долгом набрать десяток слепых бумажных кротов?

Отложив вилку, он снова засмеялся.

— То самое ведомство, в которое я так давно обращался за информацией и которое заявило мне: «Знание фактического проектного коэффициента перегрузки самолета не имеет существенного значения для безопасности полетов» — и отказалось выслать мне сведения из открытой документации?

— Я имею в виду Федеральное авиационное управление, — сказал я с торжественным достоинством. Окружавшие меня разбойники, по-видимому, не испытывали никакого почтения к авторитетам, потому что, взглянув на меня, они заулыбались, словно они тоже слышали, что я сказал, и словно они тоже подумали о чем-то забавном. Тогда я решил разбить доводы их предводителя у них же на глазах, и повысил голос так, чтобы они могли слышать.

— Стало быть, вы считаете, мистер Дрейк, что Федеральное авиационное управление никуда не годится и должно быть упразднено?

— Разумеется, нет, — ответил он спокойно. — Некоторые типы авиации, например гражданские авиалинии, нуждаются в централизованной координации, чтобы работать эффективно, обслуживать своих клиентов и страну.

— А если вы не считаете, что оно должно быть упразднено, почему же вы тогда не законопослушный, соблюдающий инструкции человек?

Я сокрушил этого человека с помощью его же собственной логики, и мне пришлось улыбнуться. Я ожидал его безоговорочной капитуляции.

— Да потому, друг мой, что если я говорю, что время от времени люблю съесть бифштекс, то это вовсе не значит, что меня постоянно надо пичкать говядиной. Мы, отверженные, летаем и обслуживаем наши собственные самолеты ради удовольствия, мы не пилотируем DC-8 на международных авиалиниях.

Ах, чтоб его.

— Правила, мужик, правила! Они созданы ФАУ ради нашей же собственной безопасности!

— А, мой уважаемый гость, — сказал отверженный, нагнувшись ко мне через стол, — так вы ищете своего Бога в сборниках инструкций и в сотворенных людьми идолах, в то время как Бог пребывает в вас самих.

Безопасность — это то, что знаете вы сами, а не то, что вам хорошо было бы соблюдать по мысли кого-то другого. Попросите вашего агента ФАУ, пусть он вам даст утвержденное определение понятия безопасности. Его не существует. Как может любое ведомство направлять на выполнение того, что само оно не может даже четко определить?

— Вы бедные, одинокие отверженные, — сказал я, вложив в эту фразу столько сожаления, сколько мог себе позволить к этому лунатику. — Вас так мало...

— Вы думаете? — спросил мой похититель. — Раскройте глаза. В городах, где есть посадочные полосы с твердым покрытием и отделения ФАУ в крупных аэропортах, нас немного. Но когда-нибудь вы заберитесь подальше от важнейших транспортных центров и посмотрите, что происходит на остальных девяноста девяти процентах территории страны. Отверженные. Выполнять обычные повседневные полеты, не нарушая правил ФАУ, не только невозможно, более того, слепое соблюдение этих правил может погубить человека.

— Пустой лозунг, дружище.

— Неужто? А вы попробуйте как-нибудь залететь в двухмильную зону аэропорта с диспетчерской службой без радио. Приземляться ведь в этом случае не разрешается. Если ваше приземление засекут и ФАУ не будет настроено в тот день посмотреть на это сквозь пальцы, то нарушение поставят вам в вину.

Вот вы и летите дальше, надеясь на ближайший аэропорт без диспетчерской службы. Погода вокруг вас портится, но на пастбище вы ни за что не сядете, это считается опасным и противоречит правилам обучения полетам. Уже пошел сильный дождь, а вы еще не можете найти аэропорт, тогда вы решаете, что, имея пять часов тренировок полетов по приборам, вы сможете прорваться сквозь облачность вверх, в неконтролируемое пространство. Для чего же еще тренировки полетов вслепую, как не для таких экстренных случаев? Вспомнив раздел о чрезвычайных ситуациях в действующих правилах полетов, вы даже можете сделать это в соответствии с инструкцией. Но ваши шансы выбраться из этого живым равны нулю.

— Всего один пример, — продолжал он, — один логичный будничный пример, в котором слепое подчинение инструкции лишит вас жизни. Хотите еще? Других примеров множество, а отверженных еще больше. Нас устраивает, что ФАУ живет в своем придуманном мирке, пока оно не пытается и нас заставить в нем жить. А оно этого не делает. В свое время я был редактором одного авиационного журнала и имел возможность общаться со многими официальными чиновниками ФАУ. И я обнаружил, что люди опытные полностью соглашались с отверженным, стоило мне пообещать, что я не стану на них ссылаться. Один из них сказал: «В самом ФАУ отверженных больше, чем за его пределами!» Слово в слово, мой друг, из уст высокопоставленного регионального чиновника вашего ведомства.

По моему требованию он безропотно передал мне соль.

— В ФАУ есть довольно много пилотов-ветеранов, которые хорошо нас знают, — продолжал он, — и знают, что наша отработка правил безопасности полетов лучше, чем официальный вариант. Поэтому они не применяют против нас закон, но и не делают нам юридических поблажек. Все мы согласились помалкивать о том, что многие инструкции до нелепости противоречат здравому смыслу, и договорились, что ни одна из сторон не станет раскачивать лодку. Мы, конечно, благодарны судьбе, что там еще остались ветераны. Если бы кто-нибудь всерьез занялся внедрением в практику, например, правил обслуживания и ремонта самолетов, то за голову практически каждого владельца недорогого легкого самолета была бы назначена цена, а за право оставаться владельцем этого самолета ему пришлось бы драться не на жизнь, а на смерть. Размах такого противостояния уничтожил бы очень многих в ФАУ, а это привело бы к проведению реформ. Конечный результат был бы, разумеется, хорош, но сам процесс был бы таким болезненным, что ни у кого из нас не хватило бы духу его затеять. Мы счастливы, пока нас не трогают. ФАУ счастливо, что никто не потрясает основ их выдумки насчет законопослушного паренька.

Терпению моему наступил конец, я был сыт по горло его самодовольной болтовней.

— Сознайтесь, Дрейк, — сказал я. — Вы хотите заполучить лицензию, чтобы летать бесшабашно, делать что вам заблагорассудится, независимо от того, будет это безопасно или нет. Вам все равно, будете вы жить или погибнете, но как насчет тех ни в чем не повинных людей на земле, чьи жизни погаснут, как свечи, когда ваша бессмысленная бесшабашность отыграется на вас сполна?

Он рассмеялся.

— Мой друг, вы ведь довольно много летаете ночью?

— Разумеется. Самолет — это средство передвижения в дневное и ночное время. Но какое отношение это имеет к вашей бесшабашности?

— Вы надеваете парашют, когда летаете ночью?

— Конечно нет. Что за мальчишеская мысль!

— Тогда что вы станете делать, если ваш двигатель заглохнет ночью?

— У меня никогда не отказывал двигатель в ночном полете, мистер Дрейк, и надеюсь, это никогда не случится в будущем.

— Ну не интересно ли это! — он недолго помолчал, вглядываясь в схему двигателя, вытканную на скатерти. — Здесь нет ни одного отверженного, который уходил бы в ночной полет без парашюта, разве что луна светила так ярко, что он всегда имел в поле зрения какую-нибудь посадочную площадку. Мы не считаем, что отказы двигателей не происходят никогда, и если мы не видим, где можно приземлиться, и если мы не можем надеть парашюта, то мы не летаем. Кроме вас, здесь нет ни одного пилота, который полетел бы над сплошным туманом или слоем облачности, лежащим ниже той высоты, с которой он может произвести вынужденную посадку.

Тем не менее ночные полеты без парашюта — это вполне по правилам. А полеты над слоем тумана, любой толщины одобрены ФАУ. Наше правило гласит, что чистая безопасность — это чистое знание и чистое управление. Два мотора в нашем самолете или один — не суть важно. Если мы не видим места приземления и если мы не можем надеть парашют, мы не летаем.

Само собой, я не слушал ни единого слова из того, что говорил этот человек. Единственной безопасностью, которая требовалась этому дикарю, была бы безопасность тюремной камеры.

— Ваш шатун, — продолжал он, — сейчас вполне соответствует инструкциям. Он получил одобрение ФАУ, и все подписано. Но в нем есть трещина, и в ближайшее время он сломается. Если бы у вас был выбор, что бы вы предпочли — трещину в шатуне или эту подпись в бортовом журнале?

Мне оставалось только сохранять твердость.

— Сэр, механик и инспектор несут ответственность за свою работу. Я имею полное право лететь на этом самолете именно в том состоянии, в каком он пребывает.

Он снова засмеялся, на удивление дружески, словно не желал причинить мне зла. В этот момент я понял, что смогу удрать из его притона, и притом скоро.

— Ладно, — сказал он, не зная моих мыслей. — За все отвечает инспектор, вашей вины нет. Все, что вам остается сделать, это разбить свой самолет в этих горах, потому что от вас не требуется знать, как выжить в той местности, над которой вы пролетаете. Отвечать будут все остальные, вот только подыхать будете вы. Правильно?

Правильно, конечно, но опять он все по-дурацки вывернул наизнанку. Ну кто поверит банде отверженных, живущих в гористой пустыне, летающих и обслуживающих свои самолеты без всяких лицензий, только потому, что они знают, как летает самолет или как работает двигатель? Все они радикалы и экстремисты, и против них надо применить силу закона. Ну конечно, на таких управа найдется.

Отверженные — вот они кто, и как только я доберусь до какого-нибудь законопослушного города, я уж позабочусь о том, чтобы ФАУ выдвинуло против них серьезные обвинения и лишило их... и прибыло сюда, и посадило их всех в тюрьму. Они считают себя лучше всех остальных только потому, что умеют держать в руках гаечный ключ и приземляться с выключенным двигателем. А что они знают о диспетчерских пунктах подхода? Что станут они делать в схеме движения, если диспетчерская не даст им разрешения на посадку? Тогда они запоют совсем по-другому, а тут вмешаюсь я, когда они будут умолять меня спасти их, и запрошу диспетчерскую: «Покорнейше прошу дать разрешение на посадку», и не надо будет мне знать свой самолет или то, как он летает, потому что диспетчерская присвоила мне номер первый.

Я решительно распрощался с Дрейком и его сомнительной компанией, и ни он сам, ни кто-либо из его людей не попытался меня удержать. Несомненно, они видели мой гнев и сочли за благо сохранять спокойствие в моем присутствии.

Вернувшись в вырубленный в скале ангар, я отыскал кнопку, нажатием которой отодвигалась стена, и поскольку теперь отверженные имели все основания опасаться законопослушного человека, я дал себе труд все это записать, каждое сказанное нами слово, чтобы использовать это в качестве доказательства на заседании ФАУ, которое отправит этих людей в тюрьму. На этом замечательном, простом заседании, на котором ФАУ, знающее, что для нас лучше, сможет и наказать по заслугам, и праведно нас рассудить. К счастью, эти дикари, по-видимому, единственные в своем роде на всю страну.

Примечание для себя: *Надо будет перепечатать эти заметки, потому что сильный ветр делат карандашн записи трудными дл чтения. Никогда бы не подумл ветер 20 тако силнй. Однко я сберегу эт бмагу покажу этим бандитам они неправы. Могу лететь из этих гор одной рукой другой делть записи.*

Слный нисходящий поток. Потеря ввысоты 1500 футо в минут хтя полный газ и набираю скорость. Скоро должен быть восходящий.

Вот он. Худшее позади, а бандитов скоро к ответу. Я вижу аэропорт Фэризи, и я могу начать планирование прямо отсюда, если только — один шанс на миллион... шанс на миллиард — что двигатель загло

Школа совершенства

Я уже долгое время летел на запад. Всю ночь на запад, потом на юг, потом немного свернул на юго-запад, думаю, по недосмотру. Когда теряешь ученика, не слишком-то всматриваешься в карты и придерживаешься курса. После полуночи летишь уже куда глаза глядят и думаешь обо всем этом. Эта авария была неизбежна — один из тех редких случаев, когда туман возникает буквально из ничего и спустя пять минут видимость снижается с десяти миль до нуля. Поблизости не было ни одного аэропорта; приземлиться он не мог. Неизбежность. К рассвету я летел над незнакомой гористой местностью. Должно быть, я залетел гораздо дальше, чем думал, и обе стрелки топливомера подрагивали около нулевой отметки. Сбившись с пути, я, едва взошло солнце, по чистой случайности заметил выкрашенный зеленой краской легкий самолет *Piper Cub*, покачавший мне крыльями и зашедший на посадку на крошечную полоску травы у подножия горы. Он коснулся земли, сделал короткую пробежку, а затем внезапно исчез в монолитной скале. Местность была тиха и пустынна, словно дикие края пограничья, и я на мгновение подумал, что самолетик мне привидился.

Тем не менее эта ровная полоска земли была единственно возможным местом посадки. Я порадовался, что вылетел на одном из *150-х*, а не на большом *Команче* или на *Бонанзе*. С полностью выпущенными закрылками, я подлетел к полю лицом к этой самой гранитной стене. Это была посадка с самым коротким пробегом, на какой я был способен, но и этого было недостаточно. Газ убран, закрылки выпущены, тормоза на полную мощность, а мы все еще катили со скоростью двадцать узлов, и я понял, что мы врежемся в стену. Но удара не последовало. Стена исчезла, а *150-й* вкатился в громадную каменную пещеру.

Это пространство с широкой и длинной взлетно-посадочной полосой имело не меньше мили в длину. Кругом стояли самолеты всевозможных типов и размеров, у всех пятнисто-зеленая защитная окраска. Только что приземлившийся *Cub* заглушил мотор, и рослый, одетый в черное тип выбрался с переднего сиденья и *показал*, что я могу зарулить на соседнюю стоянку.

В сложившихся обстоятельствах у меня не было иного выбора. Как только я остановился, с заднего сиденья *Cub* поднялась еще одна фигура. Этот был в сером, не старше восемнадцати лет, и он смотрел на меня с мягким упреком.

Когда мой двигатель остановился, человек в черном заговорил тихим бесстрастным голосом, который мог бы принадлежать только командиру авиалайнера.

— Невесело, должно быть, терять ученика, — сказал он, — но это не повод забывать о том, как летите вы сами. Нам пришлось сделать три захода прямо у вас под носом, прежде чем вы нас наконец заметили. — Он повернулся к юноше. — Вы наблюдали за его посадкой, мистер О' Нил?

Паренек выпрямился и замер.

— Да, сэр. Скорость завышена примерно на четыре узла, *касание* на семьдесят футов дальше, отклонение влево от осевой линии шесть футов...

Юноша снова замер, слегка наклонил голову и вышел.

А этот человек подвел меня к лифту и нажал кнопку с надписью «Седьмой уровень».

— Дрейк давненько хотел с вами увидеться, — сказал он, — но до сих пор вы не были вполне готовы к этой встрече.

— Дрейк? То есть тот самый Дрейк...

Он слегка улыбнулся.

— Разумеется, — сказал он, — Дрейк Отверженный.

Спустя минуту дверь с шипением открылась, и мы вышли в длинный и широкий переход с гасящим звуки ковровым покрытием, со вкусом украшенный схемами различных деталей и живописными изображениями летящих самолетов.

Так, значит, он существует в действительности, подумал я. Значит, в самом деле есть на свете такой человек, как Отверженный. Когда руководишь летной школой, до тебя доходят всякие странные слухи, и то там, то здесь мне приходилось слышать о человеке по фамилии Дрейк и его отряде летчиков. По слухам, полет для этих людей стал истинной и глубокой религией, а их Богом было само небо. Говорили, что ничто не имело для них значения, кроме одного — достичь и коснуться того совершенства, каковым является небо... Но единственным свидетельством существования Дрейка были несколько рукописных страничек — рассказ о встрече с этим человеком, найденный в обломках самолета, разбившегося при вынужденной посадке. Как-то раз они были напечатаны в одном журнале как занимательная информация и впоследствии забыты.

Мы вошли в просторное, обшитое панелями помещение, меблированное до элегантности просто. На одной из стен висела в раме картина кисти Амендолы, оригинал, изображавший самолет *Стиэрмэн C3R*; на другой был помещен подробный чертеж двигателя А-65 в разрезе. Мой провожатый исчез, а я не удержался и стал разглядывать *C3R*. В нем не было ни одного изъяна. Весь крепеж на капоте, нервюрные швы крыльев, блики на отполированной обшивке. *Стирмэн* слегка вибрировал на стене, схваченный в момент взлета, над самой травой.

Вот если бы реальность могла быть столь же совершенной, подумал я. Я побывал на множестве семинаров, вдоволь наслушался дискуссий специалистов, на которых разные голоса попугаями твердили одно и то же: «В конце концов, все мы люди. Мы никогда не достигнем совершенства...»

В какой-то момент я страстно пожелал, чтобы этот Дрейк оправдал сложенную о нем легенду, произнес некое волшебное слово и сказал мне...

— Мы можем достигнуть совершенства, друг мой.

Ростом он был около шести футов, одет в черное, с тем худощавым угловатым лицом, которым наделяет людей независимость. Ему могло быть и сорок, и шестьдесят лет, его возраст не поддавался определению.

— Отверженный собственной персоной, — удивленно сказал я. — А вы читаете мысли так же хорошо, как летаете.

— Отнюдь. Но я полагаю, вы устали выслушивать оправдания за провалы. Провалы, — сказал он, — не имеют оправданий.

Всю свою жизнь я словно пробивался вверх сквозь густую пелену облаков и теперь наконец вырвался в чистое небо. Только бы его слова не оказались пустышкой.

И тут внезапно я почувствовал страшную усталость и выплеснул на него всю свою подавленность.

— Я бы с удовольствием поверил в ваше совершенство, Дрейк. Но до тех пор, пока вы не покажете мне безупречную летную школу, штат безупречных инструкторов, без всяких провалов и оправданий, я не поверю ни единому вашему слову.

Это была моя последняя в жизни надежда, испытание для этого лидера весьма своеобразных отверженных. Если бы он сейчас промолчал, если бы извинился за свои слова, я бы продал по дешевке свою летную школу и махнул бы обратно в Никарагуа на *Super Cub* зарабатывать на жизнь.

В ответ Дрейк лишь коротко улыбнулся.

— Идемте за мной, — сказал он.

Он провел меня в длинный зал, увешанный картинами на авиационные темы, где на пьедесталах возвышались детали и части всемирно известных самолетов. Затем мы спустились по узкому коридору и внезапно вынырнули в холодный воздух и яркий солнечный свет на самом краю крутого, поросшего травой склона. Трава заканчивалась футах в пятидесяти от нас, и в том месте, где склон переходил в горизонтальную поверхность, находился мягкий квадрат из чего-то похожего на перья, со стороной в сотню ярдов и высотой примерно в десять футов.

Седой, одетый в черное мужчина стоял рядом с этой периной и кричал, глядя на вершину склона:

— Хорошо, мистер Террелл, как только вы будете готовы. Не спешите. Спешить некуда.

Мистер Террелл был парнишкой лет четырнадцати, он стоял слева от нас на самом краю склона. На его плечах покоилась пара хрупких белоснежных крыльев размахом в тридцать футов, отбрасывающих прозрачную тень на траву. Решившись, он сделал глубокий вдох, наклонился вперед и ухватился руками за обмотанный клейкой лентой поручень лонжерона. Потом он сделал короткий резкий разбег, приподнял крылья и завис в воздухе над склоном. Он находился в полете около двенадцати секунд; делая короткие махи, как гимнаст, и сведя ноги вместе, он неторопливыми движениями выравнивал свои белые крылья и плавно скользил вниз.

В мгновение ока он оказался в десяти футах над склоном и отпустил крылья за секунду до того, как его ноги коснулись перины. Все это было неспешно, грациозно и свободно, как мечта, воплощенная в белое полотно и зелень травы.

Снизу, с лужайки, до нас едва доносились голоса.

— Посиди немного здесь, Стэн. Передохни. Вспомни, как все это было. Вспомни все по порядку, а когда будешь готов, мы отнесем крылья наверх и полетим снова.

— Я готов лететь сейчас, сэр.

— Нет. Проживи это еще раз. Вот ты на вершине горы. Ты берешься за лонжерон. Делаешь разбег в три шага...

Дрейк повернулся и повел меня в другой длинный коридор, в другой удел своего царства.

— Вы спрашиваете о летной школе, — сказал он. — Юный мистер Террелл только начинает летать, но он полтора года занимался изучением ветров, неба и динамики безмоторного полета. Он сам построил сорок планеров. Размах их крыльев от восьми дюймов до того, который вы только что видели, — до тридцати одного фута. Он сделал свою собственную аэродинамическую трубу и работал с настоящей трубой на Третьем уровне.

— При таких темпах, — сказал я, — у него целая жизнь уйдет на то, чтобы научиться летать.

Дрейк взглянул на меня, подняв брови.

— Разумеется, целая жизнь, — сказал он.

Мы шли дальше, то и дело сворачивая в лабиринте залов и коридоров.

— Большинство наших учеников предпочитает десять часов в день проводить у самолетов. Остальное время они посвящают другой работе, своим занятиям. Террелл, например, строит двигатель по собственному проекту и заодно обучается в мастерских литейному делу и металлообработке.

— Ну, ладно, — сказал я. — Все это очень хорошо, но это не...

— Практично? — спросил Дрейк. — Вы хотели сказать, что это непрактично? Подумайте, прежде чем это сказать. Подумайте о том, что самый практичный способ довести пилота до совершенства — это ухватить его в тот момент, когда он целиком поглощен идеей чистого полета, еще до того, как он решит, что летчик — это оператор ряда систем, нажимающий кнопки и двигающий рычаги, что позволяет удерживать в воздухе чужую ему машину.

— Но... птичьи крылья...

— Без птичьих крыльев не бывает совершенства. Представьте себе пилота, который не только изучал Отто Лиллиенталя, но и сам был Отто Лиллиенталем, держа в руках его крылья и прыгая с горы. Теперь представьте того же пилота, не только изучающего братьев Райт, но строящего и летающего на своем планере-биплане с мотором; пилота, несущего в себе ту же искру, которая воспламенила Орвилла и Уилбера, когда они создавали свою *Китти Хок*. Вы не думаете, что со временем из него может получиться хороший пилот?

— Стало быть, вы первым делом проводите своих учеников через всю... историю...

— Совершенно верно, — сказал он. — А следующим шагом после братьев Райт?.. — он выждал, чтобы я заполнил паузу.

— Ну, *Дженни*?

Мы вновь свернули по коридору к солнечному свету и оказались на краю широкого ровного поля, изборожденного следами хвостовых костылей. Там, покачиваясь, стояла *JN-4*, окрашенная в такие же камуфляжные цвета, как и виденные мною самолеты в главной пещере. Двигатель OX-5 вращал большой деревянный пропеллер, издавал шум гигантской швейной машины, мягко протягивающей нитку сквозь толстый бархат.

Одетый в черное инструктор стоял у задней кабины.

— Она полетит немного легче, мистер Блейн, — говорил он, перекрывая шум швейной машины, — и взлетит чуть быстрее без моего веса. Три посадки, потом подрулите сюда.

Спустя мгновение *Дженни* уже выбиралась против ветра, двигаясь все быстрее, чуть приподняв хвостовой костыль над травой и оставаясь в этом положении, и наконец вся эта хрупкая машина поднялась в воздух, так что под ее колесами я видел чистое небо.

Инструктор подошел к нам и наклонил голову в своеобразном приветствии.

— Дрейк, — сказал он.

— Да, сэр, — ответил Дрейк. — У юного Тома все в порядке?

— Вполне. Том хороший пилот, когда-нибудь он даже мог бы стать инструктором.

Я больше не в силах был сдерживаться.

— Да ведь парнишка слишком молод для такого старого самолета. Что, если двигатель вдруг заглохнет?

Инструктор взглянул на меня озадаченно.

— Простите. Я не понял вашего вопроса.

— Что, если двигатель заглохнет! — сказал я. — Это же старый мотор! Вы же знаете, он может заглохнуть в полете.

— Ну конечно, может! — Человек посмотрел на Дрейка с таким выражением, словно не был уверен в реальности моего присутствия.

Командир отверженных принялся терпеливо объяснять.

— Том Блейн сам произвел капитальный ремонт этого OX-5, он сам изготовил для него детали. Он вслепую может начертить схему этого двигателя. Он знает его слабости, знает, какого рода отказов следует от него ожидать. Но самое главное, он знает, как делать вынужденные посадки. Он начал обучаться вынужденным посадкам с самого первого своего полета на планере с горы Лиллиенталя.

У меня в мозгу словно включился свет: я начинал понимать.

— А вслед за этим, — медленно заговорил я, — ваши курсанты проходят через развлекательные полеты и самолетные гонки, полеты военных самолетов — словом, через всю историю полетов.

— Именно так. В ходе обучения они летают на планерах, дельтапланах, самоделках, гидросамолетах, сельскохозяйственных самолетах, вертолетах, истребителях, транспортных, турбовинтовых, реактивных самолетах. Когда они полностью готовы, они выходят в свет и выполняют любые виды полетов, какие скажете. Затем, отлетавшись во внешнем мире, они могут вернуться сюда в качестве инструкторов. Они берут одного ученика и начинают проходить с ним с самого начала то, чему когда-то научились сами.

— Одного ученика! — Я невольно рассмеялся. — Мне совершенно ясно, Дрейк, что вам никогда не доводилось руководить летной школой под давлением, когда ставка очень высока!

— А какова ставка, — мягко спросил он, — в вашей летной школе?

— Выживание! Если я перестану выпускать пилотов и набирать новых учеников, я прогорю и окажусь не у дел!

— У нас несколько иные ставки, — сказал он. — Наша задача — сберечь живой полет в мире авиашоферов, вроде выпускников вашей школы, которые озабочены лишь тем, чтобы перемещаться по прямой от одного аэропорта к другому. Мы стараемся, чтобы в воздухе оставалось хотя бы немного настоящих летчиков. Таких, которые не носят у сердца эту книжечку оправданий, эти «Двенадцать золотых правил», осталось не так уж много.

Должно быть, я ослышался. Неужели Дрейк нападает на «Золотые правила», эту квинтэссенцию огромного опыта?

— Ваши «Золотые правила» — это сплошные «нельзя» и «никогда», — сказал он, угадывая мои мысли. — Девяносто процен-

6 – 4584

тов аварий происходит именно в таких условиях, значит, следует избегать таких условий. Они не внесли туда только одного, последнего, логически все завершающего пункта: «*Причиной ста процентов аварий являются полеты, поэтому в целях безопасности следует оставаться на земле*». Кстати, вашего ученика погубило «Золотое правило» номер восемь.

Меня словно громом ударило.

— Эта авария была неизбежна! Точка росы образовалась вопреки всем прогнозам, туман вокруг него сгустился буквально за пять минут. Он не мог долететь до аэродрома!

— А *Правило восьмое* велело ему ни в коем случае не садиться за пределами аэродрома. За те пять минут, пока у него еще была видимость, он пролетел над восемьюстами тридцатью семью посадочными площадками, — гладкими полями и ровными пастбищами, — но это же не были *обозначенные в списке аэродромы с ухоженной взлетно-посадочной полосой*, поэтому ему даже в голову не пришла мысль о посадке, правда?

Мы надолго замолчали.

— Нет, — сказал я, — не пришла.

Он снова заговорил, лишь когда мы вернулись в его кабинет.

— У нас здесь есть две вещи, которых нет в вашей летной школе. У нас есть совершенство. У нас есть время.

— И мастерские. И птичьи крылья...

— Все это следствие времени, мой друг. Живая история, заинтересованные ученики, инструкторы... все это есть здесь потому, что мы решили без всякой спешки дать пилоту мастерство и понимание вместо свода правил.

Вы там в своем мире говорите о «кризисе инструкторской работы», вы занимаетесь поспешным пересмотром инструкторских лицензий. Но все это пустые затеи, если инструктору не дадут достаточно времени для занятий с учеником. Помните, человек учится летать на земле. Он лишь применяет полученные знания на практике, садясь в самолет.

— Но летные приемы, крупицы опыта...

— Разумеется. Вынужденные посадки с остановившимися двигателями, взлеты по ветру, полеты с заклиненным управлением, сваливание самолета с созданием невесомости, полеты на малой высоте над пересеченной местностью, групповые полеты, гордость, полеты по приборам и без приборов, развороты на малой высоте, плоские развороты, штопоры, мастерство. Ничему этому не учат. И не потому, что ваши инструкторы не умеют летать, а потому, что у них нет времени, чтобы научить всему этому. По-вашему, важнее иметь этот клочок бумаги — лицензию пилота, — чем знать свой самолет? Мы с этим не согласны.

Я бросился на него в последнюю, самую мощную атаку.

— Дрейк, вы живете в пещере, вы совершенно оторваны от действительности. Я плачу своим инструкторам только за летные часы, и они не могут позволить себе проводить нелетное время в разговорах с учениками на земле. Если я хочу продержаться, значит, я должен держать в воздухе и самолеты, и инструкторов. Мы обязаны пройти с учениками определенный курс, дать им сорок летных часов, снабдить экземпляром «Двенадцати золотых правил», подготовить их к летному экзамену, а затем все начать сначала с очередной группой. При такой системе вам время от времени не обойтись без аварий!

Я слушал сам себя, и внезапно меня охватило отвращение. Все это говорил не кто-то другой, изо всех сил защищающий возможность провалов, это был я сам, это был мой собственный голос. Гибель моего ученика не была неизбежной; и убил его я.

Дрейк не сказал ни слова. Он словно не желал меня слышать. Он взял со своего стола крошечную модель планера и осторожно запустил ее в воздух. Она описала полный круг влево и, скользнув, остановилась точно в центре маленького белого знака «Х», нанесенного краской на полу.

— По-видимому, вы уже почти готовы признать, — сказал он наконец, — что если ваша система предусматривает возможность аварий, то решение проблемы не в том, чтобы искать оправдания. Решение, — сказал он, — в том, чтобы изменить всю систему.

В этой пещере я провел неделю и убедился, что Дрейк не упустил из виду ни одного пути, который мог бы довести полет до совершенства. Между инструкторами и учениками поддерживались весьма официальные отношения на земле, в воздухе, в мастерских и в специализированных учебных помещениях.

В царстве Дрейка господствовало невероятное уважение, граничащее с преклонением, к мужчинам и женщинам, работавшим инструкторами. Сам Дрейк обращался к своим инструкторам «сэр», а послужной список каждого из них был отпечатан и доступен ученикам для ознакомления.

В воскресенье после полудня состоялся четырехчасовой воздушный парад с групповыми полетами, показом построенных учениками самолетов и высшим пилотажем на малых высотах, продемонстрированным одним из лучших мастеров на всем Юго-Западе. Влияние и идеи Дрейка задели меня глубже.. чем я предполагал... И я начал задумываться о некоторых других знакомых мне отличных пилотах; летчиках сельхозавиации, горных пилотах, пилотах авиалиний, которые в свободное время летали на спортивных самолетах. Неужели они тоже как-то связаны с Дрейком и его школой?

Я задал этот вопрос, но ответ Дрейка был загадочен.

— Когда веришь во что-нибудь настоящее, как это небо, — сказал он, — обязательно находишь друзей.

Этот человек руководит фантастической летной школой, и когда мне пришла пора улетать, я в открытую так ему и сказал. Но одна мысль не давала мне покоя.

— Как вы можете себе все это позволить, Дрейк? Не из воздуха же это берется. Откуда вы берете деньги?

— Ученики платят за обучение, — сказал он так, будто это все объясняло.

Должно быть, я довольно тупо на него уставился.

— О, не с самого начала. Ни один ученик с самого начала не платил ни пенни. Просто они больше всего на свете хотели летать. Но каждый ученик платит то, чего, по его мнению, стоит его обучение. Большинство в течение всей жизни отдает школе около десяти процентов своего дохода. Одни больше, другие меньше. В среднем около десяти процентов.

— А десять процентов от доходов тысячи пилотов малой авиации, тысячи военных летчиков, тысячи командиров авиалайнеров... это дает нам топливо и масло, — и снова коротко вспыхнувшая улыбка осветила его лицо. — А это дает им уверенность в том, что на подходе новые пилоты, которые лучше знают, как летать, чем как вести самолет.

Все время, пока я летел, ориентируясь по карте, на север и восток, его слова не шли у меня из головы. Больше учить тому, как летать, чем тому, как вести самолет; без спешки заниматься с учениками; предоставить им бесценную возможность летать.

Я смогу переделать свою школу, думал я. Я смогу тщательно отбирать учеников вместо того, чтобы принимать первого встречного. Я смогу предложить им платить столько, сколько такое обучение стоит. Я смогу платить своим инструкторам вчетверо больше, чем теперь; сделать инструкторскую работу профессией, а не случайным заработком. Несколько дополнительных наглядных пособий — возможно, разобранный двигатель, корпус самолета в разрезе. Послужные списки моих инструкторов, доступные для прочтения каждому ученику. Гордость. Немного основ истории, немного высшего пилотажа, немного парения. Мастерство. И ни клочка бумаги, только понимание.

Я выключил мотор, все еще думая об этом. Отбирать учеников и давать им достаточно времени.

Мой старший инструктор чуть не вытащил меня из самолета.

— Вы вернулись! Мы всю неделю вас разыскивали отсюда и до самого Шайенна! Мы было подумали, что вы погибли!

— А я не погиб. Ничуть не погиб. И вернулся живым, — сказал я. И, начиная традицию, добавил: — Сэр.

На юг, в Торонто

Причина многих приключений заключается в том, что их искатели сидят у огня в какой-нибудь уютной гостиной и не имеют ни тени представления о том, во что они ввязываются. Они сидят, развалясь, в кресле, такие понятия, как холод, сырость, ветер или шторм, для них не существуют, и они говорят: что ж, пора бы уже кому-нибудь открыть Северный полюс, — и погружаются в мечты о славе, а спустя час, все еще пребывая в мечтах, они начинают раскручивать колеса, разворачивать карты, жульнически вторгаться в устроенные жизни других искателей приключений, заставляя их сказать: «Почему бы и нет?» и «Ей-богу, это надо сделать! Считайте, что я с вами!» — и точно так же впасть в транс своих фантазий, где все лишения и тревоги — это всего лишь слова, которые отыскиваются в словарях слабыми духом людьми.

Так что помешивайте угли в камине, оставайтесь сидеть здесь, в этом теплом кресле, и позвольте мне раскрутить нить приключения.

РАЗВЛЕКАТЕЛЬНЫЙ ПЕРЕЛЕТ НАД ЗИМНЕЙ КАНАДОЙ!

Какое зрелище, все эти заснеженные городишки на севере Америки, сжавшиеся в комок на всю бело-кварцевую зиму, которые только и ждут, чтобы кто-нибудь свалился им с неба на голову и принес с собой разноцветье и яркие переживания десятиминутных полетов, показывающих им городок с воздуха, по три доллара за полет! И какой звук — этот мягкий девственный февраль, вздыхающий от прикосновения наших лыж! И никаких проблем, связанных с летними развлекательными полетами, никаких бесконечных поисков пастбищ и лугов, достаточно гладких и длинных, и расположенных достаточно близко от города... да там весь мир будет как одна посадочная площадка! Гладкие замерзшие озера, по размерам больше, чем сотня аэропортов имени Кеннеди; каждое поле, изобилующее неровностями летом, либо засеянное нежными культурами, будет для наших *Кабов* отличной гладкой посадочной полосой. Давайте же докажем, что в мире еще есть место сильной личности, человеку, бросающему вызов канадской зиме, делающей все возможное, чтобы не дать ему принести дар полета в жизни тех, кто еще ни разу не бывал в воздухе! Ну, как вам это? В конце концов все живущие там канадцы — это колонисты в красных клетчатых куртках и синих вязаных шапках; с топором в одной руке и с каноэ — в другой, они вечно смеются над опасностью, так что никто не побоится купить билеты! Мы улетим туда на весь февраль, вернемся домой к марту, а эти дикие края останутся частью нашей души, в нас снова оживет пограничье, такое, каким оно было когда-то!

Вот такую картину я должен был развернуть перед собой, чтобы все это меня убедило. Это, да еще письма от канадцев Гленна Нормана и Робина Лоулеса, лесных жителей, ставших пилотами и, само собой, приглашавших меня при случае заглянуть в Торонто.

Торонто! Как это звучит! Настоящий канадский аванпост в заснеженных полях. Утопия для участников развлекательных полетов! Я отодвинулся от огня и достал карты.

Торонто выглядит несколько более крупным городом, чем можно было бы ожидать от передового поста, за которым начинаются дикие края, но, помимо него, на многие мили вокруг есть еще тысячи мелких поселков. Фенелон Фоллс, Барри, Ориллия, Оуэн-Саунд, Пентангинише. По берегам одного озера Симко разбросан десяток городишек, всего в тридцати милях от Торонто, а ведь это лишь преддверие поселков лесорубов к северу, востоку и западу. Представьте, что вы просыпаетесь на заре, выглядываете из своего теплого спального мешка, лежа под крылом, и обнаруживаете на льду надпись:

ПЕНТАНГИНИШЕ!

Мой ответ канадцам отправился с обратной почтой... не будут ли они заинтересованы принять участие в зимнем авиацирке «Страна чудес» в качестве проводников? Колеса приключения завертелись.

В тот же день я разослал письма американским летчикам, имевшим легкие самолеты и лыжи, с упоминанием, что на февраль для них найдется место в Канаде.

Расселл Мансон, владелец *Super Cub*, сразу после получения информации заявил о своем участии. Мы тут же назначили день старта; 29 января два наши самолета коснутся своими лыжами земли Торонто, а 30 января мы двинемся дальше на север, в поисках настоящего приключения.

В течение января мы все подготовили. Я отыскал пару стареньких лыж для *Cub* в одном из ангаров Лонг-Айленда, Мансон нашел пару новых лыж на какой-то фабрике на Аляске. В его нью-йоркской конторе мы еще и еще раз проходили всю программу полета — что мы непременно должны взять с собой?

Разумеется, теплую одежду, и уже к концу недели мы топали по летному полю в парках, костюмах из многослойной шерсти и непромокаемых снегоступах. Чехлы для крыльев и двигателя — и мы потонули в целых ярдах пластика и мешковины, сшивая их как придется. Обогреватели рук для нас, прогреватели двигателей для самолетов, надувные палатки, одеяла с подогревом, бортовой аварийный запас, карты, запасные части, инструменты, жестянки с моторным маслом, бубенчики для лыж. Диву даешься, сколько всяких припасов требуется для простого развлекательного полета по диким краям Канады.

Мой самолет был выкрашен молочно-белой эмалью, что, разумеется, не годилось; какой же клиент заметит белый самолет, стоящий в сугробе? И три последующих дня я карамельными полосками наклеивал маскировочную ленту по всей поверхности крыльев и хвоста, а Эд Калиш наносил распылителем поверх всего этого ярко-красную краску и вспоминал времена, когда он работал механиком в Годс-Кейп, в северной части Гудзонова залива.

— Приезжаю я туда в один прекрасный день, — говорил он из алого облака краски, — а там семьдесят ниже нуля!

Моя парка, самая теплая одежда, которая у меня была, была рассчитана на минус пятьдесят.

— Приходилось запускать двигатели, разогревая их паяльными лампами через выхлопные патрубки, проворачивая пропеллеры в обратном направлении и разогревая цилиндры через клапаны.

В тот же день я пошел и купил пропановую паяльную лампу. А если доведется, рассчитывал я, то я набью свою парку сухими листьями.

Из двух остальных пилотов, которых я пригласил, один написал в ответ, что, по его мнению, в феврале в Канаде может быть довольно холодно... а я разве предлагал ему лететь в Нассау?

Когда я наконец ответил ему, что наш летающий цирк направляется на север, он пожелал мне удачи. Помню, я еще подумал, что довольно странно отказываться от такого приключения только из-за того, что там будет холодно. Он посоветовал мне вспомнить, что в кабине моего самолета нет никакого обогревателя, но от меня это отскочило, как горох от стены.

Еще один пилот, Кен Смит, должен был встретиться с нами в Торонто 29 января.

Так что у нас было три самолета, три пилота и два проводника. Нашей компании недоставало еще одного, канадского самолета, чтобы из нас получился настоящий международный цирк, но я не сомневался, что десятки канадских самолетов будут готовы присоединиться к нам, как только мы прилетим в эту страну.

К середине января озера замерзли по всей Канаде.

Открылись лыжные курорты Новой Англии, а в Лонг-Айленде выпало несколько крупных снежинок.

В ночь на 20-е я попытался проспать ночь среди этих снежинок. На воздухе было всего около 20 градусов по Фаренгейту, намного теплее, чем то, что ожидало нас в Канаде, но лучше такое испытание, чем никакого. Как я обнаружил, двадцать градусов — это, собственно говоря, довольно холодно. Это проявилось часам к трем утра. И вовсе не потому, что палатка пропускала холод, а одеяло с подогревом не действовало, а потому, что холод после долгого выжидания добирается до спящего с земли. Я, разумеется, умел думать о теплоте и бороться с холодом, но живое воображение Сахары и жарких костров отнимало столько усилий, что на сон уже не оставалось времени. В четыре утра я сдался и втащил палатку и все остальное обратно в дом. Тогда-то я впервые задумался о том, что если для нас все это приключение казалось забавой, то зима вовсе не шутит. Мы прямехонько нацелились на то, что в военной авиации называется «обстановкой борьбы за жизнь»... люди замерзали насмерть и в более теплом климате, чем Канада в феврале! И я тут же упаковал дополнительное одеяло.

Норман и Лоулес вылетели, чтобы обследовать озеро Симко. В день их вылета озеро замерзло намертво, а температура была минус тридцать.

27 января в Торонто был самый сильный буран за последнее столетие. Городки были погребены под снегом, полным ходом шли спасательные работы.

Нас эти новости радовали; чем глубже снег, тем ближе к городкам мы могли приземляться. Когда занимаешься развлекательными полетами, то если тебе не удается найти посадочную площадку поблизости от города, — можешь сразу отправляться домой.

Ранним утром 29-го, в то смутное время ночи, которое вроде бы считалось рассветом, мы с Мансоном запустили двигатели... дымок из выхлопных патрубков синел в жуткой неподвижности. Обычно с восходом солнца наступает момент, когда до искателей приключений начинает доходить, что они не в своем уме, как все им об этом и говорили.

«Расс, ты хоть понимаешь, что вся наша затея — это чистое безумие? Ты понимаешь, во что мы сейчас ввязываемся? Послушай, мне очень жаль, что я все это затеял...» Я и хотел так сказать, но у меня не хватило смелости. В таких делах авантюристы бывают трусливыми.

Мансон тоже помалкивал, пока светало и прогревались моторы, и наконец мы, ни слова не говоря, забрались в самолеты, вырулили на пустынный бетон и стартовали на север, через пролив Лонг-Айленд, через Коннектикут. Температура воздуха за бортом на высоте пяти тысяч футов была минус восемнадцать, хотя, должен признать, в необогреваемой кабине было не ниже десяти-пятнадцати градусов. Первым делом я не мог поверить, что собираюсь целый *месяц* провести в такой температуре; вторым делом я начал думать о лете, когда дороги так раскаляются на солнце, что без обуви по ним не пройти, а масло, забытое на столе, превращается в желтые лужицы.

На первой нашей стоянке, на самой первой нашей стоянке я заметил, что мой двигатель немного выбрасывает масло из трубы сапуна. Он всегда понемногу терял масло, но это было больше, чем обычно. Я снял с крючков насадку и позволил сапуну подышать в нагретом отсеке двигателя.

Поскольку в самолете Мансона был гирокомпас и он был снабжен курсовым радиомаяком и автоматическим радиокомпасом, во время перелета в Торонто Мансон был ведущим. Мой единственный магнитный компас реагировал на направление так же чутко, как спинка моего сиденья, так что я летел себе ведомым и любовался мягкими очертаниями и белизной пейзажей. Откуда же тогда взялось это странное ощущение час спустя после нашего второго взлета, что это вовсе не была дорога в Канаду? Вот эти горы по правому борту — уж не горы ли это Катскилл? А река Гудзон разве не должна быть у нас слева? Я подтянулся своим самолетом поближе и показал на карту, вопросительно глядя на своего ведущего. Он взглянул на меня и поднял брови.

— Расс! — прокричал я. — Не летим ли мы на юг? *Мы же летим на ЮГ*!

Он не мог разобрать, что я ему орал, так что я чуть поотстал и безропотно следовал за ним, как и положено ведомому, чтобы посмотреть, куда он направляется. Он летает вот уже десять лет, подумал я, стало быть, это я ошибся. Мы просто идем вдоль другой реки. Я заметил, что он сверяется с картой, и это меня как-то ободрило. Он не сменил курса. Значит, мы летим на север... а я потерял ориентацию, впрочем, со мной это уже бывало.

Но спустя какое-то время начало теплеть. Внизу, на земле, было все меньше снега.

Его самолет *Super Cub* вдруг потрясенно понял, что неведомо как произошла ужасная ошибка. Он, накренившись, резко развернулся вправо, сменил курс на сто шестьдесят градусов и начал заходить на посадку в каком-то маленьком аэропорту у реки. Это был, разумеется, Гудзон. Первый раз в жизни я заблудился, и не по своей вине!

— Ты это как-нибудь сможешь пережить, — сказал я ему мягко после приземления, — но можешь мне поверить, на это у тебя уйдет много времени...

Я тут же пожалел о сказанном, ибо он был страшно расстроен.

— Не знаю, что со мной стряслось! Я шел вдоль шоссе и заметил, что компас немного отклоняется и радиомаяк показывает что-то не то, но я был совершенно уверен, что это то самое шоссе! Я просто сидел и не обращал внимания. Я видел компас, но не обращал на него внимания!

Сменить тему оказалось делом нетрудным. По всему брюху моего самолета растеклось масло, выброшенное мотором за последний час. Оно покрыло весь капот и шасси, застыло и повсюду замерзло. Лопнуло кольцо, а может быть, трещина в поршне? Мы поговорили о возвращении, чтобы как следует это проверить, но это было похоже на отступление.

— Летим дальше, — сказал я. — Возможно, это просто сильное всасывание в конце трубы сапуна тянет больше масла, чем надо.

Мансон проложил курс на север вдоль Гудзона, свернул влево над Олбани и направился прямо на Торонто. Час спустя после Олбани давление масла упало у меня на один фунт, потом на два. Ни разу не было случая, чтобы после такого падения давления масла с самолетом что-нибудь не произошло... Я сделал своему ведущему знак «вниз», и через пять минут мы сели на ближайшем аэродроме.

Ушла еще одна кварта масла. Перспектива сорокачасового полета над дикими просторами Канады с двигателем, разбрызгивающим в небесах собственную кровь, не относилась к числу моих излюбленных приключений. Одно дело быть готовым к отказу двигателя во время развлекательных полетов, а совсем другое, и не совсем разумное, — думал я, — быть уверенным в таком отказе. Полечу ли я дальше или вернусь, я все равно окажусь сачком; но лучше быть теплым сачком, чем холодным, застрявшим где-нибудь в кроне дерева в Пентангинише. Кроме того, синоптики сказали нам, что на подходе к границе нас ожидает новый буран.

Я заправился маслом и вылетел на юг, несколько озадаченный тем, что огорчен упущенной возможностью замерзнуть. Уж если затеваешь какое-нибудь приключение, каким бы безумным оно ни было, единственный способ успокоиться — это во что бы то ни стало пройти его до конца.

Спустя полтора часа давление масла упало на пять фунтов, потом на десять, а потом стрелка уперлась в нулевую отметку, и мне оставалось только спланировать на посадку на ту самую полосу, с которой мы стартовали перед рассветом.

С двигателем все оказалось далеко не так просто. Дело было вовсе не в трещине цилиндра и не в лопнувшем кольце. Проблема была в том, что цилиндры износились настолько, что восстановлению уже не подлежали. Четыре негодных цилиндра — восемьдесят пять долларов штука, кольца по тридцать два доллара, прокладки...

К тому времени, когда мне удалось набрать денег на приобретение запчастей, в Канаду уже пришла весна. Снег растаял, обнажив прошлогоднюю траву, на черных полях зазеленели озимые, лед на озерах уступил место голубизне водной глади.

Ну как «*приключеньице*»? Ярость зимы и брошенный ей вызов, и в итоге — месяц у очага... Такое вот приключение! А в следующем году... в следующем году — продолжим. До самого Полюса!

Piper PA 18 . Super Cub

Кот

Это был кот, серый персидский кот. У него не было имени. Он сидел в зарослях травы у конца взлетно-посадочной полосы и внимательно следил за истребителями, которые один за другим впервые касались французской земли.

Кот даже не вздрагивал, когда десятитонные реактивные истребители со свистом грациозно проносились мимо — носовая стойка шасси все еще в воздухе, тормозные парашюты вот-вот готовы выскочить из своего укрытия под соплом. Его желтые глаза спокойно наблюдали, оценивая качество посадки, остроугольные уши чутко улавливали едва различимое «пух!», с которым расцветали позади самолетов тормозные парашюты, голова неспешно поворачивалась вслед приземлившемуся самолету, затем возвращалась назад, чтобы посмотреть на посадку следующего. Иногда посадка получалась тяжелой, и глаза на мгновение сужались в тот момент, когда подушечки лап ощущали, как содрогается земля под самолетом — он не делал поправку на боковой ветер, и из-под его пострадавших колес, вырывалось облако сизого дыма.

Это происходило в холодный октябрьский день. Кот наблюдал посадки три часа кряду, пока не приземлились двадцать семь самолетов, в небе не стало пусто и не затих вой последнего заглушаемого двигателя, доносившийся со стороны стояночных площадок. Затем кот вдруг поднялся и, даже не потянувшись, как обычно поступают в семействе кошачьих, поспешил прочь и исчез в высокой траве, 167-я Тактическая Истребительная Эскадрилья прибыла в Европу.

Когда истребительная эскадрилья возрождается после пятнадцати лет небытия, обычно возникают проблемы. Из тридцати летчиков эскадрильи лишь несколько были опытными пилотами, поэтому проблемы 167-й эскадрильи в основном заключались в отсутствии профессионализма. Двадцать четыре человека из ее летного состава лишь за год до этого закончили училища.

— Мы справимся, Боб, и сделаем это наилучшим образом, — сказал майор Карл Лэнгли командиру эскадрильи. — Не в первый раз я отвечаю за операции, и должен тебе сказать, никогда не видел пилотов, у которых было бы столько рвения и желания всему этому научиться.

Майор Роберт Райдер легонько стукнул кулаком по грубой деревянной стене своего будущего кабинета.

— Это я тебе могу гарантировать, — сказал он. — Но нам с тобой досталась нелегкая работа. Это Европа, а ты ведь знаешь, какая в Европе зимой погода. Если не считать командиров, то из молодых лишь у Хендерсона есть какой-то опыт полетов в плохих погодных условиях, да и то у него этого опыта — одиннадцать летных часов. Одиннадцать часов! Карл, представь себе, что нужно вести четверку этих пилотов на старых F-84 в дождь и туман, на двадцати тысячах футов. Или вообрази себе, что им нужно садиться вслепую на мокрую полосу при боковом ветре. — Он бросил взгляд на улицу через забрызганное грязью окно. Облака высоко, внизу хорошая видимость, автоматически отметил он про себя. — Мне доверили эту эскадрилью, и я сделаю все, что в моих силах, однако я никак не могу отделаться от мысли, что, прежде чем 167-я станет настоящим боевым подразделением, мы потеряем пару наших ребят на склонах этих гор. А вот этого мне совсем не хочется.

Искристо-голубые глаза Карла Лэнгли вызывающе вспыхнули. У него всегда была страсть браться за работу, которая другим казалась невозможной.

— У них есть знания. Возможно, они знают полет по приборам даже лучше, чем мы с тобой, они ведь только из училища. Все, что им нужно, — это опыт. У нас есть тренажер. Мы можем гонять его по десять часов в день, отрабатывая полет и посадку по приборам на любую базу Франции. Они пошли в 167-ю эскадрилью добровольно, и они полны желания работать. Теперь наша задача — дать им работу.

Командир эскадрильи вдруг улыбнулся.

— Когда ты так говоришь, я почти готов тебя поймать на том, что ты бы и сам ринулся вместе с ними в полет. — Он помолчал, потом заговорил неспешно: — Я припоминаю старую 167-ю, в Англии в 1944 году. У нас тогда были новые *Тандерболты**, на их борту мы рисовали наш боевой символ — маленького персидского кота. Что бы Люфтваффе ни запустил в воздух, нам это было нипочем. Я думаю, тот, кто энергичен и настойчив в мирное время, тот храбр и смел на войне. — Он кивнул своему ответственному за операции. — Нельзя сказать, чтобы я думал, будто мы избежим своей доли аварийных случаев с этим старым самолетом или что нам не нужно будет изрядного везения, прежде чем эти парни начнут возвращать этой эскадрилье ее былое имя, — сказал он. — Ну давай, разрабатывай расписание полетов и занятий на тренажере начиная с завтрашнего дня, и посмотрим, каковы они на самом деле, твои пацаны.

Через минуту майор Роберт Райдер остался один в своем кабинете, погружающемся в сумерки. Он подумал о старой 167-й. С грустью. О лейтенанте Джоне Бакнере, который в горящем *Тандерболте* продолжал атаковать пару опрометчивых *Фокке-Вульфов*, и одного из них он увлек вместе с собой на твердую французскую землю. О лейтенанте Джеке Беннете, на счету которого было шесть сбитых самолетов и немалая слава, который взял на таран МЕ-109, когда тот приближался к подбитому В-17 в небе над Страсбургом. О лейтенанте Алане Спенсере, который вернулся на таком изувеченном в бою *Тандерболте*, что после приземления его пришлось извлекать из обломков при помощи автогена. Райдер виделся с ним сразу после этого.

— Это был тот самый 190-й, который сбил Джима Парка, — сказал тот уже из белой постели в госпитале. — Черные змейки

* Истребители Р-47 «Thunderbolt».

на борту фюзеляжа. И я сказал себе: «Сегодня, Ал, это будешь либо ты, либо он, но одному из нас не суждено будет вернуться домой». Мне посчастливилось.

Алан Спенсер добровольно вернулся в строй, когда вышел из госпиталя, и со следующего боевого вылета он не вернулся. Никто не слышал его позывных, никто не видел, чтобы его самолет был сбит. Он просто не вернулся. Несмотря на свой символ — персидского кота, у пилотов 167-й эскадрильи было не десять жизней. И даже не две.

— Тот, кто энергичен и настойчив в мирное время, храбр и смел на войне, — повторит про себя Райдер, задумчиво глядя на шрам на тыльной стороне своей левой ладони, той самой, что держала ручку газа. Он был широкий и белый, такие шрамы остаются лишь после встречи с пулей из пулемета Мессершмитта*. — Но желания и настойчивости недостаточно. Если мы хотим не потерять ни одного пилота во время зимы, нам нужно нечто большее, чем просто настойчивость. Нам нужны умения, и нам нужен опыт. — С такими мыслями он вышел наружу, в темноту облачной ночи.

Для младшего лейтенанта Джонатана Хейнца день летел за днем. Все эти разговоры о непогоде и осторожности, якобы необходимой зимой в Европе, — все это была ерунда, чистая ерунда. Ноябрь был полон ясных солнечных дней. Уже декабрь готов был вот-вот вступить в свои права на календаре, а за все это время лишь четыре дня над базой была низкая облачность. Пилоты в эти дни занимались контрольными заданиями по приборам, придуманными майором Лэнгли. Его контрольные по приборам стали стандартным явлением в эскадрилье; раз в три дня — новая контрольная, двадцать вопросов, из которых лишь на один можно ответить неверно. Не прошел — и еще три часа в ожидании вылета проводишь за учебниками, затем еще одна контрольная, и снова допускается лишь один неверный ответ.

---

* Калибр — 7,9 мм.

Хейнц нажал на кнопку стартера в своем уже немолодом *Тандерстрике**, ощутил толчок от запуска двигателя и вырулил к взлетной полосе вслед за самолетом Боба Хендерсона. Но, пожалуй, только так и узнаешь приборы, — подумал он. Поначалу буквально каждый сидел по три часа, проклиная тот день, когда он добровольно пошел в 167-ю Тактическую Истребительную Эскадрилью. Тактическую Приборную Эскадрилью, как они ее прозвали. Но знания и умения совершенствовались, и как-то вдруг оказывалось, что ты знаешь все больше и больше правильных ответов. Теперь очень редко приходилось оставаться на три часа.

Когда Хейнц перед взлетом убрал отражатели, в реве двигателя послышался тихий стук, однако все приборы показывали норму, кроме того, странные шумы и стуки в F-84 — не такое уже редкое явление. Странно, но в этот момент, когда он замечал только показания приборов и самолет своего ведущего, готовый вот-вот сорваться с тормозов на полной мощности двигателя, Джонатан Хейнц вдруг увидел серого персидского кота, спокойно сидящего у края взлетной полосы в нескольких сотнях футов впереди самолета. Должно быть, кот совершенно глухой, подумал он. Двигатель, связанный с толстой черной ручкой газа, на которой лежала его левая перчатка, ревел, извергая на сделанные из нержавеющей стали лопасти турбины голубое пламя, готовый освободить семьдесят восемь сотен фунтов тяги, спрятанной в этом самолете.

Он приготовился к разбегу и кивнул Хендерсону. Затем, сам не зная почему, нажал кнопку микрофона, которая была под его левым большим пальцем на ручке газа.

— У края полосы сидит кот, — произнес он в микрофон, встроенный в его кислородную маску из зеленой резины. На мгновение воцарилась тишина.

— Подтверждаю кота, — ответил серьезно Хендерсон, и Хейнц почувствовал себя глупо. Он увидел, как офицер в миниатюрной диспетчерской башне справа от полосы поднес к глазам

* Republic F-84F «Thunderstreak».

бинокль. Зачем я говорю такие глупости, подумал он. Больше ни слова не скажу в этот полет. Радио-дисциплина, Хейнц, радиодисциплина! Он отпустил тормоза по кивку белого шлема Хендерсона, оба самолета набрали скорость и поднялись в воздух.

Еще через восемь минут Хейнц снова вышел в эфир.

— Сахара Лидер, у меня горит индикатор перегрева хвостовой части, мощность двигателя подскочила где-то на пять процентов. Я убрал ее до минимума, а индикатор по-прежнему горит. Посмотри, нет ли за мной дыма.

Как спокойно ты говоришь, подумал он. Слишком много говоришь, но по крайней мере спокойно. Шестьдесят полетных часов на 84-м, так что ты и должен быть спокоен. Не волнуйся и старайся, чтобы ты не выглядел ребенком в эфире. Я развернусь, сброшу ПТБ* и приземлюсь, как при отработке учебных пожаров. Не может быть, чтобы я горел.

— Никаких признаков дыма, Сахара Два. Как обстановка?

Спокойный голос, Хейнц.

— По-прежнему. Мощность растет, вместе с ней туда-сюда скачут расход топлива и температура сопла. Я сбрасываю баки и сажусь.

— О'кей, Сахара Два, я буду следить за дымом и возьму на себя радиоэфир, если ты не против. Но будь готов катапультироваться, если твоя птица вздумает вспыхнуть.

— Принял. — Я готов катапультироваться, подумал Хейнц. Достаточно поднять ручку кресла и нажать кнопку. Но мне кажется, я смогу посадить этот самолет. Он услышал, как Хендерсон сообщает об аварии, и увидел, как на полосу из ангаров выезжают красные пожарные машины и занимают свои места у рулежной дорожки. По ручке газа можно было почувствовать, как неровно работает двигатель. Все нужно будет сделать предельно точно. На подходе к полосе, пока еще высота не стала меньше пятисот футов, я сброшу баки. Приподниму нос вверх и отстрелю их. Ниже пятисот футов мне придется, невзирая ни на что, тащить их с собой. Он потянул на себя ручку газа, чтобы поднять мощ-

* ПТБ — подвесные топливные баки.

ность двигателя до 58%, и тяжелый самолет еще быстрее понесся вниз. Выпустить закрылки. Теперь у меня есть дополнительная подъемная сила, на всякий случай... Выпустить шасси. Шасси встали на замки, как и положено. Он прошел отметку четыреста футов. Стук. Еще стук, стук. Огромный скачок мощности.

— Из твоего сопла валит дым, Сахара.

Мог ли ты о таком подумать! Сейчас эта штука взорвется, а для прыжка с парашютом слишком маленькая высота. Что же мне теперь делать? Он нажал кнопку отстрела баков, и самолет слегка подбросило, когда четыре тысячи фунтов топлива улетели к земле. Сзади, из двигателя, раздался резкий стук. Вдруг он заметил, что давление масла упало до нуля.

Отказал двигатель, Хейнц! Без двигателя ты не сможешь управлять самолетом. Что теперь, что делать? Ручка сделалась твердой и неподвижной в его перчатках.

Офицер в диспетчерской не знал, что отказал двигатель. Он не знал, что Сахаре Два суждено было сделать медленный поворот через правое крыло и врезаться в землю в перевернутом состоянии, не знал он и того, что Джонатан Хейнц был обречен на гибель.

— Тебя у полосы ждет кот, — сказал он с юмором, как сказал бы всякий, кто знает, что опасность уже миновала.

И тут вдруг до Хейнца дошло. Словно вспышка света. Аварийный гидравлический насос, электрический насос! Его самолет начал заваливаться на крыло на высоте в сотню футов. Его перчатка впечатала тумблер в положение АВАРИЙН., и ручка быстро снова ожила. Выровнять крылья, нос вверх, нос вверх. И превосходное касание прямо перед башней диспетчера. По крайней мере, ощущение было такое, что оно превосходное. Сбросить газ, выпустить тормозной парашют, выключить подачу топлива, отключить батареи, открыть фонарь — и будь готов выпрыгнуть из самолета. Огромные пожарные машины, на кабинах которых мигали красные лампочки, с ревом следовали за ним, пока его истребитель катился после посадки, замедляя свое движение. Самолет не издавал ни звука, и Хейнцу казалось, что рев моторов пожарных машин напоминает приглушенный шум двигателей огромного крейсера, идущего на полном ходу. Еще через мгновение самолет остановился, и Хейнц, отстегнув ремни, выпрыгнул из кабины, оказавшись рядом с пожарной машиной, из которой толстой струей лилась белая пена, покрывая изрядных размеров пятно обесцвеченного температурой алюминия у задней кромки крыльев.

Со стороны самолет выглядел жалким, не желающим быть центром такого внимания. Но он был на земле, и он был цел. Джонатан Хейнц был совершенно жив и абсолютно не чувствовал себя знаменитым. «Здорово вышло, ас», — будут говорить пилоты, они будут расспрашивать, что он чувствовал, о чем думал, что и когда делал; начнется расследование аварии, и они придут лишь к одному заключению — молодец, лейтенант Хейнц. Никто не догадается, что он был в двух секундах от гибели, потому что напрочь забыл, словно какой-то новичок, о существовании аварийного гидравлического насоса. Совершенно забыл... а что ему напомнило? Что обратило его взор на тумблер, закрытый красной крышкой, в последнее мгновение, когда еще можно было что-то сделать? Ничего. Мысль просто сама к нему пришла.

Хейнц стал вспоминать подробнее. Не просто сама пришла. Диспетчер сказал, что у полосы ждет кот, и я вспомнил про насос. Вот тебе и загадка. Хотел бы я встретиться с котом. Он окинул взглядом длинную белую взлетную полосу, но кота не увидел. Даже диспетчер в свой бинокль не увидел никакого кота. Вся эскадрилья потом смеялась над ним и его несчастным котом, но в данный момент ни возле полосы, ни вообще на территории базы не было такого зверя, как серый персидский кот.

Вновь это случилось менее чем через неделю, на этот раз с другим младшим лейтенантом. Джек Виллис окончил программу ознакомительно-тренировочных полетов на F-84 и теперь возвращался со своего первого учебно-боевого задания. Задание было успешно выполнено, но при заходе на посадку он забеспокоился. Боковой ветер в двадцать узлов, откуда он взялся? Когда мы взлетали, его скорость была десять узлов и направлен он был вдоль полосы, а теперь — двадцать и поперек. Он выровнял самолет.

— Повторите еще раз скорость и направление ветра, пожалуйста, — вызвал он диспетчера.

— Принял, — в объяснениях диспетчера не было ни малейшей необходимости. Ветер был самый что ни на есть боковой.

— О'кей, Второй, следи за боковым ветром, — сказал майор Лэнгли и вызвал диспетчера. — Игл Первый возвращается на базу, шасси выпущено, давление в порядке, тормоза в порядке.

— Посадку разрешаю, — ответил дежурный диспетчер.

Виллис потянулся левой перчаткой к приборной панели и перевел тумблер шасси в положение ВЫПУЩЕНО. Ладно-ладно, — подумал он, — это не проблема. Я немного накренюсь на правое крыло, коснусь полосы правым колесом и компенсирую ветер при помощи руля направления. Надо только посильнее нажать на педаль.

Он повернул к посадочной полосе и нажал кнопку микрофона. Еще никогда не промахивался мимо полосы, и сегодня я тоже этого делать не намерен.

— Игл Два возвращается на базу...

Индикатор правого шасси, зеленая лампочка, которая должна была зажечься, не зажглась. Левое и переднее шасси встали на замки, а правое все еще было убрано. На прозрачном тумблере шасси загорелась красная лампочка, и кабину заполнил звуковой сигнал, предупреждающий, что шасси в нерабочем положении. Он услышал его в собственных шлемофонах, поскольку все еще не выключил микрофон. Диспетчер тоже, должно быть, услышал звуковой сигнал.

Виллис отпустил кнопку микрофона и снова ее нажал:

— Игл Два пройдет на бреющем, прошу диспетчера проверить шасси.

Странное чувство, когда в самолете что-то отказывает. Шасси обычно так надежно работают. Он выровнялся и на высоте в сто футов прошел рядом с маленькой стеклянной башней. Диспетчер стоял снаружи, посреди колышущейся волнами осенней травы.

Виллис наблюдал за ним секунду-другую, пока пролетал мимо. Диспетчер даже в бинокль не смотрел. Затем он остался где-то позади, и одинокий F-84 пронесся над дальним концом посадочной полосы, над своим благополучно приземлившимся ведущим.

— Твое правое шасси полностью убрано, — долетел голос диспетчера.

— Понял, попробую повторить еще раз. — Виллис был доволен своим голосом. Он медленно поднялся до тысячи футов, убрал шасси и снова их выпустил. Индикатор правого шасси опять не зажегся и красная лампочка на тумблере все так же настойчиво горела. Прошло еще пятнадцать минут. Четыре раза Виллис пытался убирать и выпускать шасси, и все четыре раза результат был тот же. Он перевел тумблер шасси в аварийное положение. Справа раздался едва различимый щелчок, но все осталось по-прежнему. Виллис забеспокоился. Времени на то, чтобы пожарные машины создали на полосе подушку из пены, если ему все-таки придется садиться с убранным правым шасси, уже не оставалось. А сесть без него на сухую твердую полосу, да еще при боковом ветре, означало разлететься вдребезги, перевернувшись, как только правое крыло коснется бетона. Оставалось только выпрыгнуть с парашютом. Принимай решение, подумал он. А иррациональный внутренний голос, произнес: пролечу еще раз над полосой, может, на этот раз оно все-таки вышло.

— По-прежнему убрано, — сказал диспетчер даже прежде, чем Виллис пролетел над мини-башней. Трава внизу волновалась живым зеленым морем. Вдруг у края посадочной полосы Виллис заметил маленькое серое пятнышко. Он с удивлением понял, что это кот. Счастливый кот Хейнца, подумал он и, сам не зная почему, улыбнулся под кислородной маской. Ему стало спокойнее. И неизвестно откуда появилась идея.

— Диспетчерская, Игл Два объявляет аварийное состояние. Я пройду над полосой еще раз, попробую постучать об нее левым шасси, чтобы освободить правое.

— Понял, аварийное состояние, — ответил диспетчер. Теперь он должен был выполнить свою обязанность, которая состояла в том, чтобы дать сигнал наземным аварийным командам седлать свои красные машины. После того как это было сделано, диспетчер остался лишь заинтересованным наблюдателем, помощи от которого было мало.

Джек Виллис чувствовал странную невероятную уверенность, словно это был вовсе не он. Постучать левым шасси о полосу при сильном боковом ветре справа — это трюк, для которого требуется опыт и координация тысячи летных часов. У Виллиса этих часов было четыреста, из которых всего шестьдесят четыре он провел в F-84.

Те, кто наблюдал эту сцену, потом говорили, что это была работа опытного профессионального пилота. Накренившись на левое крыло, выжав до отказа правую педаль, балансируя при помощи закрылков, которые на посадочной скорости оказывают лишь умеренное влияние на самолет, младший лейтенант Джек Виллис шесть раз касался посадочной полосы левым колесом своего самолета весом в двадцать тысяч фунтов. На шестой раз правое шасси внезапно выскочило и встало на замки, загорелась третья зеленая лампочка.

Последовавшая затем посадка при боковом ветре по сравнению с этим была делом несложным, и его самолет мягко коснулся земли сначала правым колесом, затем левым и наконец передним.

Выжать до упора левую педаль и притормаживать аккуратно левое шасси, чтобы останавливающийся самолет не выскочил за полосу под действием ветра, — и вся опасность позади. Аварийные команды в громоздких белых асбестовых комбинезонах остались без работы.

— Хорошая работа, Игл Два, — просто сказал диспетчер.

А серый персидский кот, который следил за посадкой с некошачьим, можно даже сказать профессиональным, интересом, исчез, 167-я Тактическая Истребительная Эскадрилья постепенно обретала боевую форму.

Пришла зима. С моря пожаловали низкие тучи, ставшие теперь неотъемлемой частью окрестных холмов. Часто шли дожди, и по мере того как зима вступала в свои права, они становились все холоднее, пока не превратились в снег. Взлетно-посадочная полоса покрылась льдом, и теперь, чтобы удержать самолет на бетоне, надо было умело пользоваться посадочным парашютом и тормозами. Высокая изумрудная трава безжизненно поблекла. Но боевая эскадрилья не делает перерывов на зиму, зима не отменяет учебу и полеты. Случались и происшествия, когда молодые пилоты сталкивались в воздухе с необычными неполадками в самолетах или с низкой облачностью, но они уже были хорошо обучены полету по приборам, и как-то так выходило, что каждый раз, когда пилот, попавший в аварию, заходил на посадку, у края полосы сидел, внимательно наблюдая за ним, серый персидский кот. В эскадрилье его стали называть просто *Кот*.

В один из морозных дней, после того как Волли Джекобс как ни в чем не бывало коснулся посадочной полосы при том, что в его самолете отказала гидравлическая система и ему пришлось заходить на посадку без закрылков и тормозов сквозь облака, плотным слоем лежащие на высоте в пятьсот футов, капитан Хендрик, который дежурил в диспетчерской, решил поймать кота. Тот спокойно сидел, глядя на полосу, все его внимание было приковано к самолету Джекобса, который только что со свистом пронесся мимо. Хендрик зашел сзади и аккуратно поднял кота с земли. В тот же момент кот превратился в пушистую серую молнию. Его когти оставили на щеке офицера глубокую царапину, потомок персов прыгнул на землю, бросился прочь и исчез в высокой сухой траве.

Пятью секундами позже в самолете Волли Джекобса полностью отказали тормоза, и он на скорости семьдесят узлов свернул с полосы в еще не замерзший грунт. Переднюю стойку шасси словно кто-то мгновенно срезал ножом. Самолет исчез в целом фонтане разлетающейся во все стороны грязи, его занесло, правое шасси смялось, лопнул подвесной бак, и еще двести футов он волочился по земле хвостом вперед, Джекобс тут же выскочил из кабины, забыв даже убрать газ в двигателе. Еще через секунду самолет охватило яркое свирепое пламя. Все это наблюдал со стороны Хендрик. С гибелью этого самолета пал рекорд, который поставила 167-я эскадрилья. До сих пор ни одно другое летное подразделение в Европе не могло похвастать полным отсутствием аварий.

Комиссия, расследовавшая происшествие, обвинила лейтенанта Джекобса в том, что он позволил самолету уйти с полосы и не убрал до нуля газ, из-за чего работающий двигатель вызвал возгорание. Если бы он не забыл, как самый неопытный пилот, остановить двигатель, самолет остался бы цел и еще смог бы летать.

Это решение не пользовалось особой популярностью в 167-й Тактической Истребительной Эскадрилье, но причиной гибели самолета была признана ошибка пилота. Хендрик рассказал о коте, и по эскадрилье разнесся приказ — не писаный, но вполне официальный — больше к персидскому коту не приближаться ни на шаг. С этого момента о Коте вспоминали редко.

Но иногда, когда молодому лейтенанту доводилось сажать захворавший самолет, да еще при плохой погоде, он спрашивал диспетчера: «Кот есть?» И диспетчер, отыскав взглядом фигуру серого перса у взлетной полосы, брал микрофон и отвечал: «Да, он здесь». И самолет приземлялся.

Зима продолжалась. Молодые пилоты становились старше, набирались опыта. И по мере того, как неделя проходила за неделей, Кота видели у полосы все реже и реже. Норм Томпсон посадил самолет, все стекла кабины которого были сплошь покрыты льдом. Кот не ждал его рядом с посадочной полосой, но Томпсон профессионально посадил самолет вслепую, и все благодаря тренировке и опыту. Он вслепую коснулся полосы, а затем, отстрелив фонарь, чтобы видеть, затормозил и остановился как ни в чем не бывало. Джек Виллис, у которого на счету теперь было сто тридцать часов налета на F-84, вернулся на базу в тяжело поврежденном рикошетом самолете, после того, как он атаковал с минимальной высоты учебную цель, расположенную на твердых скальных породах. Он приземлился аккуратно, хотя Кота нигде не было видно.

Последний раз Кот появился возле полосы в марте. В переделку снова угодил Джекобс. Он передал по радио, что у него падает давление масла и что он пытается его поднять до нормы. Облака были на значительной высоте — три тысячи футов. Он по радару вышел на базу и опустился ниже облачного слоя, передал, что видит полосу.

Майор Роберт Райдер примчался к диспетчерской на своем служебном автомобиле, когда до него долетело известие об этом происшествии. Вот оно, подумал он. Мне придется увидеть, как Джекобс погибнет. Он закрыл за собой стеклянную дверь диспетчерской как раз в тот момент, когда пилот спросил:

— Кот там внизу есть?

Райдер взял бинокль и пробежался взглядом по краю взлетной полосы. Перс спокойно сидел и ждал.

— Кот здесь, — серьезно сказал командир эскадрильи диспетчеру, и тот не менее серьезно передал эту информацию Джекобсу.

— Давление масла на нуле, — сказал пилот, просто констатируя факт, а затем: — Двигатель отказал, штурвал заблокирован. Попробую перевести его на аварийный гидравлический насос. — Прошла секунда, другая, и в эфире раздалось: — Не выходит. Я покидаю самолет. — Он развернул самолет в направлении обширного лесного массива и катапультировался. Двумя минутами позже он растянулся на промерзшем перепаханном поле, и парашют, словно усталая бабочка, накрыл его сверху.

Позже комиссия установит, что у самолета, который врезался в землю, полностью отказали обе гидравлические системы. Аварийный гидравлический насос вышел из строя еще до столкновения с землей, и самолет потерпел крушение в совершенно неуправляемом состоянии. Потом Джекобса похвалят за его решение не сажать поврежденный самолет.

Но все это будет потом. А пока, в тот момент, когда парашют Джекобса скрылся за невысоким холмом, Райдер опустил бинокль и посмотрел через него на серого персидского кота, который вдруг встал и роскошно потянулся, цепляясь когтями за промерзшую землю. Он заметил, что на теле у кота была отметина. На его левом боку от плеча до ребер тянулся широкий белый шрам, которого не мог скрыть серый бойцовский мех. Голова кота величественно повернулась, и янтарные глаза уставились прямо на командира 167-й Тактической Истребительной Эскадрильи.

Кот моргнул один раз, неспешно, можно даже сказать, довольно, и отправился прочь, чтобы навсегда исчезнуть в высокой траве.

Republic F84F „Thunderstreak"

Диспетчерская, 04:00

Я закрыл за собой дверь как раз в тот момент, когда стрелка двадцатичетырехчасового хронометра прошла через отметку 03:00. В диспетчерской, конечно же, было темно, но это была темнота совсем иного рода, чем та, из которой я только что пришел. Ту темноту любой мог использовать, как ему вздумается — для честных дел, или для преступных, или для ведения войны, об угрозе которой кричат газеты.

Темнота в этом замке из стекла и стали была особой. От всего, чего она касалась, веяло духом профессиональной необходимости — хронометр, тихо шипящие радиоприемники, выстроившиеся в ряд вдоль одной из стен, безмолвное скольжение бледно-зеленой линии радара, без устали подметающей горизонт. Эта профессиональная темнота раскинулась над миром тех, кто летает на самолетах. В ней не было никакого злого умысла, никто под ее покровом не собирался сбивать самолеты или мешать их полету. Это была просто обычная рабочая темнота. Радиомаяк, с деловым жужжанием вращающийся над нашими головами, не собирался вступать с ней в бой, он просто отмечал на темной карте то место, где есть посадочная площадка.

Два оператора, дежурившие в эту могильно-темную смену, ждали меня. Они, на миг разгоняя темноту оранжевыми огоньками сигарет, по очереди протянули мне руку.

— Что привело тебя сюда в такое время? — тихо спросил один.

В эту смену все разговоры велись полушепотом, словно чтобы не разбудить город, который спал у нас за спиной.

— Мне всегда было интересно, как это, — ответил я.

Другой диспетчер рассмеялся, опять-таки вполголоса.

— Ну вот, теперь ты знаешь, — сказал он. — На примере этой минуты можно хорошо почувствовать, как здесь всю смену.

В динамиках продолжал едва слышно потрескивать эфир, а бледная линия радара бесконечно ходила по кругу, без малейших признаков усталости. Аэропорт замер в ожидании. В эту минуту, где-то там, в усыпанном звездами ночном небе, упорно пробивался вперед авиалайнер, нацелившись своим носом на площадку, которую защищала наша стеклянная крепость. Он даже не появился еще на дальнозорком оке радара, но с нами заговорил его командир, справляясь о метеоусловиях и перелистывая при этом бумаги в своем планшете в поисках посадочных карт. Его двигатели мерно гудели там в темноте, и стрелки приборов расхода топлива были почти на нуле, подтверждая, что полет был долгим.

Но в диспетчерской воздух был тих и спокоен. Голубые звезды огней, обрамляющих рулежные дорожки, застыли неподвижно-правильными созвездиями. Они готовы были повести за собой любого пилота, если бы ему вздумалось в такое время выруливать на полосу.

Вдруг внизу на стоянке легких самолетов вспыхнул фонарик. Его короткий луч желтым глазом лег на бетон. Затем глаз прыгнул вверх и оказался на стройном фюзеляже *Бонанзы**, нащупал дверцу и исчез в глубине кабины. Через мгновение он снова появился, и на долю секунды я увидел силуэт пилота, который с фонариком в руках ступил вниз с крыла.

Диспетчеры продолжали вполголоса беседу о том, где они побывали и что видели. А я зачарованно следил за светом фонарика. Куда направляется этот пилот? Почему он решил пуститься в путь так задолго до восхода солнца? Он здесь транзитом и теперь направляется домой, или, наоборот, здесь его дом, а он собрался в чужие края?

Желтое пятнышко света задержалось на мгновение, освещая шарниры элеронов, потом скользнуло по передней кромке право-

* Beechcraft-35 «Bonanza».

го крыла и исчезло под ним, в нише шасси. Внезапно оно появилось на капоте двигателя и застыло, терпеливо ожидая, пока все его замки будут открыты и он будет поднят. Затем оно нетерпеливо прыгнуло вовнутрь, осмотрело контакт у свечей зажигания, проверило уровень масла и секунду-другую довольно побродило по ребристым цилиндрам, по картеру двигателя. Вслед за этим капот вернулся на место и его замки защелкнулись. Свет стал ярче, пробежав вдоль размашистого пропеллера, и исчез на другой стороне самолета. Затем снова появился на фюзеляже и забрался в кабину.

На полосе было все так же темно, как и тогда, когда я только пришел, но теперь в ночном мраке появился человек, который готовил к полету свой самолет. В бинокль мне удалось разглядеть тусклый свет индикаторов, когда они зажглись в его кабине, еще через минуту загорелись красный и зеленый бортовые огни и машина обрела видимый объем. Внезапно тишину в нашем замке нарушил голос.

— Диспетчерская, *Бонанза четыре семь три пять Браво* с дополнительной стоянки*, выруливаю на взлет.

Голос оборвался так же внезапно, как и возник.

Из нашего стеклянного куба ему ответил диспетчер. Его ровный профессиональный голос прозвучал в микрофон так, словно это был уже не первый, а тысячный вызов за сегодняшнее утро.

Темноту стоянки пронзил яркий белый луч, и в его свете стали видны на бетоне желтые и белые линии. Луч света поплыл мимо голубых созвездий и направился к концу длинной взлетной полосы, с обеих сторон обрамленной дорожкой из белых фонарей. Там он остановился и погас. Даже в бинокль не удалось бы разглядеть тусклые огни в кабине, лишь по короткому темному разрыву в ленточках голубых огней рулежной дорожки можно было догадаться, что на полосе есть самолет. В наших динамиках снова раздался голос.

— Диспетчерская, *три пять Браво;* думаю, меня можно поставить в очередь на взлет.

* В оригинале «ad ramp».

— Неглупый парень, — сказал диспетчер и взял микрофон. — Принимаю в очередь, *три пять Браво*. Взлет разрешаю, ветер спокойный, движения в воздухе нет.

— Принял, *три пять Браво*, иду на взлет.

Темное пятно побежало по полосе огней, и через пятнадцать секунд на летном поле снова сияли все огни, а мигающее зеленое пятнышко самолета скрылось за темным горизонтом.

— Прекрасная ночь, — задумчиво произнес в эфир пилот. И снова наступила тишина.

Это были последние слова, которые мы услышали от *три пять Браво*. Его огни растворились в ночном небе, и мне уже никогда не узнать, где его дом, куда он направился этой ночью и кто он вообще такой. Но в этих последних словах пилота *Бонанзы*, записанных в диспетчерской на бесстрастную магнитную ленту, чувствовался намек на то, что пилоты отличаются от всех прочих людей.

У каждого из них есть один и тот же непередаваемый опыт полета наедине с собой. Если к тому же их очаровывает одна и та же красота неба, то у них слишком много общего, чтобы стать когда-либо врагами. У них слишком много общего, чтобы не быть братьями.

Летное поле снова погрузилось в терпеливое ожидание, — до следующего самолета.

Какое это было бы братство! Настоящий союз всех тех людей, кто поднимает в небо воздушные аппараты.

— Это рейс Люфтганзы идет к нам, — сказал диспетчер, указывая на экран радара.

Люфтганза была представлена на нем мерцающим эллипсом шириной в четверть дюйма, который медленно перемещался от края экрана к центру. За ним оставался призрачно светящий зеленый хвост, благодаря которому он был похож на крошечную комету, нацеленную в нашу диспетчерскую, находящуюся в центре экрана.

Мы выглянули из окна в кристально чистый ночной воздух — в небе не было ни одного движущегося огня. Комета приблизи-

7 – 4584

лась к центру экрана, минутная стрелка хронометра обошла целый круг, а в небе по-прежнему горели лишь звезды.

Затем вдруг вдалеке в виде мигающей красной лампочки показалась Люфтганза, и ее командир нажал на своем штурвале кнопку микрофона.

— Диспетчерская, *Люфтганза Дельта Чарли Хоутел*, в пятнадцати милях к востоку, прошу посадку.

Командир говорил медленно и четко, и Люфтганза звучала у него как «Лууфтахнза». Мне пришла в голову еще одна мысль. Он с тем же успехом мог бы сказать: «Deutshe Lufthansa fur Landung, funfzehn Meilen zum Osten», — и все равно был бы таким же полноправным, а может, даже чуть более полноправным членом братства, как и я, стоящий высоко над землей в диспетчерской.

Что, если бы все пилоты поняли, — подумал я, — что мы уже братья? Что, если бы об этом знал Владимир Телянин, поднимающийся по трапу в кабину своего МИГ-21? Что, если бы знал Дуглас Кентон в своем *Метеоре*, Эрхарт Мензель в своем бронированном *Старфайтере*, Ро Кум Ну, застегивающий привязные ремни в ЯК-23?

Люфтганза плавно зашла на посадку, ее яркие посадочные огни напоминали глаза, следящие за полосой.

Что, если бы члены братства отказались воевать друг с другом?

Люфтганза подрулила к терминалу, и мы в тишине диспетчерской услышали вой четырех ее двигателей.

В радиоприемниках снова негромко потрескивал эфир, в небе опять воцарилось спокойствие, зеленая линия на экране радара тоже подтверждала, что мы снова остались одни в темноте. Когда стрелки хронометра показали 04:00, я попрощался с диспетчерами, поблагодарил их и вышел наружу к железной решетке и лестнице, ведущей вниз. Я снова ощутил, что здесь, у самой лестницы, — другая темнота, та самая, что касалась страниц газет внизу.

Надо мной, и над полем, где спали самолеты, минус один маленький американский и плюс один большой немецкий, вращался, ощупывая окрестности, длинный луч радиомаяка. Братья.

Мои кожаные подошвы эхом отозвались на металлических ступенях. Ночью, в темноте, в голову приходят забавные мысли.

А что, если бы они все знали, подумал я?

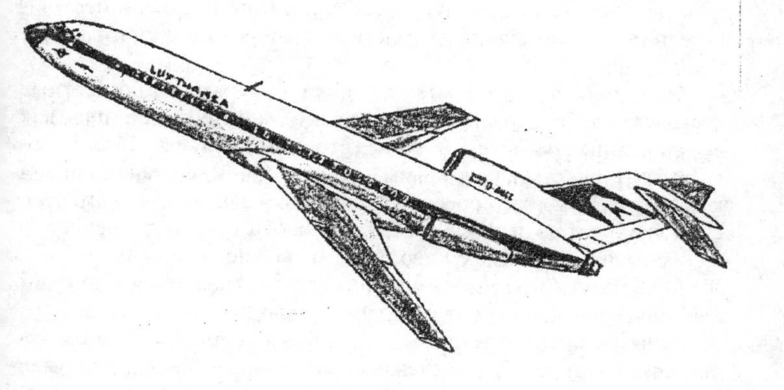

Снежинка и динозавр

Вы когда-нибудь задумывались над тем, каково было динозавру, во времена мезозоя угодившему в яму со смолой? Я расскажу вам, каково ему было. Он чувствовал себя точно так же, как чувствовали бы себя вы, если бы вам довелось совершить вынужденную посадку на зимнем лугу в северном Канзасе, починить двигатель и попытаться снова взлететь с мокрого снежного ковра. Беспомощно.

Они, должно быть, пытались еще и еще раз, эти несчастные стегозавры и бронтозавры, напрягая все свои силы, метались, как сумасшедшие, разбрасывая во все стороны смоляные брызги, пока закат не настигал их своим мраком и они не становились в конце концов до того обессилевшими, что считали за благо бросить свою затею и умереть. Вот таково и самолету в снегу, в каких-то шести дюймах живописного снежного покрова.

С наступлением заката для пилота, очутившегося Бог знает где, альтернативой смерти является холодная ночь наедине со спальным мешком в тени ожидания новых бурь. Но на меня эта ловушка из снега обрушилась несправедливо. Мне некогда было с ней разбираться. Двадцать попыток взлететь позволили мне лишь признать силу снежинки, умноженную на тысячу миллиардов. Обильная мокрая масса превратилась в густое месиво, поглотившее шасси, брызжущее неистовыми фонтанами на подкосы и крылья моего *Ласкомба*, взятого напрокат.

На полных оборотах мы могли разогнаться самое большее до тридцати девяти миль в час, а чтобы взлететь, нам необходимо было как минимум сорок пять. Динозавр атомного века, застрявший посреди дикой природы.

Между попытками взлетать, давая остыть двигателю, я бродил по полю, хмурясь по поводу несправедливости всего случившегося, протаптывая узкую белую взлетную полосу, размышляя о том, придется ли мне устраивать в кабине лагерь до самой весны или нет.

При каждой новой попытке снег под колесами слегка утрамбовывается, но в то же время по бокам шасси выстраиваются стены, образуя борозды глубиной в фут. То, как мы ерзали тудасюда в этих колеях, походило на попытку взлететь с помощью капризного реактивного двигателя, привинченного к самолету. Находясь в борозде, мы ускорялись, словно пушечное ядро, но стоило выскочить из нее на два дюйма — и... бам! Нос самолета дергало книзу, меня в кабине бросало вперед, и за долю секунды мы теряли десять миль в час. Миллиметр за миллиметром, думал я, мы будем прокладывать себе взлетную полосу, пока не взлетим, или же придется куковать здесь остаток зимы. Но все было безнадежно. Если бы я был динозавром, то лег бы и умер.

Когда летаешь на самолете старой модели, то постоянно готов к тому, что время от времени приходится делать вынужденную посадку. В этом нет ничего особенного. Это входит в правила игры, и всякий бывалый пилот держится от мест посадки на таком расстоянии, чтобы в случае чего можно было спланировать и посадить древнюю машину. За несколько лет полетов на мою долю выпало семнадцать вынужденных посадок, ни одна из которых не казалась мне несправедливой, к каждой из которых я был более или менее готов.

На этот раз все произошло иначе. *Ласкомб*, на котором я летел теперь, с трудом можно было отнести в разряд антиквариата; он обладал более высокими показателями, чем ультрасовременные самолеты, превосходящие его по количеству лошадиных сил: двигатель *Ласкомба* считался одним из самых надежных в мире. В этот раз я летел не ради удовольствия или тренировок, я летел по делам из Небраски в Лос-Анджелес и обратно. Мой полет почти уже подошел к концу, и на вынужденную посадку у меня просто не было времени. Это дело оказалось более щепетильным, поскольку никогда прежде у меня не было хлопот с двигателем. Проблема состояла в пятидесятицентовом тросике, соединяющем ручку газа с двигателем, который разорвался пополам. Поэтому, когда двигатель вдруг сам по себе перешел на холостые обороты как раз на последнем участке моего делового полета, — а в Линкольне меня ждала встреча, — то мне пришлось совершить первую в своей жизни несправедливую вынужденную посадку.

Теперь же, восстановив контакт, я не мог оторваться от земли, и это ровно за час до заката, когда динозавру суждено будет умереть.

Впервые в жизни я понял тех современных пилотов, которые используют самолеты как средство для деловых поездок и не желают иметь хлопот с такими занятиями, как воздушная акробатика и отработка вынужденных посадок. Шансы, что мотор остановится или что этот маленький второстепенный проводок разорвется надвое, совершенно ничтожны. Если бы такого рода вещи произошли со спортивным пилотом, который уделяет внимание таким таинственным подробностям и наслаждается своей компетентностью в этих вопросах, — это было бы справедливо. Но причем тут я и мой деловой самолет, когда на том конце меня ждут люди и ровно на шесть запланирован обед. Поскольку вынужденная посадка для делового человека — действительно несправедливость, я начал понимать, почему он считает, что подобные вещи с ним вообще не могут случиться.

До наступления темноты я собирался предпринять еще одну попытку взлететь с того маленького луга в Канзасе. Я уже опоздал на встречу, но снегу это было все равно. И холоду, и лугу, и небу. Смоляной яме динозавры также были безразличны. Смоляная яма есть смоляная яма, а снег есть снег; пусть динозавры пекутся о том, как им высвободиться.

Двадцать первая попытка взлететь, и вот *Ласкомб*, разбрасывая снег, пробежал по уже достаточно длинной колее, скорость подпрыгнула до сорока пяти, он задрожал, покачнулся, подпрыгнул, снова коснулся снега, стряхнул его с себя и наконец взлетел.

Я думал обо все этом, когда мы, повернув на Линкольн, неслись по трассе в сумеречных тенях. Теперь в моем бортовом журнале значились восемнадцать вынужденных посадок, и только одна из них была несправедливой.

Не так уж плохо.

ММРРрроуЧККрелчкАУМ... и праздник в Ла-Гуардиа

Приходилось ли вам когда-либо, проснувшись, обнаруживать, что вы стоите на перилах огромного моста или на самом краю стоэтажного небоскреба, покачиваясь над пропастью, и удивленно спрашивать себя, что вы здесь делаете, уже буквально приготовившись прыгнуть? Сыпался ли на вас в ответ целый град причин — тут войны, там ненависть; везде собаки готовы перегрызть друг другу глотку; единственное, что ценится и играет какую-то роль, — это вшивый доллар; луга превратились в мусорные свалки, реки — в потоки дряни; никто не стоит за справедливость, за добро, за вежливость; впечатление такое, что где-то произошла ошибка и вы родились не в том мире, это совсем не та Земля, на которую вы подавали заявление, и изменить все можно, лишь спрыгнув с чего-нибудь высокого, в надежде, что земля, лежащая внизу, окажется дверью в иные жизни, лучшие, где вас ждет радость, возможность проверить себя и сделать что-нибудь действительно стоящее?

Ладно, задержитесь еще на минуту, прежде чем прыгнете. Потому что я хочу рассказать вам одну историю. Это история о паре столь же сумасшедших, сколь и здравомыслящих ребятах из Бедлама, которые вполне могли бы стать вашими друзьями. Которые решили, что вместо того, чтобы прыгнуть, они лучше сгребут мир в охапку и тряхнут пару раз, чтобы он стал таким, каким бы им хотелось, чтобы он стал.

Мужчина — это Джеймс Крэмер, пилот. Женщина — это Элинор Фрайди, редактор книгоиздательской компании. А с миром они проделали вот что — они открыли авиалинию.

Ист Айленд Эйрвейз появилась на свет, потому что Джим Крэмер увидел *Твин Сессну Т-50*, Бамбуковый Бомбардировщик 1941 года выпуска, который стоял в аэропорту на привязи, постепенно превращаясь в обломки. И ему захотелось спасти его, не дать ему погибнуть.

Ист Айленд Эйрвейз появилась на свет, потому что Элинор Фрайди хотелось, чтобы она могла добраться из Нью-Йорк-сити в свой дом на берегу Лонг-Айленда, не будучи при этом до смерти измученной четырехчасовой ездой в автомобиле в сплошных пробках по летней жаре.

Ист Айленд Эйрвейз появилась на свет, потому что миссис Фрайди встретила мистера Крэмера, когда училась летать, и вскоре после этого он примчался к ней в дом и закричал, что он нашел Бомбардировщик, который нужно спасать, и он готов внести половину суммы, если она внесет вторую половину, и они придумают, как его использовать, чтобы он себя окупил, давай только пойдем сейчас, выключай свою плиту и пойдем сейчас же посмотрим на этот самолет, и Элинор, бьюсь об заклад, ты согласишься, что это просто великолепная штука, давай, наверное, не будем надеяться, что мы заработаем на нем много денег, но наверняка есть и другие люди, которые терпеть не могут пробок, и этих денег, от продажи билетов по крайней мере, может быть достаточно, чтобы свести концы с концами, не оказавшись в убытке, и мы сможем спасти Бомбардировщик!

Вот так получилось, что Элинор Фрайди увидела старый *Твин**, скучающий на солнцепеке. И он понравился ей не меньше, чем Джиму Крэмеру, своим величием, очарованием и оригинальностью. Она решила, что он великолепен. У него были все эти характерные штуковины, и стоил он семь тысяч долларов, в то время как другие Бомбардировщики продавались по четыре-пять

* Двухмоторный самолет. Вообще приставка Twin означает двухмоторный самолет в отличие от одномоторного.

тысяч. Но другие Бомбардировщики не нужно было спасать от хозяев, которые их не любят, к тому же семь тысяч долларов пополам — это будет всего лишь по три с половиной с каждого. Так родилась Ист Айленд Эйрвейз.

К тому времени между нью-йоркским аэропортом Ла-Гуардиа и Ист-Хэмптоном на Лонг-Айленде уже работали несколько линий воздушных такси. Ну и что.

На прочих линиях работали современные самолеты, по несколько штук на линию. Представьте себе.

Бомбардировщик нужно было полностью обследовать и, вероятнее всего, отстроить заново, и это должно было стоить недешево, на это могло уйти значительное количество денег, которые эти двое копили всю жизнь. Интересно.

Нужны были всякие бумаги, нужно было поработать, чтобы создать и зарегистрировать компанию, чтобы получить соответствующие разрешения и свидетельства, чтобы вычислить нужную сумму страховки и приобрести страховой полис. Все правильно.

И логика, и статистика, и здравый смысл без малейшей тени сомнения указывали на то, что это предприятие не принесет ни цента прибыли, скорее доллар убытков, возможно даже, много долларов убытков. Замечательно.

Мистер Крэмер был президентом и главным пилотом.

Миссис Фрайди была председателем совета директоров и финансовым директором.

Нельзя сказать, чтобы миру, в котором мы живем и который иногда загоняет нас в такие места, откуда остается только спрыгнуть, особенно понравилось это событие. Вместе с тем нельзя и сказать, чтобы оно ему особенно не понравилось. Мир отнесся к этому безразлично-холодно, как он это обычно делает, и стал с эдаким слепым любопытством закручивать гайки, чтобы поглядеть, когда Ист Айленд Эйрвейз начнет трещать по швам.

— Стоимость самолета — это был самый незначительный из наших расходов, — рассказывала миссис Фрайди, — буквально мелочь. Я покажу вам записи, если вы хотите на них посмотреть. Я их сохранила.

Крэмер вместе с одной из лонг-айлендских компаний пять месяцев занимался капитальным ремонтом самолета, реставрируя фюзеляж, устанавливая радиоприборы, отдирая старую обивку салона и заменяя ее новой.

— Знаете поговорку «Никогда не бросай денег на ветер»? — рассказывал он. — Так вот, мы руководствовались похожей: «*Всегда* бросай деньги на ветер». Мы, конечно, рассчитывали потратить некоторую сумму на то, чтобы привести Бомбардировщик в форму, но когда мы получили счет на *девять тысяч долларов*!.. Девять тысяч триста долларов. Это было невероятно. Мы временами просиживали в оцепенении за столом, пытаясь понять, как это... кто его знает... ну и ну... — Его голос затих, он погрузился в воспоминания, и рассказ продолжила председатель совета директоров.

— Все, буквально *все* предупреждали нас, что у нас недостаточно капитала, что держать лишь один самолет на авиалинии опасно, что ничего не получится. И они могли это доказать — да что там, им не нужно было этого доказывать, мы и сами это знали. Но никто из нас не зарабатывал этим предприятием себе на жизнь, это во-первых. И если бы нам пришлось вкладывать в это дело деньги, предназначенные для оплаты текущих счетов, или что-то... хотя — хотя да, мы и *в самом деле* вкладывали деньги, которыми нужно было платить по счетам... но счета могли подождать и мы как-то не голодали.

К тому моменту, как Бомбардировщик был готов, и на его хвосте красовалась надпись *EIA**, он обошелся партнерам в шестнадцать тысяч пятьсот долларов. Пополам это выходило всего лишь по восемь тысяч двести пятьдесят долларов на каждого. Но эти деньги не были выброшены на ветер, сбережения не исчезли. У Ист Айленд Эйрвейз теперь был самолет!

---

* EIA — East Icland Airways — Ист Айленд Эйрвейз.

Дорога в Хэмптон в салоне самолета.
Для не слишком многих людей.
Только приглашаем Вас стать соучредителем.

ИСТ АЙЛЕНД ЭЙРВЕЙЗ

Ист Айленд Эйрвейз — это великолепная,
просторная, изящная Твин Сессна с салоном,
отделанным кожей.
Не новая и даже не слишком сияющая краской
(см. фото).
Однако соответствующая всем летным
нормам и нежно любимая нами красавица.
Комфортабельная.
Ее простор и небольшое количество пассажиров
на борту дадут Вам возможность почувствовать
себя в хорошо сохранившемся лимузине Паккард
со всеми его милями, устланными ковром.
Мы вылетаем из Ла-Гуардиа и на скорости 140
миль в час за 45 минут добираемся до
Ист-Хэмптона...

Первый соучредительный взнос составлял тысячу долларов, билет стоил пятьдесят долларов в один конец за перелет длиною в сто миль.

Ничего не вышло. Никто не изъявил желания принять участие в компании. Мир продолжал завинчивать гайки, с любопытством ожидая услышать треск.

— Я уверен, что многие друзья Элинор надеялись полетать на самолете бесплатно. Когда человек видит рекламное объявление, где написано, что вы устраиваете самолетные рейсы, он думает, что доход от этого дела так велик, что одним человеком больше, одним меньше — какая разница? Поначалу мы не возражали, нам просто хотелось, чтобы они знали, что мы существуем и работаем.

Треска не последовало, и это показалось необычным миру, где конкуренты, как собаки, готовы перегрызть друг другу глотки. Не так уж много авиакомпаний возят своих пассажиров бесплатно, просто чтобы те знали, что они существуют и работают.

— Дела шли очень медленно до четвертого июля, а затем вдруг народ повалил к нам валом. Мы работали исключительно по заказам; люди звонили и заказывали себе места в самолете, так набирался рейс. Эта схема прекрасно работала, поскольку мы поначалу приобрели немало друзей, так что загрузки хватало на три-четыре дня в неделю. Потом к этому добавились заказные рейсы в Нью-Ингленд, в Мейн и так далее. Словом, работы у нас было полно.

Странно. Практичный, не терпящий бессмысленности мир продолжал давить, но в ответ прозвучал лишь крошечный треск, и этот треск был подозрительно похож на то, как трещит по швам сам мир.

— Людям все казалось, что она упадет, им хотелось, чтобы ничего не вышло. Она ведь такая старая, она просто не может летать, но она летала и летала, и они уже потом не знали, что и подумать. Они были в растерянности и задавали себе вопрос: может быть, старые вещи лучше новых?

Деревянный самолет не подвержен усталости материала. И у *Твин Бичей*, и у 310-х* будут проблемы, им всем суждено оказаться на свалке, и окажутся они там благодаря износу металла. А когда лет через двадцать вам скажут, что починка этого металлического самолета обойдется в добрую сотню тысяч долларов, то оказавшийся рядом с ним Бомбардировщик усмехнется про себя и спросит своего собрата: «А тебе бы не хотелось, чтобы у тебя были лонжероны из дерева?»

— Мы смогли достаточно зарабатывать. Люди говорили: «Ха! Здорово, должно быть, вы зарабатываете кучу денег», — и я отвечал им: «Ну разумеется», — поскольку мне не хотелось вдаваться в подробности и обнародовать тот факт, что на самом

* Cessna 310 «Skyknight».

деле мы не зарабатывали кучи денег, — люди бы нас просто не поняли.

Так оно бывает всегда, когда нарушаешь сложившуюся систему. Каждый, кто устраивал авиарейсы, старался предложить пассажирам современные быстрые самолеты с потрясающими возможностями. Пассажиры вместе со своим багажом набивались в них битком — вот и весь сервис. Никому и в голову не приходило эксплуатировать на линии старый самолет, никто не думал, что он смог бы протянуть больше недели.

— Постепенно в Ла-Гуардиа нас стали узнавать. Поначалу они то и дело не могли определить, что мы такое, — это было постоянно: «Повторите еще раз тип своего самолета». Когда мы на скорости девяносто узлов заходили на посадку, нам удивленно говорили: «Что это *Сессна* так медленно ползет? Вы же можете лететь быстрее!» — а я отвечал: «Да мочь-то могу, только тогда мне не удастся выпустить шасси». Они никак не могли догадаться, что это *старая-престарая Твин Сессна*, нет... они думали, что это старая *Сессна-310*. «Нет, это старая *старая-старая Твин Сессна*», — говорил я. А они в ответ: «А! Ого! Вы имеете в виду аж *ту*!»

— Помнишь, Джимми, — вмешалась председатель совета директоров, — как мы однажды приземлялись и диспетчер спросил: «*Твин Сессна*, что заходит на посадку, у вас металлическая обшивка на крыльях?» А ты ему ответил: «Нет. Обшивка из ткани». А парень так удивился: «Вот здорово! А крылья сияют!»

— Ага. А когда мы разговаривали с диспетчером и он воскликнул: «Ну! У меня дядя на таких летал во время войны». А потом он сказал: «Ребята...» — но в этот момент в наш разговор вклинился пилот лайнера, желающий знать, когда можно ожидать разрешения на взлет, и парню пришлось вернуться к реальности.

Однако деньги. Самая большая кувалда, которой мир разносит вдребезги компании, — это деньги. Под ее ударами вам суждено согнуться; если вы желаете посоревноваться, то нужно иметь хоть чуть-чуть злобного упорства и выносливости, если вы хотите оказаться на самой верхушке, нужно иметь очень много злобного упорства и выносливости. Ист Айленд Эйрвейз не пошла ни по одному из этих путей. В это первое лето авиалиния принесла доход $2148 от продажи билетов. Расходы составили $6529. Итого, получается $4381 убытка.

Это был бы явный знак беды и безнадежности для компании, если и только если основной ее целью была бы прибыль. Но всему внешнему миру, всем этим деловым реалиям довелось только беспомощно клацнуть зубами. Потому что Ист Айленд Эйрвейз опирается не на принципы, диктуемые ей миром, а на свои собственные принципы.

— Я рассказала об этом Маури, моему юристу, — продолжила миссис Фрайди, — и он сказал мне: «Ты не собираешься — это было бы безумное вложение денег, — я надеюсь, ты не собираешься вкладывать в это деньги с целью получить прибыль?» А потом добавил: «Смотри. Ты ведь не тратишь свои деньги в ночных клубах, и потом у каждого должно быть хобби, и если это самолет — все в порядке. Ты в своем положении просто можешь потратить деньги в свое удовольствие, и если самолет его тебе доставляет, то вперед, вот тебе мое благословение. Я тебе завидую», — она улыбнулась спокойной, очаровательной улыбкой, от которой любой мир оказался бы на лопатках. — Прибыль, слава богу, никогда не была нашим мотивом, а радость и удовольствие — были. И в этом смысле мы добились успеха. Я и вправду люблю наш Бомбардировщик.

Радость. Когда на первом месте у вас стоит радость, а деньгам отводится второе или третье, то миру будет крайне нелегко вас укротить.

Когда уничтожение-с-помощью-денег не сработало, мир переключился на затруднения в работе. Погода. Обслуживание. Задержки рейсов.

— Я помню, как однажды я опаздывал, — рассказывал Крэмер. — Была гроза, и аэропорт Ла-Гуардиа был закрыт. Все авиатакси отменили свои рейсы в этот вечер. Я был в Рипаблик-Филд на Лонг-Айленде, а Элинор с пассажирами ждала меня в Ла-Гуардиа. Я каждый час вызывал Ла-Гуардиа, пытаясь уговорить диспетчера, чтобы у нас не возникло часовой задержки при посадке. Все, что у меня было, — это один сухой сырный крекер. Наконец, я таки прорвался и приземлился в Ла-Гуардиа, а они там устроили *праздник*! Один парень сбегал и накупил холодных закусок, уложил их в коробку и притащил в аэропорт. Я вылез их кабины, а он мне: «Эй, а ростбиф хочешь?» — и протягивает мне его. Я за все это время съел только этот один сырный крекер, и я сказал: «Мы сейчас отправляемся. Самолет сейчас улетает». Они стали бегать туда-сюда с багажом, а этот импровизированный праздник продолжался и в полете. Тогда я попросил: «Потише, пожалуйста». Я грозно посмотрел на Элинор, и все утихомирились.

— Время от времени он бросал на меня грозные взгляды, — подхватила миссис Фрайди, — и я знала, которые из них были по делу. Ему приходилось мириться с изрядным шумом и суматохой в этом большом пассажирском салоне, и он мирился с этим, пока это не мешало вести самолет. Но если какой-нибудь пассажир по неосторожности закуривал сигарету — мы тут же получали предупреждение и тушили ее.

В конце концов жестокий и любопытный мир победил. Когда страховые взносы на воздушные такси удвоились с полутора до трех тысяч долларов, это уже было слишком. Но партнеры совсем не выглядели потерпевшими поражение.

— Не думаю, что этим летом мы будем снова совершать на Бомбардировщике регулярные рейсы, — сказал Крэмер. — Мне нужно будет поискать где-нибудь работу.

Но иногда он будет прилетать в Ла-Гуардиа, наполняя воздух аэродрома тарахтением и треском, которые он издает, когда рулит по земле, и которые с ходу узнают дежурные по площадке.

— Они не раз говорили мне что-то вроде того... я прилетаю вечером, а они мне: «Ты только погляди! У него *огонь* вырывается из выхлопных патрубков!» А этот треск... ММРРрроуЧККрелчкАУМ... тарахтение и все прочее, и они восхищаются: «Парень, это здорово!» Впечатление такое, что все становятся счастливыми от встречи с нашим самолетом.

— Что касается будущего? Я думаю, *Сессна* ничего не потеряет, если мы устроим небольшую рекламу одному из действительно замечательных самолетов, построенных ими. Они тогда смогут сказать: «Вот Бамбуковый Бомбардировщик тридцатилетней давности, он только что облетел весь мир». Так что я хотел бы облететь на нем вокруг света. Потому что этот самолет заслуживает того, чтобы на нем совершили кругосветное путешествие.

Возникает странное чувство, что Крэмер когда-нибудь совершит то, что задумал, хотя авиалиния вряд ли получит на этом хоть цент прибыли, она может даже потерять деньги на этом полете.

Но такова история Ист Айленд Эйрвейз. Теперь вы можете прыгать, если хотите. Я просто подумал, что вам небезынтересно будет узнать то, что открыли двое этих людей, — что альтернативой прыжку является смех и решение жить в соответствии со своими собственными ценностями, а не с теми, что навязывает нам мир. Они создали свою собственную реальность вместо того, чтобы страдать в чьей-то. По мнению Ист Айленд Эйрвейз, твердая земля была создана не для того, чтобы прыгать и разбиваться об нее, а для того, чтобы над ней летать.

А это тарахтение и треск, что долетает до ваших ушей вечером, — это Бамбуковый Бомбардировщик, тридцати лет от роду, выруливающий на взлет, готовый отправиться в очередное приключение. Голубое пламя вырывается из его выхлопных патрубков, двигатель фыркает и кудахчет, и его не особенно интересует, одобрит мир его действия или нет.

Евангелие от Сэма

Десять тысяч лет назад старый гуру наверняка говорил своему ученику: «Знай, Сэм, ни один человек никогда не сможет владеть ничем, кроме собственных мыслей. Ни людей, ни местность, ни вещи не дано нам удержать рядом с собой длительное время. Мы можем совершить вместе с ними небольшую прогулку, но рано или поздно все мы, прихватив с собой лишь истинно наше — то, чему мы научились, то, как мы стали мыслить, отправимся порознь, каждый в свое новое превращение».

«О да», — должно быть, отвечал ему Сэм, записав все это на коре лотоса.

Что же, в таком случае, через тысячи лет после того, как эта истина была записана, заставило меня опечалиться, когда я оформлял бумаги на продажу биплана, ставшего частью моей жизни? Не было никаких сомнений в том, что сделать это было необходимо. Мой новый дом с трех сторон окружен водой, а с четвертой к нему вплотную подступают деревья и постройки. В аэропорту, где нет диспетчерской, есть слишком твердая взлетно-посадочная полоса, слишком гладкая, чтобы на ней мог приземлиться биплан. Бетонные ленточки упираются прямо в дубовые джунгли, где нет ни одного поля, куда можно было бы сесть, откажи двигатель сразу после взлета. Теперь я был за девятьсот миль от тех мест, где биплан чувствовал себя как дома, и чем дольше он стоял в ангаре, тем хуже выглядел. В ангаре он оказывался во власти воробьев, настойчиво желающих забраться в кабину, и мышей, которые были непрочь поживиться его проводами и растяжками. Если я любил этот самолет и желал ему жизни в небе, то мне ничего другого не оставалось, кроме как продать его кому-нибудь, кто будет часто и умело на нем летать. Почему же мне стало так грустно, когда я ставил свою подпись на бумагах?

Может быть, потому, что я вспомнил те шесть лет, что мы провели вместе. Я вспомнил раннее утро в Луизиане, когда все вдруг пошло наперекосяк, когда оказалось, что он либо должен взлететь после невозможно короткого стофутового разбега, либо разлететься в щепки, свалившись в канаву. Он взлетел. Никогда прежде ему не удавалось так быстро оторваться от земли, никогда не было такого и после. Но в тот единственный раз это случилось — он едва коснулся канавы и взлетел.

Я вспомнил день, когда в Висконсине я на бреющем полете влетел в твердую землю, думая, что там лишь трава. На скорости сто миль в час пропеллер зацепил грунт, самолет ударился о землю крылом, одно колесо оторвалось и укатилось. Он не перевернулся, вместо этого в тот же момент он подпрыгнул в воздух и мы совершили самую короткую и мягкую посадку за всю историю совместных полетов. Двадцать пять раз лопасти пропеллера ударились о грунт, и вместо того, чтобы перевернуться и разлететься вдребезги, биплан подпрыгнул и сел мягко, словно перышко.

Я припомнил сотни пассажиров, которых мы поднимали с пастбищ в небо, которые никогда не видели своей фермы с воздуха, пока не появились мы с бипланом и не предоставили им такой шанс — три доллара за полет.

Мне было грустно расставаться с этим самолетом, несмотря на то что я узнал, что ничто никому не принадлежит, потому что полеты на нем для меня теперь закончились, потому что завершился целый отрезок моей жизни, замечательный отрезок.

Взамен я купил *Каб* с 85-сильным мотором. Совершенно непохожая на биплан личность.

Легкий, словно тридцать футов дакрона, натянутого на еловый каркас; любой бетон ему нипочем, а взмывает так, что еще над взлетной полосой оказывается на высоте в тысячу футов. Он с удовольствием выполняет любые фигуры высшего пилотажа, которым биплан никогда не смог бы искренне порадоваться.

Однако все это были оправдания, в моей душе по-прежнему царили серое уныние и грусть о том, что мы с бипланом расстались и виноват в этом я.

Однажды, после того как я потренировался над морем в исполнении медленных разворотов, я вдруг понял простую вещь, к которой приходит большинство тех людей, которым когда-либо приходилось продавать самолет. Я понял, что любой летательный аппарат — это две жизнеформы, не одна. Внешняя, объективная конструкция, сталь и краска — это один самолет; тот, с которым мы вместе попадаем в приключения, с которым нас связывает эта незримая прочная нить, — это совершенно другая машина. Эта машина, полеты на ней — наше живое прошлое, и она истинно наша, как сама мысль. Ее нельзя продать. Тот человек, чье имя стоит теперь в регистрационных картах биплана, купил не тот самолет, которым владел я. Ему принадлежит не тот биплан, что мягко опускается в летних сумерках на поле близ Кука в Небраске, в его растяжках вздыхает ветер, двигатель мягко урчит, словно ветряная мельница, он скользит над дорогой к краю пастбища. У нового владельца нет звука туманов Айовы, оседающих дождевыми каплями на верхнем крыле; капли скатываются вниз, барабанят по нижнему крылу и будят меня, уснувшего возле углей костра. Он не приобрел полных ужаса и восторга криков молодых леди из Квин-Сити в Миссури, из Ферриса в Иллинойсе, из Сенеки в Канзасе, почувствовавших, что крутые виражи в старом биплане не менее полны острых ощущений, чем прыжки с крыши сарая.

Этот биплан навсегда останется моим. А у него всегда будет его *Каб*. Этому научило меня небо, так же как Сэма — его гуру, и поэтому больше незачем грустить.

Леди из Пекатоники

Помнишь, когда ты был ребенком, как важно было, чтобы тебя любили, тобой восхищались? Как было здорово иногда оказаться героем в игре, на глазах у девочек принеся своей команде победное очко? Странная штука — полет. Благодаря ему однажды все это изменилось.

В один из летних дней 1966 года я оказался близ Пекатоники в штате Иллинойс. День выдался удачный, мы прокатили тридцать пассажиров до заката, времени до наступления темноты оставалось еще на один рейс.

Люди все еще толпились вокруг — одни сидели в автомобилях, другие стояли небольшими группами; все смотрели в сторону наших самолетов.

Я в сумерках взобрался на крыло своего биплана и прокричал в их сторону:

— Еще один рейс, ребята! Последний рейс на сегодня — лучший рейс за весь день, поднимаемся прямо сейчас! Никакой дополнительной платы, только три доллара! Есть всего два места!

Никто не пошевелился.

— Посмотрите на этот закат, там наверху все пылает огнем! Зрелище в два раза более захватывающее, если наблюдать его прямо с неба! Усевшись в эту кабину, вы окажетесь в самой гуще событий!

Холмы и деревья уже превратились на горизонте в темные силуэты, словно это были фигурки, расположенные по краю купола в планетарии; вот-вот погаснет свет и начнется демонстрация звездного неба.

Но никто не захотел полететь. Я почувствовал себя беспомощным — в моих руках был прекрасный, величественный дар, я пытался поделиться им с миром, которому это было неинтересно.

Я сделал еще одну попытку убедить их и махнул рукой. Запустил двигатель и взлетел, чтобы самому посмотреть на этот закат.

Это был один из тех удивительных случаев, когда я сам не догадывался, как истинны были мои слова. Дымка поднималась от земли до высоты в полторы тысячи футов, над ней был кристально чистый воздух. Оттуда, сверху, в последних солнечных лучах она выглядела словно море интенсивно-золотой жидкости, из которого изумрудно-фиолетовыми островами вздымались вершины окрестных холмов. Никогда еще мне не доводилось видеть такого ясного и захватывающего зрелища. Мы с бипланом поднимались в одиночестве, наблюдая, купаясь в красках этой живой картины.

Где-то на высоте четырех тысяч футов мы остановились, не в силах оставаться лишь пассивными зрителями. Нос пошел вверх, правое крыло — вниз, двигатель умолк, и мы сделали переворот через крыло, который перешел в петлю, которая в свою очередь превратилась в бочку. Серебристый пропеллер вращается медленно, словно вентилятор, когда мы устремляемся вниз; земля оказывается то под нами, то над нашей головой. Это был полет во имя чистой радости пребывать в воздухе, в благодарность Божественному небу за доброту по отношению к нам обоим.

Нас заполнила робость и в то же время — гордость, мы вновь ощутили, как мы любим эту мучительно-прекрасную горько-сладкую штуку, которая зовется полет.

Прозрачный ветер с пронзительным свистом носился стремительными потоками вокруг нас в низших точках наших петель и кувырков, а затем он замирал, становился мягким, спокойным, легонько обдувая нас, когда мы почти останавливались в высших точках воздушных фигур.

Биплан и я, — мы, вместе побывавшие в стольких приключениях — в солнце и в непогоду, в удачные полеты и в неудачные, когда было трудно и когда все шло как по маслу, — мы окунулись наконец в это чистое золотое море, нырнули глубоко, выровняли крылья и заскользили ко дну, чтобы приземлиться на темном лугу.

Мотор выключен, пропеллер грустно качнулся раз-другой и замер. Я неподвижно сидел в кабине, даже не отстегнув парашют. Было очень тихо, хотя люди по-прежнему были здесь. Должно быть, на наших крыльях все еще играл бликами заоблачный солнечный свет и они остались посмотреть на них.

А затем я услышал, как одна женщина сказала другой.

— У него храбрости хватит на десятерых — летать на этом старом ящике!

Ее слова громко прозвучали в тишине ночного воздуха. Меня словно огрели железной трубой.

О, да, я был героем. Меня любили, мной восхищались. Я был в центре внимания. Но вдруг я почувствовал отвращение ко всему этому, к ней, ее словам. И мне стало ужасно горько и больно. Женщина, неужели ты не видишь? Неужели у тебя нет даже тени понимания?

Тогда, летом 1966 года в Пекатонике, в кабине биплана, который только что приземлился, я понял, что радость не в том, чтобы тебя любили и тобой восхищались другие люди. Радость в том, чтобы самому быть способным любить и восхищаться тем редким и прекрасным, что я нахожу в небе, в своих друзьях, в душе и теле моего живого биплана.

«...храбрости на десятерых, — сказала она, — летать... на этом старом... ящике».

Что-то не так с этими чайками

Я всегда завидовал чайке. Ее полет такой свободный и непринужденный. В отличие от нее, я суечусь, лезу из кожи вон, выделываю фигуры и с шумом и треском подымаюсь в небо, лишь бы только оставаться в воздухе. Она — мастер. Я — новичок.

Правда, недавно я решил присмотреться к чайке. Хотя она резко набирает высоту, пикирует и делает грациозные повороты, но это и все, что она выполняет, — резкий подъем, пике и поворот. Никакой воздушной акробатики! Либо ей не хватает инициативы, либо смелости. Ни то, ни другое обстоятельство не позволят ей быть в воздухе самой искусной. Я не хочу судить о ней строго — не требую, чтобы она сразу выполняла двойные повороты по восьми направлениям и «клеверные листы», но не будет излишним попросить ее сделать простую петлю или не вызывающую особых усилий медленную бочку.

Не раз с пристрастием наблюдая за чайками, я был уверен, что какая-нибудь молодая чайка-ас мне обязательно что-нибудь продемонстрирует. Вот она стремительно летит вниз, к воде, набирая скорость, которой хватило бы любому пилоту, и затем взмывает вверх... выше... выше... вот я уже уверен, что она сейчас перевернется, сделает петлю... И я шепчу: «Ну же, сделай ее!», но всегда оказывается, что что-нибудь этому помешало. Она внезапно начинает снижать скорость, и дуга, по которой она летела становится... более пологой, она поворачивает и спешит затеряться в толпе собратьев, словно стыдится того, что во всем следовала за ними по пятам.

«Ты смотришься так величественно, — думал я, — но посади тебе на хвост воробья и, бьюсь об заклад, ты не сможешь от него избавиться!»

Другие птицы освоили отдельные приемы точного полета и высшего пилотажа. Иногда гуси летят вполне сносным клином, и это достойно похвалы. Однако некоторые из них, несомненно, боятся столкновений в воздухе. Не раз гусиный клин бывал испорчен группой из четырех-пяти птиц, слишком отделившихся от остальных и растянувшихся по всему небу. Добавьте к этому кряканье остальных, призывающих сомкнуть ряды, и получится картина откровенно небрежного полета. Неудивительно, что охотники попадают в них из ружей.

Малообещающий с виду пеликан является едва ли не кандидатом в сферу высшего пилотажа. Он может выполнить изящный переворот через крыло, однако он при этом не выполняет главное условие маневра: не выходит из пике. Он, по-видимому, даже не пытается освоить этот выход и влетает в воду, вздымая целый гейзер белых брызг.

Итак, вернемся к чайке. Можно найти оправдание пеликанам и гусям, малиновке и крапивнику, но чайка просто создана для воздушной акробатики. Взгляните на эти характеристики:

1. Сильные крылья с прочными лонжеронами, обладающие необходимыми пропорциями.
2. Слегка неустойчивый корпус.
3. Высокое ограничение по числу Маха.
4. Низкая скорость сваливания.
5. Приспосабливание к переменчивым условиям.
6. Исключительная маневренность.

Но все эти факторы бесплодны, потому что чайка не проявляет в своих полетах настойчивости. Она довольствуется тем, что всю свою жизнь летает, повторяя основные приемы, заученные в первые пять часов, проведенные ею в воздухе. Поэтому, хотя я и любуюсь чайкой, тем, как свободно она летает, но, если бы мне пришлось пожертвовать духом настойчивого поиска ради того, чтобы поменяться с чайкой местами, я в любой день и час предпочел бы свою шумную кабину.

Пленник технической страсти. Спасите!

Что-то, должно быть, было не так с самого начала, когда я еще учился летать. Я помню, как одно время я верил, что эти маленькие машины действительно поднимаются в воздух *прямо с земли*, что вот они твердо стоят на земле, как бильярдный стол, автомобиль или тележка продавца жареных сосисок под ярко раскрашенным тентом, а уже в следующее мгновение они *в воздухе*, и ты стоишь под ними у изгороди аэропорта, а они пролетают прямо над твоей головой и совершенно ничто их не связывает с землей, совершенно ничто.

Это было трудно осознать, трудно принять. Я ходил вокруг самолета, прикасался к нему, постукивал по его обшивке, пытался легонько покачать его за кончик крыла, — нет, он просто оставался стоять, где стоял: «Видишь, студент? Я ничего в рукавах не прячу. Никаких хитрых приспособлений, никаких трюков, никаких тайных веревочек. Это настоящее волшебство, студент. Я могу летать».

Я не мог в это поверить. Возможно, я еще и сегодня в это не верю. Но я хочу подчеркнуть, что в этом было что-то невероятное, ужасно таинственное, мистическое и потустороннее. Может быть, так я и загнал себя в этот угол, где теперь сижу и откуда не могу выбраться.

Дела идут все хуже и хуже. Для меня в полете не осталось ничего само собой разумеющегося, ничего привычного и повседневного. Я не могу просто приехать в аэропорт, забраться в свой самолет, запустить двигатель, взлететь, направиться куда-то, там приземлиться, и на этом все. Мне бы очень хотелось это сделать. Я отчаянно пытаюсь это сделать. Я завидую пилотам, которые могут небрежно прыгнуть в кабину своей машины и полететь по делам или выполнять заказной рейс, завидую тем, кто летает просто ради спортивного интереса и не делает из этого чего-то особого. Но я пленник, я угодил в состояние сознания, в котором полет представляется таким ужасно благоговейным и космическим, что я не могу сделать в аэропорту ни одного самого элементарного действия, не ощущая того, что при этом звезды в небе меняют свой курс.

Это словно... смотрите. Я выбираюсь, чтобы полетать, и, еще прежде чем я даже выйду из машины, прежде чем увижу летное поле, мне попадается на глаза табличка АЭРОПОРТ. *Воздушный порт*, так же как морской порт... Я думаю о маленьких воздушных кораблях, идущих по небу под парусом именно в этот порт из всех вообще портов, куда они могут попасть, которые выбрали именно это место, чтобы сейчас возвратиться на землю. Они касаются этого острова, покрытого травой, который здесь специально для них, который терпеливо их ждал, а затем выруливают на стоянку, бросают якоря и стоят на привязи, легонько покачиваясь на ветру, словно маленькие корабли в своей гавани.

Я еще даже не *там*. Я только увидел указатель на дороге в аэропорт и, может быть, *Сессну-172*, заходящую в отдалении на посадку, исчезающую за стеной деревьев, окаймляющих дорогу, за которыми, я знаю, лежит обширная открытая местность, предназначенная для посадки. Откуда прилетела эта *Сессна*, куда она направляется? С какими бурями и приключениями встретился в своем времени и своем самолете ее пилот?

Возможно, у него было много приключений, возможно, мало, но они с самолетом были где-то в этом огромном просторном небе, это небо их изменило, и вот теперь они направляются из него в эту маленькую гавань, в этот самый воздушный порт, который предстанет моему взору, как только я сделаю последний поворот.

Я не могу вот так просто сказать «аэропорт» и продолжить говорить фразу дальше. Это всегда «аэропорт... аэропорт...», я повторяю и повторяю это слово, пока не поверну где-нибудь не в том месте, не выскочу на обочину или не напугаю какого-нибудь водителя, который, ничего не подозревая, выезжает с заправочной станции. Это такое восхитительное место, аэропорт, что если я рискну остановиться и подумать о нем или даже произнести это слово вслух, то никаких шансов совершить полет у меня не останется даже прежде, чем я приеду в аэропорт.

Наконец автомобиль останавливается, избежав по дороге столкновений-благодаря-мечтательности с тысячами всяких объектов, которые для этого расставляют по сторонам трассы, и первое, что я вижу, — это мой маленький самолет, который меня ждет. Я не могу в это поверить... Это — САМОЛЕТ, и он принадлежит МНЕ! Невероятно. Все эти части разной замысловатой формы, столь аккуратно собранные, подогнанные друг к другу и составляющие вместе такую прекрасную утонченную скульптуру, они не могут принадлежать мне! Самолет — слишком очаровательное создание, чтобы у него мог быть хозяин. Как Луна, как Солнце. Сколько здесь всего! Посмотрите на линию этого крыла, на изгиб фюзеляжа в том месте, где он переходит в киль, на искорки в его стеклах и вспышки солнечных лучей на металле и ткани... да он должен стоять в центральной галерее Музея современного искусства!

Ну и что, что я не покладая рук работал, чтобы заработать на него деньги, или что мне пришлось от начала до конца построить его самому у себя в подвале, или что для того, чтобы заботиться о нем, мне приходилось во всем отказывать себе в жизни. Ну и что, что я не трачу ни цента на ликер, сигареты, кино, кегли, гольф, пикники, новые автомобили, игры на бирже и сбережения. Ну и что, если я ценю этот самолет, когда больше никто в мире его не ценит, это все равно ничего не меняет, все равно совершенно невероятно, что в мире могло случиться нечто такое прекрасное, что этот самолет стал моим.

Я думаю обо всем этом, глядя на приборы, на радиостанции, прикасаясь к штурвалу, переключателю топливных баков, тумблерам включения бортовых огней, прикасаясь к обивке сидений, глядя на маленькие цифры указателя скорости и на то, как движется стрелка альтиметра, когда я вращаю ручку подстройки, вслушиваясь, как по траве и изгибам самолета скользит ветер, и так проходит полчаса, хоп — и нет их. Я сижу один в самолете на земле, почти не двигаясь и не произнося ни слова, просто глядя на него, прикасаясь к нему, думая об этой штуке и о том, что она может летать, и полчаса превращаются в полсекунды и улетучиваются прежде, чем секундная стрелка на бортовых часах успевает сдвинуться с места.

Я могу лететь. Куда угодно. Я знаю в точности, что нужно делать руками и ногами со всеми этими ручками, рычагами управления и педалями, и в каком порядке действия должны следовать друг за другом, чтобы самолет ожил и действительно оторвался от земли, направившись куда угодно на Земном шаре, вообще куда угодно, и добраться туда, если я действительно хочу туда попасть. Куда угодно. Вот прямо сейчас, в этот момент, когда я сижу здесь. В этом самом самолете. В Нью-Йорк. В Лос-Анджелес. В Канаду. В Бразилию. Во Францию, если я установлю дополнительный бак с топливом, затем в Италию, Грецию, Бахрейн, Калькутту, в Австралию и Новую Зеландию. Куда угодно. В это так трудно поверить, но это так, любой, кто летает на самолетах, без малейшей тени сомнения это подтвердит. Все прочие могут принять это просто как факт, тысячу тысяч раз доказанный и передоказанный. Я сижу в этой кабине и еще полчаса утикивают в прошлое, а поверить в это все еще невозможно. Все в порядке, я это понимаю, но я не могу честно сказать, что я могу это осознать, поверить в это, ухватить целиком тот факт, что самолет может летать.

Это только начало, мы еще даже не оторвались от земли. Одно лишь слово «самолет» так много значит! Как кому-нибудь могут не нравиться самолеты, как кто-то может их бояться или считать, что они не столь прекрасны, чтобы их стоило созерцать?

Я не могу поверить, что где-то найдется такой живой человек, который бы посмотрел на это существо из крыльев и плавных линий и равнодушно прошел мимо.

Проходит время, и наконец мне удается заставить себя запустить двигатель, заставить вращаться винт, но, должен вам сказать, это требует нечеловеческой концентрации. Потому что я касаюсь тумблера, а на нем написано СТАРТЕР. Стартер. Тот, что дает старт целому путешествию в небо, за все горизонты мира. Стартер. Достаточно лишь коснуться его, и вся моя жизнь снова изменится, произойдут события, которые иначе ни за что не случились бы. На планете, где в противном случае была бы тишина, зазвучат звуки; там, где был бы спокойный воздух, закрутятся порывы ветра; там, где была прозрачность и четкая видимость, начнутся дрожь и перемещения. Стартер. Все это происходит так молниеносно, что моя рука застывает в воздухе на полпути к тумблеру, и я проглатываю комок и трепеща вопрошаю себя, в достаточной ли степени я человек, есть ли у меня Божественное Разрешение от самого Господа, чтобы запустить в движение все эти события галактической важности. Тумблер застыл в неподвижном ожидании и на нем одно слово — СТАРТЕР, все правильно, черные буквы на пластмассовом тумблере цвета слоновой кости, полустершиеся оттого, что их так часто касались за все эти годы.

Достаточно коснуться этого тумблера — и оживет целый отдельный мир: двигатель. ДВИГАТЕЛЬ. Сейчас он еще —мертвая холодная сталь, но уже в следующее мгновение, если я пожелаю, в нем затеплится жизнь, завертятся промасленные подшипники, вспыхнут в темноте искры, по проводам зажигания побегут импульсы, оживут стрелки приборов, появится дым, рев и грохот и закружится сверкающий вихрь, который есть пропеллер. ПРОПЕЛЛЕР. Он движется вперед. Куда? В пространства, которых никогда не касался человек, в события, которые всех нас подвергают проверке, по которым мы можем измерить, чего мы достигли как человеческие существа в работе над своей судьбой...

Теперь вы видите, в ловушку какого рода я попался. Я не могу сделать самой элементарной вещи в аэропорту (о! воздушный порт, гавань для маленьких судов, бороздящих небесные просторы); я не могу просто сесть в самолет (чудесная машина, построенная на основе волшебного принц...) и нажать стартер (тот, что запускает в движе...), чтобы запустить этот проклятый двиг... (целый мир...) без того, чтобы весь мир не задрожал, не наполнился величественным золотым сиянием, чтобы в небесах не зазвучали трубы, и в облаках не появились, хлопая крыльями, ангелы, двадцатитысячным хором поющие «Аллилуйя» — ангелы-мужчины с низкими голосами и ангелы-женщины с высокими; и все это столь грандиозно и величественно, что у меня на глазах выступают слезы, и я растворяюсь в радости и благодарности Вселенскому Сознанию. И это при том, что я еще даже не прикоснулся к стартеру.

Так происходит со всем, что касается воздухоплавания, ничто от этого не застраховано, ничто, что имеет хоть какое-то отношение к полету. Если я, например, хоть на мгновение задержу свое внимание на взлете, я снова пропал. ВЗЛЕТ. Освобождение от оков и цепей, которые многие века держали привязанными к земле отцов, отцов наших, которые до них держали на земле лохматого мамонта и стегозавра, деревья и камни. В нашей власти победить эти оковы, прямо сейчас. В нашей власти встать в конце взлетной полосы, выровнявшись вдоль ее оси, двинуть ручку газа и начать движение вперед, поначалу медленно, затем все быстрее и быстрее, затем поднять нос и щелк-брязь-стук-грюк — цепей уже нет. Мы можем это сделать. Мы можем взлететь. В любое время, когда пожелаем, мы можем отправиться в полет.

Или возьмем скорость полета. Простое элементарное понятие — СКОРОСТЬ ПОЛЕТА, и вот я уже не здесь, я уже окунулся в ветер, и мои руки — это крылья, и я чувствую эту скорость, этот полет, эту скорость полета, которая несет меня вверх, выше и выше за облака, прочь от всего ложного, навстречу всему истинному, навстречу ясному чистому — простому искреннему небу. И снова раздаются звуки труб, и ангелы во всю мощь своих легких поют о скорости полета. Сто миль в час по шкале прибора, почему я не могу отнестись к этому просто как к факту, факту и все? Нет, никогда, можно и не надеяться. Без величия не обойтись.

Теперь вы видите, как это. Ангар. Топливо. Давление масла. Взлетная полоса. Крыло. Подъем. Высота. Ветер. Небо. Облака. Воздушный коридор. Вираж. Планирование. Даже Авиация и Летные Службы, и так далее и так далее и так далее. Теперь вы видите, что я попался, словно мышь в мышеловку.

Это все было бы ничего, и я долго об этом молчал, поскольку, если мне предназначена роль мученика, я смиренно приму ее и буду нести тяжкую ношу этого редкого недуга во имя всех тех, кто летает.

Но я заговорил, потому что мне доводилось иногда видеть, как другие пилоты приземляются, глушат двигатель и продолжают сидеть в кабине, и сидят они там дольше, чем нужно, чтобы заполнить бортжурнал, словно и они знают, что такое это величие. А вчера я встретил человека, который на людях признался, что иногда приходит в аэропорт на полчаса раньше, чем нужно, забирается в свой *Чироки-180* и некоторое время сидит в его кабине просто так, в свое удовольствие, еще даже не запустив двигатель и не вырулив на взлет.

Я обрадовался тому, что я его встретил. Пусть теперь он будет мучеником, а не я. Я не хочу больше тащить на себе этот чудовищный груз, не хочу слушать пение ангелов.

Я просто приду к своему самолету, поднимусь в его кабину, коснусь рукой тумблера стартера, коснусь рукой... тумблера... стартера... Хм. Стартер ведь и вправду великолепное изобретение, если задуматься на минуту об этом. Чему он дает старт, вы знаете? Тут есть над чем задуматься...

8 – 4584

Зачем вам самолет... и как его получить

Если вы летаете на самолетах, и когда благодаря случайному стечению обстоятельств выдавался особенно запоминающийся полет, или когда вдруг посреди бури вы попадали в особенно ясное небо, или когда совпадения дарили вам встречу с другом, который открывал вам что-то, что вам нужно было узнать о полете и которого иначе вы бы не встретили. Если подобные вещи случались с вами так же часто, как с некоторыми, возможно, вы верите, что существует что-то вроде принципа неба, вроде духа полета, который манит некоторых представителей человечества, так же как одних зовет к себе дикая природа, а других — море.

Если вы еще не летаете, возможно, вы ощущали этот дух в тот момент, когда вдруг с удивлением обнаруживали, что только вы среди всех прохожих, задрав голову, смотрите на пролетающий самолет, что только вы замедляете свой шаг и даже останавливаетесь близ аэропорта, чтобы посмотреть, как маленькие железные птички садятся на землю и вновь поднимаются с нее в воздух. Если это с вами происходит, то возможно, что полет откроет вам много нового о вас и о вашем жизненном пути на этой планете.

Если вы и вправду один из этих людей, то эта страница лежит перед вами не случайно и не случайно вы пришли к полету. Полет для вас — это средство, необходимое, чтобы успешно выполнить свою миссию — стать человеком. Вот краткий портрет большинства тех, кто летает, а если вы останавливаетесь и наблюдаете за самолетами, это ваш краткий портрет тоже.

Летчики ужасно не любят, когда им приходится слепо доверять кому-то неизвестному, кто берется доставить их туда, куда им хочется. И на железных дорогах, и на авиалиниях, и на автобусных маршрутах движение может прекратиться, могут возникнуть задержки, они могут забросить человека в совершенно ненужные ему места. На автомобиле можно путешествовать лишь туда, где есть автотрассы, а на самих трассах полно всяких указателей. Летчики стремятся к тому, чтобы управлять любой движущейся машиной и самим выбирать для нее курс.

Летчики чувствуют определенное родство к уголкам земли, нетронутым рукой цивилизации, они хотят окинуть их одним широким взглядом, чтобы лишний раз убедиться, что природа еще существует сама по себе, не обнесенная снаружи каким-либо забором.

Летчикам нравится то, что перед небом бессмысленно оправдываться и извиняться, что в воздухе имеет значение то, что ты знаешь и как действуешь, а не то, что и как ты говоришь. В каждом из них есть внутренний человек, который стоит в стороне и наблюдает за всеми их действиями на земле и в полете, замечает моменты, когда они бывают счастливы, следит, что они в такие моменты делают. Этого человека нельзя обмануть, ему невозможно соврать, и летчик тихо радуется тому, что внутренний наблюдатель признает его вполне приемлемым и управляемым человеческим существом.

Летчики тонко чувствуют будущие приключения, вместо того чтобы туманно вспоминать о давно минувших и считать их единственными моментами, в которые они по-настоящему жили.

Другие общие для летчиков черты менее значительны: их горизонт в выходные дни измеряется не десятками, а сотнями миль; иногда самолеты помогают им в их работе; после недели, проведенной на земле под давлением силы тяжести и прочих сил, они обретают в воздухе перспективу.

Летчиков объединяет еще одна вещь: для каждого из них полет — это тот путь, который он выбрал, который нужен ему, чтобы показать свое умение управлять пространством и временем в собственной жизни. Если это свойственно и вам, то ваше отдаленное желание иметь когда-нибудь самолет — не просто бесплодная мечта, это необходимая часть вашей жизни, игнорируя которую, вы, по мнению некоторых авиаторов, проигрываете в человечности.

Однако в каждом из нас есть и другое существо, которое нам не друг, оно радо увидеть, как мы гибнем. Его голос подстрекает нас: «Встань на рельсы перед поездом, прыгни с моста, просто ради любопытства, просто прыгни...» Тем, кто рожден летать, он нашептывает другие слова: «Забудь о полете. Ты не можешь позволить себе иметь самолет. Смотри же реально на вещи, в конце концов. Оставайся на земле. Что ты вообще о самолетах знаешь?»

Это осторожная, консервативная личность, и правда — девяносто процентов людей, у которых на сегодняшний день есть самолеты, не могут позволить себе их иметь. Им нужны деньги на дом, на семью, на сбережения, на вложения и страховку. Но каждый из них однажды решил, что иметь самолет для него важнее, чем тратить деньги на что-нибудь еще. Летать для них — это важная часть их дома, их семьи, летать — это само по себе и сбережения, и вложения, и страховка.

Самым важным в приобретении самолета является момент, когда принимается решение его иметь. Важно принять это решение, нужно, чтобы найти самолет стало задачей наибольшей важности. Все остальное произойдет неизбежно. Ни время, ни деньги, ни расстояния не смогут воспрепятствовать, потому что покупка самолета — это почти полностью мысленное действие, которое крайне непросто наблюдать или в нем участвовать. Решение принято, и чем больше самолет занимает ваши мысли, тем явственнее он начинает появляться в вашей жизни. Не столько вы находите свой самолет, сколько он сам находит вас.

Как только вы осознали, что он вам нужен, процесс движется быстро и автоматически. Какой самолет? Новый или старый?

Крылья сверху или снизу? Двухместный или четырехместный? Сложный или простой? С обшивкой из ткани или металла? С одним колесом на носу или на хвосте? Грубо сработанный или изящный? Быстрый или медленный? Ответьте на эти вопросы — и вот уже в воздухе вокруг вас появляются первые вибрации вашего воздушного корабля. Самолет из мечты превращается в книги и журналы со статьями о различных видах самолетов, он превращается в газетные вырезки и знакомые желтые страницы кроссвиллской *Трейд-Э-Плейн* (шт.Теннесси), газеты, в которой публикуются тысячи объявлений о продаже и обмене самолетов со всех концов страны.

После того как выбор сделан, не важно, будет ли это восьмисотдолларовый *Тейлоркрафт* или *Бичкрафт* стоимостью в тридцать тысяч долларов, полный радиоаппаратуры и приборов, — самолет часто возникает в миниатюрном варианте, прежде чем он предстанет перед вами в полном масштабе.

Один летчик принял решение приобрести самолет в тот момент, когда на его счету в банке было меньше десяти долларов. Он решил, что наступит день, когда у него будет свой собственный маленький классический *Пайпер Каб* 1946 года, с обшивкой из ткани, двумя крыльями в верхней части фюзеляжа, простой легкий двухместный самолет с хвостовым колесом. Такой *Каб* стоил от восьмисот до двух тысяч двухсот долларов. Он часто думал о своем самолете, мысленно любуясь им.

Он потратил девяносто восемь центов на его модель из дерева и бумаги (с налогом это получилось $1.01), которую он построил за два вечера и подвесил к потолку на ниточке. Так самолет вошел в его жизнь в миниатюрном варианте, вращаясь туда-сюда от малейшего сквозняка.

Он читал *Трейд-Э-Плейн*, он проводил выходные в аэропортах, разговаривал о *Кабах* с механиками и пилотами, смотрел на *Кабы*, касался *Кабов*. А модель все болталась в воздухе. Затем произошла странная вещь.

Его другу было выдано пятьсот долларов на то, чтобы он зафрахтовал для своей компании самолет, друг сказал об этом летчику. Летчик, зная, что в одном из аэропортов продается тысячедолларовый *Каб*, одолжил у другого своего друга пятьсот долларов, сложил их с пятьюстами долларами первого друга, полученными на аренду, купил этот *Каб* и на время отдал его в распоряжение компании. Дела, для которых нужен был самолет, у компании кончились, с долгами он в конце концов расплатился, и вот теперь у него есть настоящий летающий *Пайпер Каб* 1946 года. Как, впрочем, и маленький *Каб*, который так и болтается на ниточке.

Другой человек выбрал в качестве своей цели *Сессну-140*. В ближайшем аэропорту была одна особенно изящная 140-я, но у него не было трех тысяч долларов, которые она стоила, а даже если бы они и были, то ее владелец все равно не собирался продавать свой самолет. Но этому человеку так хотелось 140-ю, ему так нравилась именно эта конкретная машина, что он попросил владельца позволить ему почистить и отполировать Сессну, просто чтобы побыть с ней рядом. Хозяин рассмеялся, купил банку полировочной пасты и вручил ему.

Отполировать полностью металлический самолет — задача непростая, но сияющая свежестью *Сессна-140* — воистину прекрасная машина. В качестве платы за работу хозяин предложил полировщику прокатиться в самолете. Так они познакомились, затем стали друзьями, а сегодня они уже партнеры в этой самой полированной *Сессне*.

Любой, у кого сегодня есть небольшой легкий самолет, прошел через одни и те же стадии: Решение, Изучение, Поиск, Находка, и в конце концов случалось так, что они становились владельцами всего самолета, на котором сегодня летают, или его части.

Будьте исключительно внимательны, посоветуют хозяева самолетов, обращайте особое внимание на совпадения, на то, что кажется случайным событием, попавшимся вам на пути. В таких совпадениях вас касается тот самый странный невидимый дух неба, который, возможно, тихим голосом звал вас к себе всю жизнь.

Женщина-пилот, раздраженная проблемами с арендой самолета, решила купить свой собственный. Она решила, что это настолько важно, что на это можно потратить все свои сбережения, что полет для нее важнее, чем деньги, лежащие в банке. Она пересмотрела много марок самолетов, как на картинках, так и «живьем», но все никак не могла выбрать ту машину, которая ей больше всего нравится. В конце концов круг ее поиска сузился до двухместного самолета с металлической обшивкой, но ни один из таких самолетов, попадавшихся ей, ее не устраивал, ни к одному из них ее не влекло то самое чувство, ни на одном объявлении о продаже не задерживался ее глаз.

Однажды в воскресенье, когда она уже уходила из аэропорта, в аэропорту мягко приземлился и подкатил к ресторану белый *Ласкомб Силвер*. Он ей сразу понравился. Было в нем что-то такое, что ее привлекло, и хотя никаких признаков того, что самолет продается, не было, она спросила у хозяина, как он относится к идее его продать.

— Вообще-то, — ответил он, — я *и вправду* присматриваю себе самолет побольше. *Ласкомб* — прекрасный летательный аппарат, но он берет на борт лишь двух человек. Да, мы можем обсудить его продажу...

Женщина совершила полет на белом самолете, и он еще больше ей понравился тем, как вел себя в воздухе. Она поняла, что это и есть тот самолет, который она искала. Пришлось еще аккуратно составить договор, чтобы прежний владелец мог пользоваться своим бывшим самолетом, пока не найдет для себя четырехместный, но хозяйкой *Ласкомба* теперь уже была она.

Смотрите. Если бы она не пришла в этот конкретный аэропорт как раз в это время этого дня и не увидела бы перед уходом, как *Ласкомб* заходит на посадку, она бы его упустила. Если бы ветер дул в противоположную сторону, она бы не смогла наблюдать, как он садится. Если бы бывший хозяин прилетел в аэропорт, чтобы выпить чашку кофе двумя минутами позже, она бы тоже его не увидела.

Но все это случилось. Цепочка особых совпадений, которая является визитной карточкой того духа, что зовет нас, ведет нас туда, где мы наилучшим образом научимся тому, чему хотим научиться, состоялась. И сегодня эта женщина летает на своем любимом снежно-белом *Ласкомб Силвере*.

— Моя работа отнимает у меня всю неделю, — говорит она. — Но по выходным все это возвращает мне мой самолет.

Прислушивайтесь, когда ищете самолет, к таким словам: «Ну, нет. Ты ведь не хочешь этот самолет. Вокруг тебя даже и близко нет ни одного самолета такого типа». Эти слова означают, что вы подошли почти вплотную. Точно такие слова мне сказал мой внутренний голос о *Фейрчайлде-24* как раз за неделю до того, как я встретил свой *Фейрчайлд-24*. Через несколько лет я снова услышал их, когда пытался обменять *Фейрчайлд* на биплан, как раз перед тем, как мне удалось обменять *Фейрчайлд* на биплан. Помните, «...нет никаких шансов» означает, что «...вы уже почти у цели».

Вся хитрость, когда ищешь, состоит в том, чтобы поступать так, как тебе кажется лучше, и позволить могущественному духу неба подтасовать события так, что если ты не слишком осторожен, то рискуешь стукнуться лбом о крыло самолета, который он для тебя приготовил. Этот дух невозможно подавить. Если вы еще не научились летать и если летать вы хотите больше, чем все остальное, — вы научитесь. Не важно, кто вы, сколько вам лет и где вы живете. Если вы захотите, вы будете летать. Это звучит не очень убедительно, но это так.

Это так, даже если для этого потребуется пройти немалый путь. К примеру, сегодня буквально каждого начинающего пилота учат летать на современных самолетах с носовым колесом. Ими легко управлять как в воздухе, так и на земле. В результате распространилось мнение, что более старые самолеты с хвостовым колесом — это свирепые непредсказуемые демоны, взлететь и приземлиться на которых можно лишь при наличии какого-то особого супермастерства; стоит лишь пилоту немного расслабиться при посадке — и они закрутятся на земле волчком или превратятся в груду обломков. Но оказывается, что современные опытные пилоты часто покупают самолеты с хвостовым колесом просто потому, что они намного дешевле и гораздо лучше и дольше служат, чем самолеты с колесом на носу. Тот путь, по которому дух повел этих пилотов, нос к носу столкнул их с демонами.

Не очень разумно было бы с его, духа, стороны чинить препятствия им же избранным представителям человечества. А все страхи, которые он напускает, предназначены для того, чтобы их преодолеть. Пилот-новичок — поскольку ему нужен самолет, поскольку он должен иметь воздушный корабль, чтобы с его помощью двигаться по пути познания, — становится хозяином машины с хвостовым колесом, той самой, о которой он слышал разные ужасные истории.

Он приближается к своему самолету с таким же энтузиазмом, как начинающий наездник приближается к стойлу Старого Динамита. Наездник не спеша узнает привычки и мысли Динамита, обнаруживает, что тот боится летящих по ветру листов бумаги и питает слабость к морковке, что иногда верхом на нем можно расслабиться, но иногда нужно быть предельно внимательным. Так и пилот открывает для себя, что самолет с хвостовым колесом, если с ним умело обращаться, доставляет больше радости и чувства полета, чем любой его собрат с колесом на носу. Когда видишь в глазах новичка восхищение оттого, что он может управлять Ужасным Тягохвостом, то начинаешь понимать кое-что из того, что у духа полета все это время было на уме.

Если вы слышите этот зов небес, как слышат его тысячи других людей, летаете вы или нет, отвечаете этому зову или нет, вам необходим самолет, чтобы стать собой, в большей степени, чем когда-либо прежде. Если вы это знаете и делаете все, что в ваших силах, чтобы научиться летать и приобрести этот самолет, доверив полоумному духу подстроить странные невозможные загадочные совпадения в вашей жизни, как он уже не раз делал в жизни всех, кто теперь летает, жизнь в полете, которую вы просто обязаны иметь, станет вашей.

Авиация или полет? Выбирайте

Вы смотрите на авиацию и не можете не удивляться. Там столько всего сразу происходит, все кажется таким чужим и сложным, там столько всяких рычащих индивидуалистов, каждый из которых готов поругаться с другим из-за мельчайших расхождений во мнениях.

Почему, спрашиваете вы, кто-то вообще сознательно ныряет в весь этот водоворот, просто чтобы стать пилотом?

В этот момент шум внезапно стихает, и в наступившей гробовой тишине пилоты смотрят на вас так, словно вы не знаете совершенно очевидных вещей.

— Как почему? Полеты экономят время, вот почему, — вырывается наконец у пилота-бизнесмена.

— Потому что это удовольствие, а все остальное не имеет значения, — вторит ему пилот-спортсмен.

— Глупцы! — возражает профессиональный пилот. — Любому ясно, что это лучший способ заработать себе на жизнь!

Тут к ним подключаются все остальные, криками пытаясь привлечь ваше внимание.

— Чтобы перевозить грузы!

— Чтобы опрыскивать урожай!

— Чтобы отправляться в далекие места!

— Чтобы возить людей!

— Чтобы вести дела!

— Чтобы наблюдать роскошные виды!

— Чтобы вовремя появляться на свидания!

— Чтобы выигрывать гонки!

— Чтобы учиться новому!

И они снова наперебой принимаются спорить о том, какая из золотых граней полета блестит ярче других. Вам остается только пожать плечами, отойти в сторону и сказать:

— А чего еще от них ожидать? Они все с ума посходили.

Вы даже не подозреваете, насколько вы правы. Когда на сцене появляется самолет, чистая логика и здравый смысл отходят на второй план. Не секрет, например, что огромное количество компаний покупают самолеты, потому что кому-то из ее управляющих нравятся самолеты и он не прочь иметь один из них под рукой. А когда такое желание появилось, оправдать его выгодой, которой эта покупка обернется для компании, несложно, поскольку самолет — это, в том числе, полезный деловой инструмент, экономящий время и приносящий прибыль. Но сначала появляется желание, а затем, позже, прибегают запыхавшиеся причины и обоснования.

С другой стороны, все еще есть организации, руководство которых испытывает перед самолетами такой иррациональный страх, что, несмотря на экономию времени и денег, невзирая на прибыли, они четко знают, что их компания не будет иметь никаких дел с любым летательным аппаратом.

Для огромного количества людей во всем мире в самолете есть некое особое очарование, не стираемое временем. Простой тест поможет в этом убедиться. Сколько есть на земле таких вещей, дорогой читатель, которые вам бы искренне, по-настоящему хотелось иметь, мечту о которых вы бы лелеяли так же, как о том голубом металлическом *Харли-Дэвидсоне**, когда вам только исполнилось шестнадцать?

Часто, становясь взрослыми, мы теряем способность хотеть ту или иную вещь. Большинству пилотов совершенно все равно, какой марки автомобиль они водят, их не волнует, какой именно формы у них дом, форма и цвет мира вокруг их не интересуют. Есть у них какая-либо материальная вещь или нет ее — не так уж

* Это такой мотоцикл, который, может быть, все еще нужен американскому подростку.

это важно. Но часто те же самые люди совершенно открыто охотятся за каким-то одним особым самолетом, многим ради этого жертвуя.

Строго говоря, большинство пилотов не могут себе позволить иметь самолеты, которые они имеют. Им приходится отказаться от второго автомобиля, нового дома, золота, игры в кегли и ланча в течение трех лет, только чтобы содержать эту *Сессну-140* или видавший виды *Пайпер Команч*, который ждет их в ангаре. Но они хотят иметь эти самолеты и ничего не могут поделать со своим желанием. Хотят даже больше, чем *Харли-Дэвидсона*.

Мир полета еще молод, в нем правят эмоции, страстные привязанности к самолетам и идеям о самолетах. В этом мире столько всего, что можно увидеть, столько дел, что у него нет времени на то, чтобы по-взрослому осознать себя, и поэтому, как любое юное создание, он не очень-то уверен в том, что значит его существование и какой в этом смысл.

Например, существует огромная разница между «Авиацией» и «Полетом», столь громадная разница, что это буквально два разных мира, у которых нет почти ничего общего.

Мир авиации, без сомнения, больший из двух, составляют самолеты и пилоты, интересы которых лежат в стороне от вопросов собственно полета. Самое большое преимущество авиации очевидно: самолеты способны ужимать огромные расстояния, превращая их в очень маленькие. Если бы Нью-Йорк находился через дорогу от Майями, то эту дорогу можно было бы раза три-четыре в неделю пересекать, просто чтобы сменить обстановку и климат. Энтузиасты Авиации знают, что не только Нью-Йорк находится от них через дорогу, но и Монреаль, Феникс, Нью-Орлеан, Фэрбанкс и Ла-Пас.

После посредственного изучения не-такого-уж-трудного устройства самолета и нескольких не-таких-уж-сложных воздушных приемов, они обнаруживают, что могут постоянно удовлетворять свой аппетит на новые виды, новые звуки, новые события, которых никогда раньше не было. Авиация сегодня предлагает Атланту, завтра — Сент-Томас, на следующий день — Сан-Вэлли, а затем — Диснейленд. В Авиации самолет — это быстрое и удобное устройство для путешествий, при помощи которого можно позавтракать в Де-Муап, а поужинать в Лас-Вегасе. Вся планета представляет собой не что иное, как огромную ярмарку привлекательных для энтузиастов Авиации мест, и каждый день до конца своей жизни он может вкушать все новые и новые ее деликатесы.

Поэтому для Авиатора, чем быстрее и комфортабельнее его самолет, чем проще на нем летать, тем лучше он подходит для его нужд. Небо для него — везде одно и то же небо и представляет собой просто среду, в которой Авиатор движется к своей цели. Небо — это не более чем улица, а кто станет обращать внимание на улицу, если она ведет в далекое Катманду.

Летчик же — существо совершенно непохожее на Авиатора. Тот, кого влечет Полет, не гонится за отдаленными местами, не стремится за горизонт, его привлекает само небо. Его не интересует, какое расстояние можно упаковать в часовой полет, зато интересует эта невероятная машина — самолет. Он проходит не расстояние, а степени радости и удовлетворения, возникающие, когда поднимаешься в воздух и полностью управляешь своим полетом, когда знаешь себя и свой самолет так тонко, что временами даже удается неким своим особым способом коснуться той вещи, которая называется совершенство.

Авиация, в которой царят воздушные коридоры, электронные навигационные станции и жужжащие автопилоты, — это наука. Полет, где живут пыхтящие бипланы, шустрые гоночные самолеты, планеры и фигуры высшего пилотажа, — это искусство. Летчик, обитающий чаще всего в кабине самолета с хвостовым колесом, увлечен планированием, виражами и вынужденными посадками с малой высоты. Он знает, как управлять своим самолетом, у которого есть ручка газа и дверцы кабины. Он знает, что происходит, когда на вираже самолет теряет подъемную силу. Каждая посадка для него — это прицельный спуск на небольшую площадку. Он ворчит, если ему не удалось аккуратно приземлиться на все три точки, угодив хвостовым колесом точно в намеченную на траве цель.

Полет ярче всего проявляется, когда человек и его самолет попадают в ситуацию, требующую от них полной выкладки. Планер на восходящем потоке, стремящийся как можно дольше продержаться в воздухе и использующий для этого каждую частицу поднимающегося теплого воздуха, — это Полет. Большие *Мустанги* и *Биаркэты*, некогда бывшие боевыми самолетами, с ревом несущиеся наперегонки со скоростью четыреста миль в час, на крутых виражах едва не задевая развевающиеся клетчатые флажки, — это Полет. Этот одинокий маленький биплан, летним днем высоко в небе все повторящий и повторяющий бочку, — это Полет. Полет, повторяю еще раз, это не преодоление расстояния, отделяющего нас от Нантакета, а преодоление расстояния, отделяющего нас от совершенства.

Хотя Летчиков — подавляющее меньшинство, каждый из них может свободно ориентироваться как в своем собственном мире, так и в мире Авиации. Летчик может сесть в кабину любого самолета и отправиться куда угодно, куда летает Авиатор. Он может преодолеть любое расстояние, когда ему вздумается.

В то же время Авиатор не может, забравшись в кабину планера, гоночного самолета или спортивного биплана, умело управлять им в воздухе, если вообще сможет подняться на нем в небо. Он сможет все это только после того, как пройдет долгий путь учебы и тренировок.

Но к тому времени, когда он обретет нужные навыки, он, по иронии судьбы, превратится в Летчика.

В отличие от сравнительно несложного обучения вождению самолета, которое проходит Авиатор, Полет — это высоко вздымающаяся гора того, что неизвестно новичкам. Поэтому там, где собираются Летчики, нередко можно слышать восклицания: «Господи! Я никогда всему этому не научусь!» И разумеется, это так и есть. Пилот, профессионально занимающийся высшим пилотажем, или пилот-гонщик, или планерист, изо дня в день годами шлифующие свое мастерство, никогда не скажут даже себе:

«Я все это знаю». Если они не полетают хоть три дня, то на четвертый, сев в самолет, ощущают, что начали покрываться ржавчиной. Когда каждый из них приземляется после своего лучшего выступления, он знает, что у него все равно есть место для роста.

Когда два эти мира сталкиваются, если только это не происходит в одном человеке, летят искры. Для покоряющего расстояния Авиатора Летчик — это символ безответственности, перемазанный маслом пережиток тех времен, когда еще не появилась Авиация, последний из тех, кого Авиатор отнесет к своим, если желает Авиации роста и развития.

Для Летчика, стремящегося к мастерству, лишенный мастерства мир Авиации и так чересчур разросся. Несчастные Авиаторы, говорит он, они не знают толком своих самолетов, для них любой маневр таит загадку. Они, не желая изучать свои машины и повадки неба, день ото дня пополняют списки тех, кто, случайно войдя в пике, так из него и не выходит. Они торопятся вылететь, невзирая на плохую погоду, не подозревая, что без умения вести самолет по приборам, эти облака для них так же смертельны, как чистый метан.

Никто так не слеп, как тот, кто не желает видеть, — цитирует с плохо скрываемой неприязнью Летчик по поводу всякого пилота, который не разделяет его страстного стремления знать и полностью управлять любым самолетом, который ему попадается.

Авиатор считает, что безопасность — это результат существования системы законов, строгого выполнения правил. Летчик считает, что совершенная безопасность в воздухе достигается умением мастерски управлять своим самолетом, что никакой самолет, если летать на нем мастерски, не может попасть в аварию, если только пилот сам этого не захочет и не заставит самолет в нее попасть.

Авиатор изо всех сил пытается следовать всем известным ему правилам. Летчик нередко поднимается в воздух, когда предписаниями это запрещено, но вполне может остаться на земле, когда согласно правилам летать разрешается.

Авиатор верит, что современные двигатели разрабатывались тщательно и поэтому в воздухе не остановятся. Летчик убежден, что любой двигатель может отказать, поэтому он всегда летает так, чтобы при необходимости можно было спланировать и приземлиться.

Над ними обоими одно и то же небо, их самолеты летают, подчиняясь одним и тем же законам, но высоты, на которых они парят, такие разные, что расстояние между ними даже милями не измеришь.

Поэтому перед новичком с самой первой минуты, проведенной в воздухе, встает выбор, который ему придется сделать, хотя он может даже не догадываться, что вообще делает какой-либо выбор. Каждый из миров полон своих радостей и своих опасностей, в каждом из них сформировалась своя особая разновидность дружбы, которая составляет важную часть любой жизни выше поверхности земли.

«Но вот, мы еще раз бросили вызов силе тяжести». В этой распространенной послеполетной поговорке можно уловить намек на те узы, которые объединяют воздухоплавателей, каждого в своем мире. Оторвавшись от земли, они проверяют себя тем, что предлагает им небо. Самолет и небо бросают человеку вызов, и он — Авиатор он или Летчик — решил, что принимает его. Дальнобойный Авиатор имеет себе подобных друзей по всей стране, его дружеский круг имеет в радиусе тысячу миль. Его соперник, Летчик, выбирает себе надежных друзей среди меньшинства ему подобных, среди тех, кто убежден в правильности своих принципов.

Зачем летать? Спросите Авиатора, и он расскажет вам о далеких землях, куда можно добраться и ощутить их запах и вкус. Он расскажет о кристально-голубых морях в Ниссау, о ярких шумных казино и тихой спокойной реке в Рино, о ковре из сплошного света шириной на весь горизонт, которым предстает перед пилотом ночной Лос-Анджелес, о том, как в Акапулько из океана выпрыгивает марлинь, о насквозь пропитанных историей поселках в Новой Англии, об огненных закатах в пустыне по дороге в Эль-

Пасо, о Большом Каньоне, о Метеоритном Кратере, Ниагаре и вулканических выбросах, которые можно наблюдать с воздуха. Он затащит вас в свой самолет, и через мгновение вы уже будете на скорости двести миль в час нестись в одно из его любимых мест, где вас ждет роскошный вид и управляющий которого — его закадычный друг. После ночного полета домой, запирая в ангаре самолет, он скажет: Авиация — это стоящая штука. Это более чем стоящая штука. Ничто с ней не может сравниться.

Зачем летать? Спросите Летчика, и он станет ломиться к вам в дверь в шесть утра! Затем потащит вас на посадочную площадку и пристегнет к сиденью в кабине своего самолета. Он окутает вас плотным сизым дымом от работающего двигателя или мягкой живой тишиной парения в вышине; он возьмет мир в свои руки и станет вертеть его у вас перед глазами. Он прикоснется к машине из дерева и ткани, и она оживет на ваших глазах. Вместо того чтобы наблюдать скорость из окна закрытой кабины, вы почувствуете ее у себя на зубах, ощутите, как она настойчиво стучится в ваши летные очки, как треплет на ветру ваш шарф. Вместо того чтобы определять высоту по шкале прибора, вы увидите ее как огромное, заполненное воздухом пространство, которое начинается в небе и простирается вниз до самой травы. Вы будете приземляться на скрытых от глаза лужайках, которые не знали в своей жизни ни одной машины, ни одного человека; вы будете парить вдоль горных склонов, с которых сходят вниз снежные лавины, оставляя за собой искристую пелену.

После ужина, отдыхая в мягком кресле, в комнате, стены которой увешаны изображениями самолетов, вы будете ощущать, как вас громом и молнией пронизывает бурное море идей и совершенства, вздымающееся над окружающими вас символами мастерства. К рассвету море поутихнет, и наутро, когда Летчик доставит вас домой, вы будете в состоянии лишь упасть на кровать и уснуть. Вам будут сниться элементы слаженного полета, профиль крыла, восходящие воздушные потоки и стремительное парение у самой земли. В ваших снах будут катиться по небу огромные Солнца, а внизу пестрой шахматной доской будет плыть Земля.

Проснувшись, вы, возможно, будете готовы сделать выбор, выбрать одно из двух — Авиацию или Полет.

Редко встретишь человека, который попал под мощное излучение, исходящее от пилота-энтузиаста, и это на него никак не повлияло. Причиной этому может быть лишь что-то столь же необъяснимое, как и неподвластная расстоянию таинственная сила машин, несущих человека по воздуху.

Авиация или Полет — выбирайте. В целом мире нет больше ничего, что было бы похоже на них.

Голос во тьме

В течение всего времени, которое прошло с тех пор, как я впервые прикоснулся к кнопке включения стартера летательного аппарата, я всегда хотел понять, что же такое в действительности аэроплан. Тысячи часов полета на них в хорошую и не-такую-уж-и-хорошую погоду кое-чему меня все же научили: я узнал, *что* они могут и *чего* некоторые из них не могут. Я узнал, что нужно, чтобы сделать аэроплан, и довольно хорошо понял, почему он не рассыпается на лету. Я узнал, что обшивка приклепывается к стрингерам, которые в свою очередь приклепываются к нервюрам и перемычкам. Механики объяснили мне, что пропеллеры подбираются в соответствии с моторами и что лопасти винта должны быть точно сбалансированы попарно. Я услышал от них, что одни аэропланы скрепляют с помощью специальной проволоки, тогда как для сборки других нужны болты, изогнутые в точности как буква «S».

И все же, несмотря на все мои знания, я никогда не понимал, что в действительности представляет собой аэроплан и почему он отличается от всех других машин.

Несколько дней назад, когда исполнилось ровно шесть лет с тех пор, как я начал летать, я нашел ответ на свой вопрос. Я вышел на аэродром военно-воздушной базы вечером и прислонился к крылу своего старого друга. Вечер был очень тихим, безлунным. Тусклый свет звезд и пара мигающих предупредительных огней очерчивали темный холм в стороне от взлетной полосы, и я дышал спокойным ночным воздухом, звездным светом, алюминием и «JP-4». В ночной тиши я разговаривал со своим другом, которым оказался мой Т-33. Без всяких оговорок, я задавал ему вопросы, на которые никогда не мог ответить сам.

— Что ты такое, аэроплан? Что есть такого в тебе и во всей твоей большой семье, из-за чего столько людей соглашается отказаться от всего, чтобы прийти к тебе? Почему они растрачивают добрую человеческую любовь и заботу на тебя, который состоит всего лишь из стольких-то фунтов стали, алюминия, бензина и гидравлической жидкости?

Легкий ветерок пронесся мимо и присвистнул сам себе, пролетая сквозь шасси самолета. И вдруг я услышал так же отчетливо, как звучит любой женский голос во тьме, ответ моей *Т-Птицы**. Она спокойно разговаривала со мной, и было похоже на то, что она объясняет мне то, о чем мы беседуем с ней время от времени с тех пор, как впервые встретились.

— А что ты такое, — спросила она, — кроме стольких-то фунтов мяса, крови, воздуха и воды? Разве ты не больше, чем это?

— Конечно, — кивнул я в темноту и прислушался к одинокому удаляющемуся рокоту ее сестры, который доносился с большой высоты. Этим звуком она, казалось, прокладывает себе мягкий воздушный путь через тишину ночного неба.

— Так же как ты — это что-то большее, чем твое тело, точно так же и я — это что-то большее, чем мое тело, — сказала она и снова умолкла. Ровный изгиб ее стабилизатора был четким силуэтом на фоне торжественно мерцающего луча прожектора, который медленно вращался на сторожевой вышке.

Она была права. Характер и судьба человека не укладывается между обложками учебника по анатомии. Точно так же характер и судьба самолета не могут быть найдены на страницах руководств инженера-проектировщика авиационной техники. Душа самолета, которую он никогда не увидит и не почувствует, — это нечто такое, что может осознать пилот: стремление лететь. Это небольшая деталь всего представления, которой не должно быть на чертежах, но которая, тем не менее, присутствует. Это дух, скрывающийся в этой причудливой массе истерзанного металла,

* T-bird (слэнг) — учебно-тренировочный самолет Т-33 «Shooting Star».

оперенной тремя лопастями и отрывающейся от земли на аэродроме большой англоязычной страны. Пилот самолета желает летать не на металле, а на самой его душе, и по этой причине он вырисовывает имя на ее капоте. Именно этой душе аэроплана свойственно бессмертие, которое ты можешь почувствовать, когда приближаешься к аэропорту.

Воздух над взлетной полосой, многократно рассеченный лопастями пропеллеров и прожженный ревущими, как Ниагарский водопад, реактивными струями бледного пламени, — это часть бессмертия аэроплана. Неподвижные голубые огоньки, ночью указывающие направление рулежной дорожки на подъезды к взлетной полосе, являются частью его, так же как и вертолет на верхушке вышки, и белая краска, которой написаны на бетоне большие цифры. И даже обычная пустующая грунтовая взлетно-посадочная полоса, которая встречает тебя после сотен миль равнин, стелющихся под фюзеляжем, живет в спокойном ожидании приближающегося рева мотора и черных колес, касающихся травы.

Мы можем нырнуть в небо на DC-8, а не на *Ньюпорт Вистраттере*, и можем сделать это с двухмильной железобетонной полосы, а не с грязного пастбища, но небо, которое бороздит DC-8, — это то же самое небо, которое принимало *Гленна Кертисса, Мик Маннюка* и *Вилли Поста.* Мы можем создать искусственные острова в море и превратить грунтовые дороги, по которым колесили фургоны первых переселенцев, в шестиполосные современные автомагистрали, но небо остается всегда тем же самым небом. Оно грозит такими же опасностями и сулит такие же награды всем, кто путешествует в нем.

Подлинный полет, как учил меня один из моих друзей, начинается тогда, когда дух аэроплана возносит дух своего пилота высоко в ясное голубое небо, где они сливаются, чтобы разделить изысканный вкус радости и свободы. Как грузовики и поезда, аэропланы стали привычными и повсеместно присутствующими рабочими лошадками. Поэтому в наши дни их души и характеры не так легко заметить, как когда-то. Но они все же есть.

Несмотря на то, что нельзя назвать ни одной сферы производства, которая не получала бы преимуществ от использования авиации, и несмотря на то, что существуют тысячи причин, чтобы летать на самолетах, — вначале люди летали только ради полета. Уилбур и Орвилл Райт не предлюжили миру мощных самолетов, чтобы перевозить грузы или устраивать воздушные побоища. Они изобрели их, преследуя ту же эгоистическую цель, которая овладела Лилиенталем, когда он смастерил себе крылья из материи и бамбука и прыгнул с ними со своей пирамиды: они хотели освободиться от земли. Они стремились к абсолютному полету во имя одной лишь радости парения в воздухе. И мы тоже иногда спрашиваем: «Что ты такое, аэроплан?»

Разъездная пропаганда сегодня

Затянув ремни безопасности у двух пассажиров, которые сидели спереди, и закрыв маленькую дверцу их отороченной кожей кабинки, Стью Макферсон на мгновение задержался возле моего ветрового стекла, пока пропеллер разгонялся.

— С тобой двое новичков, и один из них малость испуган.

Я кивнул в ответ, натянул свои защитные очки и, потянув вперед рычаг газа, поднял целый ураган ветра и шума.

Какие это смелые люди! Они победили страх перед всеми кричащими газетными заголовками, где речь шла об авиакатастрофах, они доверились аэроплану, выпущенному почти сорок лет назад, и пилоту, которого никогда не видели, и вот теперь в течение десяти минут они реально будут делать то, что до этого могли совершить только во сне... они будут летать.

Неровная почва сильно бьет по колесам, когда мы начинаем разбег... теперь правую педаль чуть-чуть вперед, и земля уже кажется расплывчатой зеленой массой где-то под нами... назад ручку управления — еще немножко назад, и громыханье биплана, несущегося по земле, прекратится...

Яркий, отражающий солнце биплан состригает верхушки травинок, рвет и рассекает теплый летний воздух вращающимся пропеллером и натянутыми как струна расчалками, а затем взмывает в чистое небо. Мои смелые пассажиры смотрят друг на друга в порыве ветра и хохота.

Мы поднимаемся над травой; все выше, над полем ярко-зеленой кукурузы; и еще выше, над лесом и рекой, затерявшимися где-то на знойных просторах штата Иллинойс. Маленький городок, который на несколько дней стал нашим домом, спокойно раскинулся у реки в тени нескольких сотен тенистых деревьев, овеваемый легким речным ветерком. Город-бастион человечества. Здесь рождались, работали и умирали люди, начиная с первых десятилетий прошлого века. И вот он где теперь, растянулся под нами, когда мы кружим на ветру на высоте девятисот футов. Отсюда видны как на ладони гостиница, кафе, бензозаправка, бейсбольное поле и дети, продающие трехцентовый лимонад на тенистых тротуарах.

Стоило ли быть смелым, чтобы это увидеть? Только пассажиры могут ответить на этот вопрос. Я же просто летаю на аэроплане. Я просто пытаюсь доказать своим примером, что пилот-бродяга, проводящий выездную пропаганду радости полета, сегодня может существовать.

— ВЫ УВИДИТЕ ВАШ ГОРОД С ВОЗДУХА! — Так мы начинаем наш разговор с сотнями маленьких городков. — ДОБРО ПОЖАЛОВАТЬ В НЕБО ВМЕСТЕ С НАМИ, ГДЕ ЛЕТАЮТ ЛИШЬ ПТИЦЫ И АНГЕЛЫ! ПРОКАТИТЕСЬ НА ИСПЫТАННОМ БИПЛАНЕ, ИЗ КАБИНЫ КОТОРОГО ОТКРЫВАЕТСЯ ВОСХИТИТЕЛЬНАЯ ПАНОРАМА, ОСВЕЖИТЕСЬ ТЕМ ВЕТЕРКОМ, ЧТО ДУЕТ В НЕБЕ НАД ГОРОДОМ! ТРИ ДОЛЛАРА ЗА ПОЛЕТ! ГАРАНТИРУЕМ, ЧТО ВЫ НИКОГДА НИЧЕГО ПОДОБНОГО НЕ ИСПЫТЫВАЛИ!

Так мы и летали из города в город, иногда в сопровождении аэроплана-попутчика, а иногда просто вдвоем с моим другом-парашютистом в нашем биплане. Через Висконсин, Иллинойс, Айову, Миссури, и снова через Иллинойс. Достопримечательности всех округов, повторные посещения знакомых мест. Это были спокойные дни, которые превращались в спокойные недели, проведенные нами в летней Америке. Прохладные города вблизи больших озер на севере, выжженные фермерские местечки на юге; мы везде прокладывали свой воздушный путь, и наша яркая, похожая на стрекозу машина приносила на своих крыльях обещание хороших новостей и шанс заглянуть за горизонт.

Мы сами тоже заглядывали за горизонт, даже в большей мере, чем наши пассажиры. И при этом мы видели, что время замирает в своей колее.

Трудно сейчас уже сказать, когда время решило остановиться впервые в одном из маленьких городков Среднего Запада. Однако очевидно, что это произошло в приятное время, в счастливое мгновение, когда минуты вдруг перестали переходить друг в друга, когда подлинное положение вещей перестало изменяться. Время остановилось, как мне кажется, в один из дней 1929 года.

Эти огромные массивные деревья в парке сейчас точно такие же, как они были тогда. Эстрада для оркестра, Главная Улица с высокими тротуарами, универмаг с резными деревянными украшениями в стеклянных витринах, золотистыми вывесками и четырехлопастным вентилятором. Белокаменные церквушки, открытые беседки в сумерках, садовые ножницы, состригающие те побеги, которые выросли в сторону соседского сада. Те же самые велосипеды, лежащие правой стороной вниз рядом с теми же самыми серыми деревянными ступенями крыльца. И мы обнаружили, перелетая из города в город, что мы являемся неотъемлемой частью этой застывшей во времени структуры, нитью, без которой ткань городской жизни не была бы полна. В 1929 году пилоты-путешественники летали по всему Среднему Западу в своих легких, разрисованных, истекающих машинным маслом бипланах, приземлялись на сенокосах и маленьких полосках травы, увлекая всех, кого можно увлечь, и впечатляя всех, кто готов к этому.

Звук мотора нашего аэроплана *Райт* в 1929 году прекрасно гармонировал с музыкой этих вневременных родных городков. Повсюду нас встречали одни и те же мальчишки, за которыми по пятам бежали те же самые пятнистые дворняжки.

— Вот это да! Настоящий самолет! Томми, смотри! Настоящий самолет!

— Из чего он сделан, мистер?

— А можно, мы посидим в кресле пилота?

— Осторожно, Билли! Ты порвешь ткань!

Взгляды, исполненные благоговения, и больше ни слова.

— Откуда вы прилетели?

Самый трудный из всех вопросов. Откуда мы прилетели? Мы прилетели оттуда, откуда всегда прилетают пилоты-путешественники, — откуда-то из-за горизонта, который тянется далеко за поля. И когда мы улетим, мы исчезнем за горизонтом, как всегда исчезаем, поднявшись в воздух.

Но мы сейчас здесь и летим. Двое моих смелых пассажиров забыли о том, как выглядят ужасающие заголовки.

Рычаг газа назад, и рев мотора стихает так, что становится слышным свист воздуха над крыльями и в натянутых тросах и шум рассекающего воздух серебряного пропеллера, который вращается на носу биплана. Сейчас мы кружим над полем, где будем приземляться, чтобы рассмотреть с высоты толпу мальчишек, собаку, темно-зеленого цвета кучу спальных мешков и чехол кабины, который служит кровом для бродячего пилота. Свист ветра, шум пропеллера, снижение над кукурузным полем... медленное снижение и... бам! — мы касаемся земли и катим по неровной поверхности площадки со скоростью пятьдесят, сорок, двадцать, а затем десять миль в час. Теперь заглушенный мотор снова оживает и увлекает наш неуклюже покачивающийся на высоких старых колесах биплан обратно к тому месту, где начался наш полет. Я поднимаю свои защитные очки вверх на кожаный шлем.

Стью подходит к крылу, хотя аэроплан еще не остановился. Он открывает дверцу и помогает пассажирам вновь обрести твердую почву под ногами.

— Ну как, понравилось летать?

Издевательский вопрос. Мы знаем, как им нравится летать, как каждый новичок запоминает навсегда свой полет, когда время в первый раз в его жизни остановилось в небе над одним из городков Центральных Штатов.

— Здорово! Чудный полет! Спасибо, мистер. — И поворачиваясь: — Лестер, твой дом не больше кукурузного початка! Ну, это класс! А город намного больше, чем кажется. Оттуда можно увидеть всю улицу от начала и до конца. Это действительно здорово! Дэн, ты тоже должен попробовать.

Пока мотор тихо вздыхает, а лопасти пропеллера легко вращаются, Стью усаживает в передней кабине новых пассажиров, пристегивает их ремни и закрывает дверцу. Я опускаю защитные очки, толкаю рычаг газа вперед, и новое переживание начинается в жизни еще двоих людей.

В полдень наступает спокойствие. Мы идем, Стью и я, через город, который замер, изнывая от дневного зноя. Он напоминает какой-то причудливый музей. Вот, например, магазин Франклина «Товары по 5—10—25 центов» с медным колокольчиком на двери, который подвешен на пружинке. На стеклянном прилавке стоит целый ящик разноцветных конфет, которые ожидают, пока их разложат по хрустящим белым пакетам. А вон там, возле стены, находятся ряды выбеленных от времени деревянных полочек, которые пахнут корицей. Кроме пыли, на них можно заметить стаканы и несколько тетрадей.

— Чем я могу помочь вам, ребята? — говорит хозяин. Мартин Франклин знает имя каждого из семисот тридцати трех жителей этого городка, но нам бы понадобилось не меньше двадцати лет, чтобы он обратился к нам так, как к своим старым знакомым. Несмотря на то что аэроплан, соединяющий нас с прошлым, стоит всего лишь в четверти мили ниже по Мапл-стрит, это не может сделать пилота и парашютиста частью иллинойсского городка. Пилоты и парашютисты никогда не были и не будут частью ни одного городка.

Мы покупаем себе каждый по открытке и марке, а затем пересекаем душную пустую улицу, направляясь в кафе «Ал и Линда».

Мы съедаем по гамбургеру, которые доставлены нам с кухни аккуратно завернутыми в тонкую белую бумагу, выпиваем по молочному коктейлю и убеждены в том, что видели «Ала и Линду» раньше, может быть, даже во сне.

К концу дня мир изменяется. Мы возвращаемся к знакомому концу Мапл-стрит, к своей единственной реальности. Сюда к нам неизменно приходят люди, чтобы совершить путешествие во времени в нашем биплане, и оттуда, из другого измерения, взглянуть вниз на крыши своих домов.

Неизменное лето. Ясное небо утром, пушистые облака и далекие грозы вечером. Солнечные закаты, которые покрывают землю дымчатой позолотой, а затем обращаются в кромешную тьму под сияющими фейерверками звезд.

Однажды изменились мы. Мы улетели из неизменного маленького городка и попытались пропагандировать полет и катать пассажиров в десятитысячном городе. Полоска травы сменилась аэропортом, на стенах конторы которого были развешены летные карты и всевозможные правила. Все вокруг изменилось.

Но эксперимент не удался. Биплан, летающий над городом, — просто еще один самолет. В городе с населением в десять тысяч жителей время дерзко летит вперед, и мы при этом оказываемся недостойными внимания анахронизмами. Люди в аэропорту смотрят на нас, как на чудаков, постоянно повторяя друг другу, что, должно быть, существует какой-то закон, который мы нарушаем, катая пассажиров в старом аэроплане.

Стью надевает защитные очки и каску, цепляет на себя свое парашютное снаряжение и втискивается в переднюю кабину, всем своим видом показывая, будто он собрался покорять Эверест, а не прыгнуть с парашютом один раз на окраине города в штате Миссури. Этот прыжок — наша последняя надежда выманить пассажиров, и наш дальнейший успех в городе зависит всецело от него. Мы взлетаем по спирали до высоты в четыре тысячи футов и выравниваемся на высоте четыре с половиной как раз в пять часов, когда по всему городу раздаются гудки, возвещающие об окончании рабочего дня. Но для нас нет никаких гудков. Только стабильный рев мотора и шум ветра, когда мы выходим на финишную прямую перед прыжком. Стью молча выглядывает за борт, а я спрашиваю себя, о чем он сейчас думает.

Он вылезает из кабины, и вместе с этим начинается неприятное время. Мы обычно успеваем прокатить от семидесяти до ста пар пассажиров между прыжками Стью с парашютом, и я никак не могу привыкнуть к ощущению, которое возникает, когда я вижу, что пассажир в передней кабине отстегивает ремни безопасности, открывает дверцу, выходит на крыло и прыгает головой вниз с высоты в одну милю над землей. С пассажирами такого не бывает, но вот пожалуйста! Под нами ничуть не меньше мили до земли, а мой друг заботливо закрывает за собой дверцу и поворачивается, чтобы взяться за стойку, держась при этом за край кабины и наблюдая за приближающейся целью.

Биплан тоже не любит таких мгновений. Его трясет и качает, а согласованная симметрия его сторон нарушается, когда на крыле появляется неуклюжая фигура. Я сильно давлю на правую педаль, чтобы продолжать полет в том же направлении и, оглядываясь через левое плечо, вижу, как дрожит соответствующий стабилизатор. Смешанные чувства. Падение будет ужасно долгим и мучительным, но я хочу, чтобы он поторопился, поскорее прыгнул и перестал трясти аэроплан. Аэропорт и город если и существуют, то где-то далеко внизу. Если бы нам удалось прокатить лишь десять процентов жителей города, то по три доллара с носа это было бы...

Стью прыгает. Дрожь покидает аэроплан. Человек на крыле мгновенно исчез и появился внизу с широко распростертыми руками в положении, которое он называет «крест». Похоже на то, что он оступился и провалился. Падая вниз, он вращается, но парашют еще не открылся.

Я делаю резкий вираж и ухожу носом вниз вслед за своим другом, хотя он и говорил мне, что падает со скоростью сто двадцать миль в час и у меня нет никаких шансов поймать его сейчас. Прошло уже много времени, а он все еще падает вниз, как маленький черный крестик на зеленом фоне, приближаясь с бешеной скоростью к твердой земле.

Мы как-то шутили об этом.

— Стью, малыш, если твой парашют не раскроется, я просто без посадки полечу дальше один, к следующему городу.

Он действительно несется что есть мочи вниз. Даже прямо сверху, откуда я сейчас на него смотрю, видно, что он теряет высоту фантастически быстро. И все еще нет парашюта! Что-то не сработало!

— Давай, Стью! — Мои слова улетают за борт так же быстро, как это сделал мой друг. Слова не помогают, они никогда не будут услышаны, но я ничего не могу с собой поделать. — Ну, малыш, дергай!

А он не собирается делать этого. Не открывается ни основной, ни запасной парашюты. Его тело замерло в том же положении — это маленький черный крестик, вращающийся вправо и стремительно падающий отвесно вниз. Слишком поздно. Я содрогаюсь от холода в жарком летнем воздухе.

Но вот в последнюю возможную секунду я вижу, как знакомый бело-голубой рукав выстреливает из ранца основного парашюта. Но так медленно, до боли медленно. Рукав натягивается, ярко-оранжевая ткань появляется и начинает беспомощно болтаться в воздухе, а затем, совсем внезапно, появляется купол парашюта. Теперь он полностью раскрылся и плывет безмятежно и мягко, как пушинка из одуванчика над лужайкой летом.

Вдруг я осознаю, что биплан на большой скорости идет вниз, мотор ревет, тросы скрипят, а ручку управления словно заклинило от урагана, несущегося мне навстречу. Я плавно возвращаю самолет в горизонтальное положение над раскрывшимся парашютом, и через полминуты уже лечу наравне с ним. У него еще было много места... он все еще за тысячу футов над землей!

Я облетаю вокруг веселого купола и очкастого прыгуна, болтающегося тридцатью футами ниже. Он машет мне, а я качаю в ответ крыльями. Я рад, что все закончилось хорошо, малыш, но не кажется ли тебе, что ты раскрыл его немного позже, чем нужно? Я должен еще поговорить с ним об этом.

Я продолжаю кружиться в воздухе, тогда как он уплывает вниз. Он разминает ноги, как всегда, на последних пятидесяти футах — последнее гимнастическое упражнение перед приземлением. Затем создается впечатление, что последние двадцать футов он пролетает очень быстро, будто кто-то внезапно выпустил из купола весь воздух. И вот он падает на землю, валясь с ног от столкновения с ней. Купол еще довольно долго возвышается над ним, а затем медленно ложится рядом на землю, как огромное, сверкающее яркими красками полотнище.

Стью сразу же вскакивает на ноги, подтягивает к себе лямки и машет мне, показывая, что прыжок удался.

Я, в последний раз покачивая крыльями, облетаю над ним круг, затем устремляюсь к земле и начинаю катать пассажиров, которые всегда толпятся вокруг самолета после прыжка.

Но сегодня нет пассажиров. Несколько автолюбителей выстроились в одну линию возле аэропорта, но никто из людей не сделал ни шагу вперед.

Стью поспешно сбирает свой парашют и направляется в сторону автомашин.

— Сегодня есть еще время полетать. Воздух прекрасен и мягок. Кто готов взглянуть на город с высоты птичьего полета?

Не хочу.

Я никогда не летал.

Ты шутишь?

У нас нет с собой денег.

Может быть, завтра.

Когда он возвращается к биплану, я уже растянулся в тени под крылом.

— Должно быть, это какой-то нелетный город, — говорит он.

— Раз на раз не приходится. Ну что, летим сейчас или завтра утром?

— Ты пилот — тебе и решать.

Странное ощущение. Город, конечно, отличается от меньших населенных пунктов, но не это странно, города всегда отличаются.

Дело в том, что время теперь другое. Здесь в городе год 1967. Этот год острыми краями и торчащими углами врезался в нас, делает нас чужими и заставляет нас чувствовать себя не в своей тарелке. Транспорт идет по шоссе, которое пролегло рядом с аэропортом. Современные самолеты взлетают и садятся. Они построены полностью из металла, у них в кабинах большие панели управления, оснащенные радиоаппаратурой, а моторы, которые поднимают их выше облаков, спроектированы по новому образцу, мощные и плавные.

Пилот-бродяга, который пропагандирует радость полета, не может существовать в 1967 году, хотя в то же время он может существовать. Все зависит от места, а места бывают разные.

— Давай улетим отсюда.

— Куда?

— На юг. Куда угодно. Лишь бы убраться подальше.

Через полчаса мы снова в небе на ветру, в окружении рева мотора и свиста пропеллера. Стью окружен всякими принадлежностями нашего ремесла. Я вижу рядом с ним край нашего плаката «ЛЕТИ 3$ ЛЕТИ» и бело-голубой рукав его парашюта, который все еще лежит, упакованный на скорую руку, возвышаясь над бортом кабины. Солнце ослепительно сияет над правым стабилизатором, и мы направляемся куда-то на юго-восток. И не важно, куда мы летим; имеет значение лишь то, что мы сейчас в небе.

И вдруг мы понимаем, куда нас тянуло. На горизонте появляется маленький городишко с деревьями, шпилем церквушки, большим полем на западе и маленьким озерцом. В этом городке мы никогда раньше не были, но мы знаем его во всех подробностях. Мы трижды описываем круг над углом улиц Главной и Мапл-стрит и видим, как несколько человек смотрят на нас, а мальчишки подбегают к своим велосипедам. Мы поворачиваем на запад, и через мгновение пропеллер почти неслышно вращается в воздухе, когда я сбрасываю газ и иду на посадку. И снова старые колеса шуршат по знакомой зеленой траве, а знакомая неровная почва сильно подталкивает нас снизу.

Стью сразу же выскакивает из кабины и с пригласительным плакатиком в руке направляется широкими шагами к дороге, где уже видны первые любопытные местные жители. «ПОСМОТРИТЕ НА СВОЙ ГОРОД С ВЫСОТЫ ПТИЧЬЕГО ПОЛЕТА!»

Я слышу его голос, разгружая наши спальные мешки и прочие принадлежности из кабин. Он звучит отчетливо в прозрачном летнем воздухе.

— ДОБРО ПОЖАЛОВАТЬ В НЕБО ВМЕСТЕ С НАМИ! ГАРАНТИРУЕМ, ЧТО ВЫ НИКОГДА НИЧЕГО ПОДОБНОГО НЕ ИСПЫТЫВАЛИ!

Мы снова там, где мы должны быть. В этом городке мы никогда не были раньше, но чувствуем, что вернулись домой.

Место на земле

Когда находишься в аэропорту, чувствуешь себя не так, как во всех других местах на земле. Как бы ни называлась та страна, где он находится, в аэропорту ты можешь увидеть и почувствовать что-то связанное с реальностью, о которой можно лишь мечтать и рассуждать.

Приди в аэропорт за час до того, как тебе нужно лететь, и просто посмотри вокруг себя, прежде чем твое внимание окажется поглощенным уровнями масла, шарнирами рулей высоты и главной кнопкой ПУСК. Вот ряд легких аэропланов, которые стоят на своих местах в ожидании того часа, когда им нужно будет выруливать на взлетную полосу. Посмотри на них еще раз, проезжая мимо перед взлетом. Вот стоит курносая *Сессна-140* со своим плотно натянутым на ветровое стекло защитным чехлом. Она — не просто аэроплан или набор заклепок и болтов стоимостью две тысячи долларов, а прекрасное средство отдохнуть и насладиться полетом для человека, который желает уйти подальше от проблем тех, кто всю свою жизнь проводит на земле. В следующую субботу, или, может быть, во вторник после обеда, чехол ее ветрового стекла будет снят, а фиксирующие тросы отцеплены. Человек крикнет «От винта!» и забудет об угрозе ядерной войны. Подобные проблемы, равно как и беспокойство о приобретении билетов на транспорт, заполнении формуляров типа «W-2» и квитанций по уплате налогов — все улетит назад вместе с потоком воздуха от пропеллера, чтобы плотно прижать к земле траву за задним колесом. Затем человек улетает, а тросы, которыми крепился аэроплан, остаются свободно лежать на земле.

Дальше по рулежной дорожке, рядом с ангаром, находится легкий двухмоторный самолет с эмблемой компании на фюзеляже.

— Ты устанешь летать после первых четырех или пяти тысяч часов в воздухе, — скажет тебе седой пилот этой компании.

Правда, потом он едва заметно улыбнется, когда яркие лопасти пропеллера его самолета придут в движение, и, если к этому времени он не взял еще свои слова обратно, ты заметишь, что он совсем не устал летать.

Посмотри на взлетную полосу как-нибудь утром, когда на ней никого нет. Она спокойно и уверенно простирается вдаль. Она так проста: всего лишь заасфальтированное поле. Что же тогда придает ей такой загадочный, почти жуткий вид дороги в неизвестное?

Взлетно-посадочная полоса — трамплин к полету. Это константа, которая существует только там, где полет соприкасается с землей. По всей большой стране со всеми ее автострадами, полями, горами и равнинами полет возможен лишь там, где есть взлетная полоса. Самый современный город изолирован без нее. Самая крохотная ферма соединена с жизнью, если вдоль дороги рядом с ней есть ровная полоска грязной земли. Ферма может стоять на отшибе в одиночестве долгие недели, но, если небольшая площадка земли возле нее обладает достаточным терпением, она вскоре получит свое. Всегда может наступить время, когда человек и его аэроплан найдут ее, где бы она ни была на этой земле, и приземлятся, поднимая колесами облака пыли.

Стоял ли ты когда-нибудь в центре пустынной взлетной полосы? Если да, то ты знаешь, что самое впечатляющее в ней то, что она так спокойна. Аэропорты стали синонимами шума и неугомонной деятельности, но на взлетной полосе даже международного аэропорта всегда царит тишина. Шум от разгоняемых моторов, от которого дрожит стекло в окнах зданий, слышен лишь как тихий шепот далеко летящего самолета, если прислушаться, стоя на взлетной полосе. Треск голосов и радиосигналов существует лишь в кабине самолета; взлетной полосе нет никакого дела до слов, которые похоронены на УКВ-диапазоне. Она так же спокойна, как храм, и ты можешь услышать то, что творится за ее пределами, только если прислушаешься. Даже мелкий гравий и камешки, лежащие на краю взлетной полосы, довольно особенны и — составляя часть мира полета — чужды земле, как и сама взлетная полоса.

Когда ты стоишь на широком асфальтированном поле, ты видишь у своих ног свидетельства сотен приземлений самых различных самолетов, пилотируемых самыми разными людьми. Длинные, плавные, заостренные с одной стороны полоски, жирно начерченные черной резиной на асфальте, были нарисованы колесами самолета, которым управлял человек, смотрящий вдаль, но точно знающий, что между колесами и полосой остается еще полтора дюйма. Этот человек десять тысяч раз сажал свой самолет на землю и знает множество фактов о самых разных местах, где есть взлетные полосы.

Короткие, прерывистые линии, бледно начертанные черным по поверхности асфальта, встречаются довольно часто. Они учат, как нужно приземляться. Их вычертили колесами своих самолетов те, чья голова забита информацией о механизме приземления. Они пытаются сосредоточить внимание на том, чтобы подходить к земле под правильным углом во избежание сноса самолета в сторону, чтобы согласовать движение ручки управления и педалей, когда колеса вот-вот коснутся земли, и чтобы не забыть проверить на развороте, не перегрелся ли карбюратор.

Где-то на середине взлетной полосы можно заметить несколько жирных черных полос, за которыми следует еще одна серия таких же полос. Когда-то воздух на несколько дюймов от асфальта прогрелся от горячей дымящейся резины, размазанной здесь по нему. Это было аварийное торможение, когда тормозные колодки намертво заклинили вращающуюся сталь колес. На обочине полосы видны дорожки, которые переходят в жирные черные полосы на асфальте. Сразу же за отметкой середины полосы есть одна изогнутая полоса, которая внезапно заканчивается на краю асфальта; трава, растущая за этой линией, выглядит так, будто она растет здесь так же давно, как и в других местах, но это, конечно же, не так. Когда-то на ее месте была грязная смесь травы, гравия и резины, из чего можно сделать вывод о том, что у старого военного истребителя в прошлом здесь лопнула шина.

Терпеливая память взлетной полосы хранит это все точно так же, как и воспоминания об ослепительных огнях, освещающих ночью низкие облака и долгожданные первые дюймы твердой поверхности под колесами. Она помнит отчетливо перевернутый биплан *Вако*, одна из неподвижных лопастей которого находится как раз на уровне глаз замершей толпы зевак. Она хранит в памяти фейерверк разлетающихся деталей, который возник, когда старый тренировочный самолет приземлился на неисправное шасси.

С этого места больше чем один парень взлетел ввысь, чтобы осуществить свою мечту и взглянуть вниз на облака. Под темным покровом более поздних следов резины сохранились прерывистые полоски, которые сделал при первом приземлении тот летчик-ас, что теперь летает командиром экипажа в рейсах Нью-Йорк — Париж. А вот там еще по-прежнему видны длинные полосы резины, оставшиеся от колес самолета, на котором летал парень из этого города. В последний раз его видели, когда он один вступил в воздушный бой с шестью вражескими истребителями. Были ли эти истребители *Спитфайрами*, *Тандерболтами* или *Фокке-Вульфами-190*, — не имеет значения для этой взлетной полосы. Она бесстрастно хранит на себе почерк смелого человека.

Вот что такое взлетная полоса. Без нее не было бы ни летной школы на краю аэродрома, ни рядов самолетов, ни УКВ-радиоволн, летающих туда-сюда над травой, ни сигнальных огней, которые видны ночью с неба, ни *140-х*, ветровые стекла которых аккуратно защищены чехлами поверх плексигласа.

Здесь были новички и профессионалы. Здесь взлетали и садились тренировочные и боевые самолеты. Здесь были люди, которые оставили после себя след в воздухе, а также те, что поднялись до самых вершин. Их дух отразился в этом волшебном путеводном знаке, в черных полосах на поверхности асфальта, в реве моторов при взлете. Этот дух можно встретить во всех аэропортах от Адака до Буэнос-Айреса и от Аббевилла до Портсмута. Ты прикасаешься к этому духу, когда чувствуешь себя в аэропорту не так, как во всех других местах на земле.

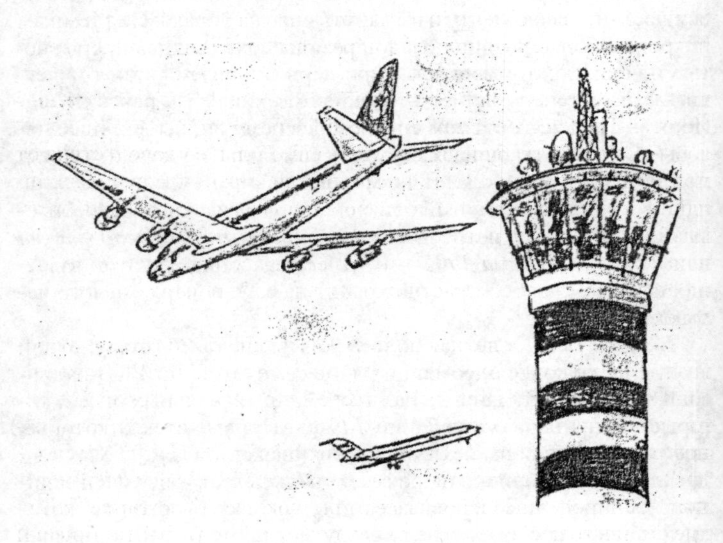

Давай не будем заниматься

Ей было скучно заниматься. Ведь просто быть в воздухе — это так прекрасно! Смотреть на небо! В такой день! Поля стелются теплым бархатом до самого горизонта, и океан... мой великий океан! Давай просто полетаем некоторое время и не будем заниматься медленным полетом... давай смотреть на этот океан!

Что ты скажешь такой ученице? Мы летели на ее собственном аэроплане, на ее новеньком *Эйркупе*, и небо было таким же ясным, как и воздух, промытый ночным дождем. Что ты скажешь? Я хотел объяснить ей так:

— Слушай, ты будешь получать еще больше удовольствия от полетов днем, если научишься мастерски управлять своим аэропланом. Научись этому сейчас, хорошенько изучи возможности машины, и тебе больше никогда не нужно будет думать о ней в воздухе. Потом... ты почувствуешь себя подобно маленькому пушистому облачку. Ты будешь отдыхать в небе, и оно станет твоим домом.

Но я не мог убедить ее в этом ни под шум мотора, ни в спокойной обстановке на земле, хотя пытался сделать это много раз. Ей так не терпелось прыгнуть вперед, окунуться с головой в величественную магию полета, что поэтапное изучение возможностей аэроплана казалось ей страшной обузой. Ей не хотелось думать о потере скорости, крутых виражах и отрабатывании вынужденного приземления. Поэтому, пока мы некоторое время кружили в воздухе, я думал, глядя на поля, море и фантастически прозрачное небо, что бы случилось с ней, если бы в этот погожий день мотор ее самолета вышел из строя.

— Хорошо, — сказал я наконец. — Прежде чем мы сядем, давай отработаем еще один элемент. Давай представим себе, что мы набираем высоту после взлета и вдруг останавливается мотор — прямо на подъеме. Давай проверим, какая тебе нужна высота для того, чтобы развернуть аэроплан, вернуться к взлетной полосе и зайти на посадку по ветру. Давай?

— Давай, — сказала она, но ее это в действительности не интересовало.

Я сымитировал выход из строя двигателя, а затем показал, как заходить на вынужденную посадку, для чего мне понадобилось сто пятьдесят футов высоты от момента выключения двигателя до полной готовности к посадке.

— Твоя очередь.

Она неумело воспользовалась первой попыткой и потеряла четыреста футов. Со второго раза ей понадобилось триста. Третий заход удался хорошо, подобно моему, на который ушло сто пятьдесят футов. Но она не была настроена отрабатывать ситуации с поломкой двигателя и через несколько минут после приземления уже снова говорила об этом чудном погожем деньке.

— Если ты хочешь наслаждаться полетом, — сказал я, — ты должна стать хорошим пилотом.

— Я и стану хорошим пилотом. Ты ведь знаешь, как внимательно я проверяю все перед полетом. Я сливаю воду из всех баков до последней капли — мой мотор не подведет меня на взлете.

— Но он может подвести! Это уже случалось! И со мной тоже!

— Ты летаешь на своих старых аэропланах, а у них моторы вечно останавливаются. У меня же новый мотор... — Она взглянула на меня. — Ну, ладно. В следующий раз мы позанимаемся еще немного. Но скажи, разве это не самый лучший день в *году*?

Через три недели она была сама в *Эйркупе*, а я в *Свифте*, когда наши аэропланы выкатили на исходную позицию перед взлетом в направлении леса. День был снова великолепным, и рядом со мной на сиденье лежал фотоаппарат: я пообещал ей снять, как ее аэроплан парит над полями. Она взлетала первой, и к тому времени, когда мой *Свифт* разгонялся на полном газу, ее *Эйркуп* уже набирал высоту.

Как только я оторвался от земли и убрал шасси, я заметил, что *Эйркуп* поворачивает направо, а не налево на высоте двести футов над землей. «Что она делает?» — подумал я.

Эйркуп не набирал высоту. Он снижался, круто поворачивая над деревьями, и его пропеллер стоял, как мельница в безветренную погоду. Абсолютно неожиданно, после прекрасного разбега ее мотор отказал на взлете.

Я был ошеломлен, беспомощно наблюдая за происходящим. Ведь она только начинающий пилот! Так не честно! Это должно было случиться *со мной!*

Впереди и по бокам для приземления места не было; везде тянулся дубовый лес. Если бы она была немного ниже, ей бы пришлось садиться на деревья, но, к сожалению, высоты для разворота хватило, и она летела обратно к месту взлета.

Было ясно, что до главной взлетно-посадочной полосы она не дотянет, но, может быть, поперечная окажется достаточно широкой.

Я был уже на высоте сто футов, когда *Эйркуп* спланировал подо мной в противоположном направлении. Его крылья были немножко наклонены, а колеса задели крайние деревья на высоту человеческого роста. Она смотрела прямо перед собой, сосредоточив все свое внимание на приземлении.

Мой *Свифт* после резкого виража быстро пошел на снижение над поперечной взлетной полосой. Я видел, как *Эйркуп* коснулся земли перед асфальтом полосы, прокатил поперек нее сотню футов по асфальту и въехал в траву с другой стороны. Слабая передняя стойка шасси не продержалась и трех секунд, повернув аэроплан в облаке желтой пыли и заставив содрогаться его хвост, торчащий высоко над землей. Почему это случилось не со мной?

Когда я подкатил к этому месту с дымящимися тормозными колодками, фонарь *Эйркупа* отъехал назад и она встала в кабине в полный рост, нахмурившись.

Я забыл и думать об утешениях.

— С тобой все в порядке?

— Да, все. — Ее голос был спокоен. — Но посмотри на мой несчастный самолетик. У него было шасси, и вот теперь его нет. Как ты думаешь, он сильно поврежден?

Пропеллер, капот и радиатор были повреждены.

— Мы починим его. — Я помог ей выйти из кабины на наклоненное крыло. — Однако у тебя неплохо получился этот маневр. Ты прекрасно выдержала высоту, пролетая над последними деревьями, ты воспользовалась каждым имеющимся дюймом. Если бы не эта передняя стойка, которая не крепче спички...

— Действительно ли я сделала все возможное? — Влияние инцидента чувствовалось только в том, что она хотела слушать мои объяснения. Обычно ее совсем не интересовало то, что я знал или думал. — Я собиралась развернуться и приземлиться на взлетную полосу не поперек, а вдоль. Но мне просто не хватило высоты. Когда осталось уже совсем немного, я решила, что лучше будет, если я выровняюсь и сяду.

Чем больше я стоял здесь и смотрел на то пространство, в котором ей удалось приземлить свой аэроплан, тем более мне становилось не по себе. После минуты или двух изучения обстановки я начал спрашивать себя, смог ли бы я выйти из затруднения так же хорошо, как она, и чем больше я себя спрашивал, тем сильнее сомневался в этом. Несмотря на весь мой опыт посадок аэропланов с отказавшим двигателем, несмотря на то, что мне часто приходилось садиться вне аэропорта на маленьких площадках в поле, я сомневался в том, что смог бы справиться с приземлением на *Эйркупе* лучше, чем эта моя ученица, которая не хотела заниматься, растрачивая время уроков на прямой горизонтальный полет и рассматривая с воздуха поля и море.

— Знаешь, — сказал я ей позже, и в моем голосе прозвучало немного больше уважения, чем я хотел показать, — эта посадка... была совсем неплохим маневром.

— Спасибо, — сказала она.

Мотор вышел из строя в результате образования воздушной пробки в трубке подачи топлива, и когда мы отремонтировали аэроплан, мы поставили новую трубку, чтобы этого не повторилось. Но я продолжал думать о том, как ей удалось так хорошо сесть. Может, ей помог опыт, который она получила в тот день, когда мы три раза имитировали поломку-двигателя-на-взлете? Трудно поверить, что она тогда чему-то научилась — ведь она занималась тогда только в угоду мне. Я начал верить в то, что она уже имеет в себе все необходимые ей в жизни навыки и просто хладнокровно ожидает того момента, когда их нужно будет применить. Я думал о том, может ли быть так, что умение управлять самолетом присутствует в ней, независимо от моих попыток ее чему-то научить. В конце концов я решил, что, наверное, все, что нам нужно знать о чем бы то ни было, всегда уже имеется у нас и ожидает того мгновения, когда мы обратимся к нему.

Я сказал об этом ей, и теперь она уже верила мне — ведь оказывается, что даже новые моторы могут выходить из строя на взлете.

Но я по-прежнему считаю сейчас, что бывают случаи, когда летный инструктор — это не более чем приятный компаньон девушки, которая хочет полетать на аэроплане в погожий день.

Путешествие в совершенное место

Поле было покрыто травой штата Миссури. Это, пожалуй, все, что о нем можно было сказать. Окружающие холмы ощетинились деревьями, а с одной стороны было озерцо, в котором можно было искупаться. Вдали виднелась грязная дорога и ферма, но наше внимание с воздуха привлек этот бархатный зеленый квадрат, цвет которого был цветом густой глубокой травы.

Мы приземлились на двух небольших аэропланах, чтобы разжечь огонь у озера, расстелить наши спальные мешки и приготовить себе ужин на костре, глядя, как заходит солнце.

— Эй, Джон, — сказал я, — не такое уже и плохое местечко, не правда ли?

Он смотрел на догоравший закат и на то, как его отблески движутся по воде.

— Это хорошее место, — сказал он после паузы.

Но вот что странно: хотя это и было прекрасное место для полетов, мы не хотели останавливаться здесь больше, чем на одну ночь. За это короткое время поле становится знакомым и немножко скучным. К утру мы уже были готовы подняться в воздух и уступить озеро, траву и холмы лошадям.

Через час после восхода солнца мы уже были на высоте двести футов в воздухе, бороздя небо двумя аэропланами, пролетая над полями цвета молодой кукурузы, над старыми лесами и глубоко вспаханной землей.

Бетт некоторое время управляла аэропланом, соблюдая дистанцию до второго самолета, а я выглядывал через борт вниз и спрашивал себя, существует ли где-нибудь во всем этом мире хоть одно совершенное место. Может быть, именно его мы ищем все это время, думал я, летая на наших движущихся горных вершинах, построенных из стали, дерева и ткани. Может быть, мы желаем найти одно-единственное идеальное место где-то на поверхности земли, и когда заметим его, мы спланируем вниз, чтобы приземлиться и больше никогда не чувствовать нужды лететь дальше. Возможно, пилоты — это просто те люди, которые несчастны в местах, где они уже бывали, и как только они обнаружат это одно заветное место, где они могут быть счастливы на земле, как и все другие люди, они продадут свои аэропланы и не будут больше всматриваться в горизонт, путешествуя под облаками.

Наши разговоры о прелестях полета, должно быть, являются разговорами о прелестях побегов. Ведь даже само слово «полет» в английском языке является синонимом слова «побег». В то же время, если бы мне удалось за этой небольшой полоской деревьев разглядеть свое идеальное место, у меня больше не возникло бы желания летать.

Эта мысль показалась мне неприятной, и я посмотрел на Бетт, которая лишь улыбнулась, не отрывая взгляда от другого аэроплана.

Я снова огляделся по сторонам и заметил, что земля под нами на какое-то мгновение превратилась во все самые прекрасные места, которые я видел. Вместо фермерских угодий внезапно под нами заиграло море, и мы начали заходить на посадку на небольшую полоску ровной поверхности, вырубленную на кромке океанского побережья, нависающего над водой. Вместо фермерских полей вдруг показался Мегз-филд, который находится в десяти минутах ходьбы от неисследованных джунглей штатов Чикаго и Иллинойс. Вместо полей я увидел Траки-Тахоу, окруженный со всех сторон острыми, как бритва, вершинами горного массива Сьерра. Вместо полей внизу оказались Канада, Багамские острова, Коннектикут, калифорнийская Баджа, днем и ночью, на закате и на рассвете, в ненастье и в хорошую погоду. Все эти места были интересны, большинство из них прекрасны, некоторые просто великолепны. Но ни одно из них не было совершенным.

Затем снова внизу появились фермерские угодья, а мотор заработал сильнее, когда Бетт прибавила газу, чтобы последовать за *Аэронкой* Джона и Джоан Эдгренов на высоту первых летних облаков. Она передала мне управление аэропланом, и я почти забыл все, что думал о полетах, побегах и идеальных местах.

Но не совсем. Существует ли на земле такое место, которое может положить конец потребности летать у того пилота, который его нашел?

— Замечательные облака, — сказала Бетт, перекрикивая мотор.

— Да.

К этому времени облака уже заполонили все небо, разрастаясь своей белоснежной массой по направлению к солнцу. У них были отчетливые, яркие края. Можно было лететь, задевая облако крылом, но не ухудшая при этом видимости перед ветровым стеклом. Вокруг нас проплывали, клубясь, большие снежные глыбы, исполинские скалы и бездонные пропасти.

Именно в это время ответ на мой вопрос откуда-то возник и похлопал меня по плечу. Ведь само небо — это и есть та сказочная земля, к которой мы стремимся, к которой мы летим!

В облаках не встретишь валяющихся баночек из-под пива и сигаретных упаковок. Здесь нет уличных знаков, светофоров и бульдозеров, которые превращают воздух в бетон. В небе не о чем беспокоиться, потому что все здесь всегда одно и то же. Но и не скучно, потому что все здесь всегда меняется.

Что вы можете знать об этом! — думал я. — Наше единственное идеальное место — это само небо! Я взглянул на *Аэронку* и засмеялся.

Мертвые петли, голоса и страх смерти

Это должна была быть простая мертвая петля, фигура высшего пилотажа, которую проделывают высоко над землей, просто ради удовольствия. Ветер с ревом продирался сквозь туго натянутые расчалки моего аэроплана со скоростью сто миль в час, и я поднял нос аэроплана вверх, набирая высоту, затем летел вертикально, затем продолжал взлетать вверх на перевернутом самолете... и вдруг в верхней точке мотор заглох, и я повис на ремнях вниз головой над тридцатью двумя сотнями футов прозрачного и пустого воздуха. Ручка управления бездействовала в моей руке, а самолет, лениво переваливаясь с боку на бок, начал медленно выпадать из неба, как гигантская ладья. Песок и солома, которые лежали на дне кабины, посыпались вниз по моим очкам и лицу. Ветер перестал выть равномерно и стал как-то странно посвистывать. Это напоминало агонию тридцатифутового шмеля.

Нос аэроплана ничто не заставляло обратиться в направлении к земле, мотор упрямо не заводился, и я впервые в своей жизни оказался пилотом самолета, который просто падал вниз... его кто-то поднял над землей и отпустил.

Сначала я был раздосадован, затем у меня возникло плохое предчувствие, когда я понял, что органы управления не работают, и вдруг меня охватил страх.

·Мысли вспыхивали передо мной, как сигнальные ракеты: мой самолет вышел из-под контроля, и у тебя еще есть время, чтобы выпрыгнуть с парашютом; но при этом мой самолет разобьется;

это была совсем безобидная петля; я — самый никудышный пилот; почему я не могу управлять *падением;* ведь самолеты никогда так не падают; нужно направить нос к земле...

Все это время наблюдатель, находящийся за моими глазами, с интересом следил за происходящим. Его совсем не волновало, останусь ли я жить или погибну. Другая часть меня была панически испугана и вопила, что это очень серьезно, что ей это совсем не нравится. ЧТО Я ЗДЕСЬ ДЕЛАЮ?

Что я здесь делаю? Я могу поклясться, что этот вопрос обрушивается на каждого пилота, который встречается лицом к лицу с опасностью. Когда Джон Монтгомери начал отрезать веревку, соединявшую его планер с воздушным шаром, который поднял его над землей, он обязательно спрашивал себя: «Что я здесь делаю?» Когда Уилбур Райт понял, что не сможет выровнять крылья прежде, чем его *Флайер* столкнется с землей; когда пилоты-испытатели понимали, что *Игл-рок Буллет* или *Салмсон Скай-Кар* после пятнадцати оборотов в штопоре не могут выйти из него; когда пилоты почтовых самолетов, сбившись с пути в тумане над морем, осознавали, что мотор заглох, использовав последнюю каплю горючего, — все они слышали этот вопрос, произносимый внутри испуганным голосом, хотя, возможно, у них не хватило времени ответить на него.

Поговорка гласит, что тот пилот, который утверждает, что никогда не был испуган, — либо глупец, либо обманщик. Наверное, бывают исключения, но их немного.

Когда я учился летать, самым трудным для меня был штопор. Боб Кич обычно сидел спокойно на правом сиденье *Ласкомба* и говорил: «Сделай мне три оборота вправо». Я ненавидел его за это, становился напряженным, как сталь, и с ужасом ожидал тех мгновений, которые должны вот-вот последовать. Отводя ручку управления назад, я сильно давил на правую педаль, и мое лицо становилось бледным, как старое мыло. Я выдерживал это испытание, прищурив глаза для того, чтобы считать обороты. Когда я снова возвращался к нормальному полету, я с болью понимал, что знаю, что он собирается мне сейчас сказать. Он собирается сказать: «А теперь сделай мне три оборота влево». И Кич, сидя рядом со сложенными руками, говорил: «А теперь сделай мне три оборота влево».

Однако этот час уходил в прошлое, мы заходили на посадку, а затем приземлялись, и стоило мне только коснуться ногой земли, как все мои страхи улетучивались и я вновь горел желанием подняться в небо.

Что я здесь делаю? Пилот-ученик слышит в своих ушах этот вопрос, когда, летая над пересеченной местностью, не может в течение тридцати секунд найти ориентир для посадки. Многие другие пилоты слышат его, когда погода меняется от хорошей в сторону не-такой-уж-хорошей, или когда мотор начинает работать с перебоями, или когда температура масла выходит за красную черту, а его давление при этом понижается.

Одно дело — разговаривать о том, как здорово летать, развалившись в кресле летной конторы, а совсем другое — почувствовать себя высоко в небе на самолете, мотор которого взорвался, заливая ветровое стекло жидким золотистым маслом, а внизу имеется лишь *небольшое* овсяное поле на вершине холма, которое может подойти для посадки, причем с одной стороны поля находится забор.

Когда со мной это случилось, в течение всего времени, пока мой самолет снижался, у меня в голове непрерывно происходил диалог, или, если быть более точным, звучало два монолога. Одна часть меня стремится к тому, чтобы сделать все возможное для удачной посадки: поддерживать постоянной скорость снижения, отключить магнето и подачу топлива, точно рассчитать место, куда нужно спланировать, сделать еще один круг над местом посадки, чтобы высота была как раз оптимальной... Другая часть, перепугавшись, нечленораздельно бормочет:

— Ага! Ты испугался, разве не так? Большой ас, ты летал на всевозможных аэропланах и думаешь, что любишь летать, но сейчас ты «испуган»? Сначала ты боялся, что мотор загорится, а теперь ты боишься, что не сможешь приземлиться, не так ли? ТЫ — ТРУС. ТЫ — ХВАСТУН И БОЛТУН. СЕЙЧАС ТЕБЕ НЕ

ПОВЕЗЛО, И ТЫ МЕЧТАЕШЬ О ТОМ, ЧТОБЫ БЫТЬ НА ЗЕМЛЕ, ПОТОМУ ЧТО *БОИШЬСЯ*!

В тот день мы довольно удачно приземлились, и хотя винт не вращался, масло залило аэроплан и образовало под действием ветра на его поверхности неожиданно красивые узоры, я был горд, как павлин, что мне удалось посадить его без единой царапины. Но даже тогда, когда я поздравлял себя с удачным приземлением, я помнил тот издевательский голос, который говорил мне, как я был испуган. Мне пришлось признать, что голос был прав. Но как бы то ни было, — вот стоял мой самолет, мастерски посаженный на овсяное поле.

Вопрос «Что я здесь делаю?» не обязательно должен иметь ответ. Голос, который его задает, надеется, что мы ответим ему бездумно: «Мне не следовало быть здесь вообще. Человек не рожден для того, чтобы летать, и если я выйду из этой переделки живым, я никогда больше не буду настолько глупым, чтобы летать снова». Голос доволен только тогда, когда мы не делаем вообще ничего, когда мы полностью бездействуем. Вот какой это парадоксальный голос. Перед лицом смерти он учит нас дорожить жизнью.

Для того чтобы заставить время течь медленно, нужно всегда скучать. Когда человек скучает, минуты кажутся месяцами, а дни тянутся, словно годы. Поэтому, если мы хотим прожить самую длинную из всех возможных жизней, нам нужно закрыться в пустой серой комнате и сидеть в ней годами, ничего не ожидая. Вот какой идеал проповедует этот голос — мы должны оставаться в этом теле, в этой комнате как можно дольше.

Вопрос «Что я здесь делаю?» имеет и другой ответ. Однако предполагается, что его-то нам не отыскать... Он гласит: «Я живу».

Помнишь, когда ты был еще ребенком, каким испытанием для тебя была вышка в бассейне? Наступило мгновение, когда ты после многих дней разглядывания ее снизу наконец поднялся по холодным влажным ступеням на ее высокую платформу. Отсюда она казалась тебе еще выше, чем когда-либо раньше, а вода выглядела такой, будто ты на нее смотришь с высоты в тысячу футов. Возможно, тогда ты слышал этот вопрос: «Что я здесь делаю? Почему я вообще оказался в этом месте? Я хочу вернуться туда, где мне ничего не угрожает». Но вниз вели только два пути: ступеньки означали поражение, а прыжок — победу. Других возможностей не было. Можешь стоять на вышке сколько хочешь, но рано или поздно ты должен сделать выбор.

Ты стоял на краю, смертельно испугавшись, дрожа под лучами палящего солнца. И вдруг ты наклонился вперед слишком сильно, отступать было поздно, и ты нырнул с высоты. Помнишь это? Помнишь, какая радость выталкивала тебя обратно на поверхность, когда ты вынырнул, как дельфин, и, истекая водой, закричал «УРА!» Вышка была покорена в этот миг, и ты провел остаток дня, поднимаясь по ступеням и ныряя в воду из чистого удовольствия.

Мы живем, поднимаясь на тысячи различных вышек. Победив страх тысячу раз, совершив тысячу прыжков, мы становимся людьми.

В этом прелесть полета, который манит нас, как песня сирены. Полет — это твой шанс, летчик, победить страх в самом большом масштабе, поднимаясь в прекрасную лазурную страну. Ответом для любого страха, будь это страх перед вышкой или перед штопором на самолете, есть знание. Я знаю, как управлять телом, когда отталкиваюсь от края вышки, поэтому вода не причинит мне зла. Я знаю, как зафиксировать угол поворота руля направления и как педаль приводит его в движение. Я знаю, что мир превратится в размытое пятно, подобно вращающемуся зеленому пропеллеру, и что ручка управления не будет слушаться моей руки. Я знаю, что для того, чтобы прекратить вращение, нужно будет нажать на другую педаль, и сделать это будет нелегко. Однако я знаю, что могу нажать на нее, и вращение сразу же прекратится. Пройдет еще немного времени, и я буду взмывать ввысь и делать штопор с вращением ради удовольствия.

Мы боимся только неизвестного. Когда облака ощущаются вокруг нас, например, мы не боимся, если в поле зрения есть посадочная полоса. Мы страшимся лететь слишком низко, когда не знаем, что находится под нами... поля, холмы или верхушки деревьев. Посадка на поле тоже опасна, если мы никогда раньше не приземлялись на полях. Но если мы приземлялись на полях уже многие годы, если мы знаем, к чему присматриваться с воздуха при выборе подходящего места, посадка на незнакомое поле пугает не более, чем посадка на длинную бетонную полосу.

Вся наша жизнь, говорят некоторые люди, — это возможность победить страх, а любой страх является тенью страха смерти. Ученик, который судорожно сжимает ручку управления, предчувствует смертельную опасность. Его инструктор, сидящий рядом, говорит: «Не беспокойся. Расслабься. Смотри, ты поднимаешь руки, а самолет летит мягко, как пушинка...» Он доказывает своим присутствием, что смерти поблизости нет.

Каждый пилот вначале преодолевает страх перед полетами на малой высоте. Вначале мы знаем аэроплан и себя лишь настолько, что можем летать по кругу над площадкой в солнечные дни. Затем мы узнаем больше и переходим к полетам в тренировочной зоне; затем мы вылетаем в мир в облачную погоду и в дождь, над морями и над пустынями — везде мы летим без страха. И все это потому, что мы знаем аэроплан и себя. Мы становимся все более похожими на людей и боимся только тогда, когда теряем контроль.

Мы научились избегать ситуаций, которые мы не можем контролировать, что означает, что мы начали одолевать глупость. «Никогда не летай в грозу» — эту аксиому большинство пилотов принимают, не пытаясь ее проверить. «Никогда не доверяй свою жизнь ненадежному мотору» — эту аксиому не так уважают. Ее обычно не принимают во внимание те, кто никогда не сталкивался с отказом двигателя в воздухе. Те пилоты, которые летают без парашютов ночью над пересеченной местностью или над морем в тумане, не имеют ни малейшего представления, где приземлиться, если мотор выйдет из строя. Таким образом, они рискуют попасть в ситуацию, которую они не смогут контролировать.

Когда летишь в проверенном, зарегистрированном, современном, фирменном самолете и вдруг в моторе заклинивает коленвал, не срабатывает клапан или заканчивается топливо, несмотря на то что индикатор показывает ПОЛНЫЙ БАК, охватывает ужасное сквозящее чувство. Это чувство хуже, когда некуда приземлиться, и еще хуже, когда нет возможности воспользоваться парашютом. Оно переходит в полное отчаяние, когда человек обнаруживает себя беспомощным пассажиром, пойманным в ловушку в своем собственном аэроплане.

Конечно, сотни пилотов бесстрастно летают в ночной темноте и через мили непроглядного тумана, но их спокойствие при этом основывается не на знании и контроле ситуации, а на слепой вере в кучку металлических деталей, из которых собран двигатель. Их страх не побежден, он просто утоплен в реве этого мощного устройства. Когда этот звук изменяет нам в воздухе, страх возвращается, еще более сильный, чем когда-либо. Наша безопасность гарантирована не проверкой и не патентованностью конструкции мотора, а тем, как хорошо мы умеем летать.

Меня называли Дьявольским Асом за то, что я не отказывался подниматься в воздух с узкой взлетной полосы, перед которой находились холмы и деревья. Я был Безумным Безответственным Дикарем, потому что поднимал кончиком крыла с земли носовой платок, но Сверхосторожным, потому что решил не летать ночью без парашюта. Все же я считаю, что страх — это нечто такое, что нужно победить в честном поединке, а не игнорировать или заметать под коврик иллюзии о надежности двигателей. Страх, страх — ты достойный противник.

Мой биплан падал вниз, кувыркаясь и вздрагивая. «*Что я здесь делаю?*» — завизжал знакомый голос. Ответ пришел через секунду. Я живу. И я выпрыгну с парашютом, если не смогу контролировать падение самолета на высоте двух тысяч футов. На этой высоте я отстегну ремень, который прижимает меня к сиденью, и свободно покину аэроплан, а затем потяну за кольцо парашюта. Стыдно было бы потерять его потому, что я не умею сделать обычной мертвой петли. Я этого себе никогда не прощу.

Медленно, как большой летающий шкаф, мой биплан повернулся носом вниз. Ужасное вибрирующее дрожание начало понемногу затихать, и поток воздуха в ветровое стекло стабилизировался. Возможно...

Мы пронеслись через отметку две тысячи футов, направляясь вниз. Органы управления снова работали, а мотор запустился, кашлянул и снова заработал. «Ну, парень, — сказал голос. — На этот раз тебе повезло, но вначале ты испугался, как крыса. Ты испугался насмерть. Эти полеты не для тебя, разве не так?»

Мы снова поднялись на высоту три тысячи футов и ушли носом вниз до тех пор, пока ветер снова не заревел, продираясь сквозь туго натянутые расчалки со скоростью сто миль в час. На этот раз мы с бипланом сделали хорошую компактную мертвую петлю. Затем еще одну и еще.

Что мы здесь делаем? Побеждаем страх смерти, конечно. Почему мы сейчас в воздухе? Можешь ответить, что мы постигаем, что значит жить.

Вещь под диваном

Начнем с того, что ремни безопасности в этих аэропланах отличаются от наших. Вместо американской лямки с пряжкой они используют приспособление с четырьмя застежками, которое так приковывает человека к кабине, что он чувствует себя мухой, запутавшейся в паутине. Парашюты здесь тоже не такие. Вся подвесная система парашюта крепится к одному стальному блоку. Достаточно лишь повернуть этот блок и посильнее ударить по нему, и весь парашют сразу же отцепляется. Все ездят не с той стороны аэродромных дорог и к тому же говорят с сильным ирландским акцентом о бензине и карбюраторах, о разворотах с остановкой и двойных переворотах, а не о *хаммерхедах* и *снэпах*, о кругах, а не о тренировочных площадках, о нижних станках, а не о шасси. В Ирландии нетрудно чувствовать себя одиноким иностранцем.

Аэродром представляет собой большой зеленый квадрат со стороной три тысячи футов, на котором пасется стадо похожих на шерстяные шарики овец. Их легко можно отпугнуть, сделав перед посадкой круг над полем на небольшой высоте.

Над этим полем однажды в воскресенье после обеда появилась новая модель *Тэйлоркрафта*, оснащенная целиком стеклянной кабиной и небольшим рядным двигателем, который при ближайшем рассмотрении оказался «Остером». Пилота звали Билли Рирдон, и первое, что он сделал после того, как мы с ним познакомились, было предложение одинокому иностранцу покататься в его аэроплане.

Это смахивало на один из научно-фантастических романов о путешествиях в параллельные миры, когда жизнь кажется будто бы обычной, но не совсем. Пропеллер вращается по часовой стрелке вместо того, чтобы вращаться против нее, как в Америке; ручка управления соединена не с тросами под полом кабины, а с каким-то непонятным узлом соединений за приборной панелью; стрелка прибора, измеряющего число оборотов двигателя, не движется медленно от низких оборотов до высоких, а перемещается скачками, будто ее показывают на киноэкране и пленка время от времени заедает.

И все же, «Остер» поднял нас в воздух и понес над скалами и зелеными холмами в небо, удивительно похожее на родное американское. Мы летели минут двадцать, и все это время Билли Рирдон показывал возможности своего аэроплана, как это делал бы на его месте, мне кажется, пилот любой другой страны. Мои две попытки посадить его аэроплан оказались одними из самых неудачных, которые я когда-либо предпринимал, но Билли тактично настаивал на том, что у меня есть на то оправдание.

— Не меньше часа уходит на то, чтобы привыкнуть к нему, честное слово. С выключенным двигателем он может лететь со скоростью двадцать восемь миль в час — ты можешь коснуться земли и, как только начнет подниматься пыль, снова взлететь!

Я был очень признателен Билли Рирдону за его слова.

Затем через несколько дней я принял приглашение пообедать в доме Джона Хатчинсона, англичанина, который работает летчиком на *ВАС-111* в дублинской авиакомпании «Aer Lingus». Он купил себе аэроплан *Моран* 1930 года выпуска, а недавно впервые полетел на нем после длительного ремонта. На стенах его комнаты было множество фотографий аэропланов — точно как у меня дома; у него, как и у меня, оказалось несколько полок книг по авиации.

После обеда мы разговаривали, и он неожиданно произнес: «Давайте я вам покажу... самую прекрасную...» Затем он стал на четвереньки и начал шарить рукой под диваном в своей гостиной. Через некоторое время он вытащил оттуда что-то тяжелое. Оказалось, что это цилиндр от мотора *Сальмсон*, установленного на его *Моране*, мощность которого составляет двести тридцать лошадиных сил.

— Разве не чудная вещь?

Цилиндр был чернильного цвета, но его отточенные края поблескивали в комнате, в которую заглядывало солнце.

Кому, думал я, скольким людям он может сказать так, кому он может признаться, что у него под диваном в действительности валяется деталь от старого мотора? Наверное, он может заговорить о ней только с жителем своей страны — неба. Я был польщен.

— Да, это великолепный цилиндр, Джон. Великолепный. А что это такое здесь? Три отверстия для свеч?

— Нет, это отверстие для воспламенителя...

Через неделю я познакомился еще с одним пилотом компании «Aer Lingus», аэроплан которого, *Тайгер Мот*, стоял на том же зеленом овечьем поле, с которого я взлетал. Голос Роджера Келли, если не принимать во внимание дублинский акцент, звучал так же, как голоса, которые я все чаще слышал в последние несколько лет.

— Тот факт, что на твоем удостоверении летчика написано «Пилот транспортных самолетов», не означает, что ты летаешь лучше других, — сказал он. — Может случиться, что в один прекрасный день пилот, который летает, чтобы зарабатывать деньги, потеряет все. Его кабина разлетится на куски, или случится что-нибудь с мотором, и тогда ему придется показать, как он умеет летать, пользуясь лишь ручкой управления и педалями.

Его слова нельзя, наверное, принимать буквально, но ясно, что он имел в виду то разочарование, которое говорило устами пилотов спортивных самолетов:

— В тот день, когда они заставили меня установить на моем *Моте* радиопередатчик, я прекратил летать.

Приблизительно в это время, мне кажется, я наконец понял, что пилот, оказавшийся за пределами своей страны, вовсе не обязательно должен чувствовать себя посторонним. В какой бы части мира он ни путешествовал, может случиться, что под диваном окажется цилиндр от двигателя аэроплана; может случиться и так, что другой пилот, который положил туда цилиндр, тоже находит его великолепным.

Спальный мешок за 71000$

Ничего особенного, я должен был просто перегнать самолет *Сессна Супер Скаймастер* с завода изготовителя в Уичите к заказчику в Сан-Франциско. Ничего примечательного не могло случиться во время такого обычного перелета, и действительно, ничего особенного не произошло. Неожиданные события случились на земле.

Скаймастер и я приземлились в Альбукерке поздно вечером и откатили в дальний западный конец поля, где находилась территория, арендованная дилером фирмы «Сессна». Я сходил в новое здание аэровокзала, чтобы съесть тарелку супа и горсть крекеров, и где-то около полуночи возвращался обратно к самолету.

Иногда, когда я лечу на самолете, на котором я обычно не летаю, я разыгрываю для себя роль того, кто в соответствии с моими представлениями может летать на таком самолете. Подходя к *Скаймастеру*, я почувствовал себя пилотом-администратором, который приближается к самолету своей компании. Вот как выглядит типичный пилот-бизнесмен: все сухо и точно; факты и цифры; маленький дипломат черного цвета, наполненный деловыми бумагами, — ты знаешь, о ком я говорю. И это был я, идущий в темноте и пытающийся определить, насколько сейчас погода благоприятствует полету, хотя я и не собирался лететь до утра. Прохладно. Безмозгло. Хватит чепухи!

Идя вот так, подобно бизнесмену, направляясь от улицы к тому месту, где стояли самолеты, проходя мимо низкого решетчатого заборчика, я вдруг заметил силуэт *Скаймастера* на фоне луча мощного прожектора... два неподвижных заостренных киля, кажущиеся абсолютно черными на фоне освещенного пространства. Я тут же почувствовал сильный порыв привязанности к самолету.

Это все потому, что мы с ним взмывали в небо днем, подумал я, и летели навстречу ветру.

Привязанность к самолету. Почему-то я никогда не думал о том, что деловые пилоты могут испытывать такие чувства. Но они действительно могут.

Это была первая неожиданность.

На крыше ангара «Сессны» установлен громкоговоритель, настроенный на диспетчерскую частоту и включенный довольно громко, чтобы служащий ангара мог знать, когда самолеты садятся, и был готов просигналить прилетевшему о возможности заправки. В это время громкоговоритель издавал только шум усилителя. Внезапно он разразился потоком слов, которые произносил голос парня, летящего где-то в невидимом ночном небе.

— Прием, диспетчер Киртланда, прием. *Твин Бич-9 номер шесть Бейкер Кайло* входит в зону аэродрома и просит разрешения на посадку.

Никакого звука в небе, только этот голос из динамика, звучащий эхом по полю на фоне далекого гудения моторов.

Затем через несколько минут я услышал едва различимый приглушенный шум моторов и увидел медленно плывущие сигнальные огоньки. Парень начинал материализовываться; он постепенно переходил из потустороннего мира в жизнь.

— *Шестой Бейкер Кайло* находится в пункте пять на подходе к посадочной полосе.

— *Бейкер Кайло* разрешено садиться.

Это была прекрасная драма, разыгранная на десятимильной сцене, и я был ее единственным зрителем.

Через несколько минут послышалось шарканье колес по бетону, а затем постепенное затихание гудения двигателя. Снова тишина. Затем звук двигателя снова раздался уже не так громко, он стал приближаться и был слышен все лучше и лучше до тех пор, пока внезапно не прекратился в пятидесяти футах от того места, где я стоял рядом со *Скаймастером*. Пропеллер сделал еще несколько оборотов, а затем последовали обычные слабые звуки, свидетельствующие об окончании полета: скрип тормозов, звук открываемой дверцы и разговор пилотов.

Это была вторая неожиданность.

Когда пилоты *Бича* ушли, я опустил спинку правого сиденья *Скаймастера* до конца и растянулся на нем как можно удобнее. Летный комбинезон стал одеялом, а набитый ватой подголовник — подушкой. Но было совсем неудобно... в десять раз приятнее залезть в спальный мешок под крылом *Чемпа* и смотреть на звезды.

Этот аэроплан отличался от *Чемпа*. Он был сварен из листового железа, а не сделан из арматуры и ткани. Он оснащен радиоаппаратурой, навигационными приборами, работающими независимо от погоды, автоматическим указателем курса, дальномером, сигнальными контроллерами триммеров, шага винта и карбюраторов — всего этого и в помине нет на *Чемпе*. В то же время звезды никак не изменились.

На рассвете я убедился, что *Сессна Супер Скаймастер* — это довольно плохой спальный мешок, хотя она и представляет собой большой двухмоторный самолет, в котором мотор работает в любую погоду и на любой высоте. За 71000$ они могли бы сделать этот самолет немного более пригодным для ночлега, думал я. Впоследствии я также обнаружил, что не рекомендуется проветривать хорошие рубашки, вешая их на задний пропеллер, потому что они пропитываются выхлопной гарью. Передний пропеллер лучше подходит для этой цели, но предупредить об этом не помешало бы, ведь у человека, который купит этот самолет за 71000$, вполне может оказаться настолько большой гардероб, что он не поместится на одном пропеллере.

Это было третьей неожиданностью.

После восхода солнца мы с *Сессной* были уже в воздухе и еще до полудня приземлились в Калифорнии. Да, это, конечно, ужасно плохой спальный меток, но летает он довольно хорошо.

Общее впечатление от перелета? Я задумался и вспомнил остроконечный силуэт в Альбукерке, материализацию пилотов *Бича* и спальный мешок за 71000$. Все это кажется очень значительным, если посмотреть как раз в нужный момент. Каким бы он ни был, старым или новым, из ткани или из жести, аэроплан — это не просто машина. Нет, аэроплан — это хорошая возможность встретиться с неожиданной радостью не только в воздухе, но и на земле.

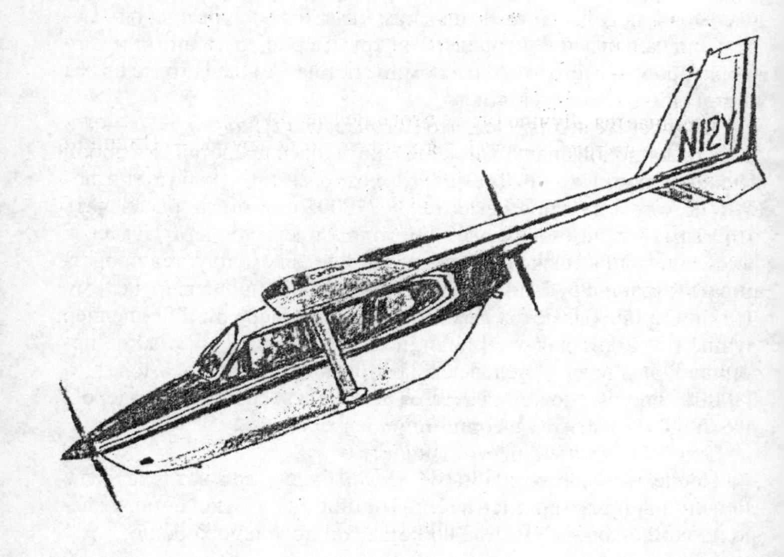

Парящие на грани

Он не сказал ни слова в первой половине того дня. А затем, когда мы усаживались в спортивный планер, плотно пристегивались с помощью хитросплетения привязных и парашютных ремней, проверяли исправность управления и воздушных тормозов и убеждались в том, что буксирный трос сбрасывается нормально, он сказал:

— Это напоминает подготовку младенца к родам. Наверное, он чувствует себя точно так же, когда пристегивается к своему новому телу.

Начинается. Лучше бы он этого не говорил.

— Это не тело, — сказал я жестко, но не грубо. — Видишь? Вот здесь написана дата выпуска. На заводской табличке указано: *Швайцер 1-26*, одноместный планер. Все другие планеры, которые готовятся к взлету, тоже *Швайцеры*, и мы с тобой находимся на соревнованиях. Мы поднимаемся в воздух, чтобы победить, и, пожалуйста, не забывай об этом. Давай заниматься одним делом, если ты, конечно, не против.

Он не ответил. Он только попытался наклониться, натянув при этом стропы, легко и быстро пробежав пальцами по контрольным кнопкам, как пианист суетливо шевелит пальцами в последний момент перед началом концерта.

Буксировочный самолет *Супер Каб* подсоединился к тросу длиной несколько сотен футов, который, натянувшись, потащил нас на взлет.

— Беспомощность. Нет ничего более беспомощного, чем планер на земле.

— Да, — сказал я. — Ты готов?

— Пошли.

Я поднял и опустил интерцепторы, чтобы подать знак пилоту буксировщика. *Каб* медленно пополз вперед, трос натянулся, и наш неуклюжий симпатичный *Швайцер* легко подался вперед. Буксир перешел на полный газ, и мы устремились... через несколько секунд заработали элероны, затем руль направления и, наконец, руль высоты. Я немного отвел ручку управления назад, и планер легко оторвался от взлетной полосы. Мы полетели на высоте всего лишь несколько футов, чтобы облегчить взлет *Кабу*. И вот мы уже летим, вокруг нас натужно свистит ветер, и все органы управления работают.

— Мы родились, — сказал он тихо. — Вот что значит родиться.

Без предупреждения он взял управление в свои руки, сделал несколько неуклюжих движений большими длинными крыльями, покачавшись из стороны в сторону, как дельфин, а затем снова настроился на нормальный полет за буксировочным самолетом. Ему это неплохо удавалось — не блестяще, но не так уж и плохо. Он был обычным пилотом, я бы сказал. Обычным рядовым пилотом.

Холм Хэррис уходил все дальше вниз. *Каб* повернул над ним и продолжал набирать высоту. Хотя мы уже были на достаточной высоте и могли отсоединиться от буксировщика уже через минуту после взлета, но покорно продолжали лететь за ним, считая разумным использовать эту дополнительную помощь, пока она имеется в нашем распоряжении.

— Ты замечал когда-нибудь, — сказал он, — как сильно полет на буксире напоминает взросление подрастающего ребенка? Пока ты привыкаешь жить, матушка-буксировщик летит впереди тебя, защищая тебя от нисходящих потоков и поднимая повыше. Полет на планере во многом напоминает нашу жизнь, не так ли?

Я вздохнул. Он говорил совершенно не о том и совсем не уделял внимания соревнованию. Мы можем подлететь ближе к цели, если натянем трос влево, давая тем самым знак *Кабу*. Мы можем удержать его от столь быстрого подъема, если будем тянуть вниз. Подобные уловки могут прибавить лишние несколько сотен ярдов по направлению к цели, они могут оказаться в конечном счете решающими. Но он не обращал внимания на все, что я знал, он продолжал о своем.

— Ребенок может не задумываться об этом, если на него не оказывают давления, не заставляют принимать решение. Он бороздит небо жизни на буксире. Ему не нужно беспокоиться, что он может уйти вниз или что следует самостоятельно искать возможность подняться вверх. Находясь на буксире, он находится, как бы ты сказал, в *безопасности*.

— Если ты сейчас возьмешь чуть-чуть влево... — сказал я.

— Но до тех пор, пока он находится на буксире, он не свободен — вот что следует учитывать.

Мне не терпелось сказать свое слово. Я хотел убедить его, что следует дать понять буксировщику о необходимости немножко подтянуть нас в нужном направлении. Это не нарушение правил. Любой пилот сделал бы так же.

— Я бы поскорее отцепился, — сказал он.

Прежде чем я смог остановить его, он потянул рычаг отцепки троса — БАЦ! — и мы свободно парим в небе. Шум высокоскоростного полета на буксире сменился тихим скольжением планера.

— Не самый лучший вариант, — сказал я. — Ты мог бы набрать еще двести футов, летя на буксире, если бы следовал за ним...

— Я хотел свободы, — сказал он, будто это могло быть оправданием.

К его чести, однако, он действительно повернул прямо к цели, повернувшись носом туда, где на расстоянии сорока миль она находилась. Задача была нелегкой. Нужно было лететь против ветра на *1-26*-ом. Ситуация осложнялась тем, что между нами и первым кучевым облаком по ту сторону долины — большая голубая зона неподвижного воздуха.

Это будет нелегкий долгий полет, и может быть, нам не хватит высоты или мы не попадем в восходящий поток. Он направил нос по курсу и увеличил скорость, чтобы поскорее пройти через нисходящий поток воздуха. Большинство других планеров, как я заметил, задержались после отцепки от буксировщика возле холма, чтобы воспользоваться его восходящим потоком; они поднимаются на безопасную высоту, чтобы перелететь через долину. Они представляли собой унылую панораму, кружась и паря в тишине под солнцем. Но все это время, пока они описывают круги, я знал, что они будут наблюдать за нами, чтобы увидеть, увенчается ли успехом наша попытка пересечь долину сразу. А если увенчается, то они тоже последуют за нами.

Я не знал точно, что бы я сделал, если бы летел сам. Это, конечно, очень романтично и смело, если сразу после отцепки планер устремляется прямо к цели, но, если он не долетит до нее, если он уйдет вниз в нисходящем потоке, он потерпит неудачу, он выйдет из игры. Планер, конечно, потерпит неудачу и в том случае, когда весь день провисит над холмом Хэррис. Задача состоит в том, чтобы достичь цели, а для этого нужно обладать как раз нужной пропорцией смелости и осмотрительности. Другие сделали ставку на осмотрительность; мой друг избрал смелость. Мы летели прочь от холма, теряя по триста футов в минуту.

— Ты прав, — сказал он, прочитав мои мысли. — Еще минута в этом нисходящем потоке, и мы вообще не сможем вернуться назад к холму. Но разве ты не согласен со мной? Разве человек рано или поздно не должен отказаться от безопасности буксировщика, комфорта восходящих потоков и пуститься в путь, полагаясь лишь на свои силы, независимо от того, что ожидает его впереди?

— Наверное, так.

Но, может быть, если бы мы подождали, над долиной тоже заварился бы какой-нибудь восходящий поток. Но все шло к тому, что мы пробудем в воздухе еще минут пять, а затем будем вынуждены подыскать хорошее место для приземления. С некоторой грустью я начал высматривать подходящее поле, думая, что нам следовало подождать, как это делают все остальные. Я люблю парить в небе. Я предпочитаю не отказываться от возможности покружить в воздухе два или три часа ради того, чтобы за семь минут достичь земли, только потому, что этот парень хочет блеснуть своей решительностью. Мы опускаемся со скоростью четыреста футов в минуту.

— Мы, по крайней мере, сделали все, что было в наших силах, — сказал он.

— Я бы справился с задачей лучше тебя. В следующий раз я буду управлять планером. Хорошо?

— Нет.

Он всегда хотел лететь сам. Он управлял планером каждый раз, когда мы были вместе, за исключением редких одной или двух минут. Иногда он допускал очень серьезные ошибки, но на его счету, следует признать, были и весьма удачные полеты. Допускал ли он ошибки, или полет удавался, он никогда не давал мне управлять планером.

Скорость снижения — триста футов в минуту, до земли — девятьсот футов.

— Вот мы и прилетели, — сказал я. — Подтяни свои ремни перед посадкой.

Он не ответил, направляя планер в сторону асфальтовой дорожки, которая была слишком короткой для посадки. Он решил разбить аэроплан и рассеять обломки вокруг. Но другого места нет... везде заборы, деревья, дороги. Двести футов в минуту, осталось еще семьсот футов.

— Да, парень, на этот раз ты влип!

Это едва ли лучше, чем обычное падение на землю. Он не сможет посадить *1-26*-й здесь — на крохотном клочке асфальта и при этом не покорежить его. Такой пилот, как А. Дж. Смит, может быть, и справился бы с этим, но у этого парня с учетом того, что он летал на *1-26*-м лишь несколько раз, нет никаких шансов. Я потуже затянул ремни. Это будет катастрофа. Если бы я управлял планером, мы бы сейчас безопасно кружились в восходящем потоке над холмом. Но верх взяла его романтическая бравада, и вот теперь всего лишь минута отделяет нас от катастрофы.

— Вот. Как тебе это нравится? — спросил он. — Восходящий поток! Подъем со скоростью двести пятьдесят, нет, триста футов в минуту!

Он сделал резкий поворот влево, кружа *Швайцер* в узком сильном восходящем потоке над стоянкой автомобилей. Пока он набирал высоту, царило безмолвие.

— Заметь, — сказал он в конце концов, — мы поднимаемся со скоростью шестьсот футов в минуту, и теперь мы уже на высоте двадцать пять сотен футов!

— Да-а. Иногда тебе везет! Фантастика!

— Ты думаешь, мне повезло? Возможно. А может быть, и нет. Верь в то, что восходящий поток непременно отыщется, никогда не переставай искать его, и, клянусь, ты окажешься более везучим, чем тот, кто падает духом на высоте тысячи футов. Парень не имеет никаких шансов добиться успеха, если он не научится сам находить свои восходящие потоки. Или я не прав?

Мы поднялись в потоке на высоту четырех с половиной тысяч футов, а затем он снова направил планер в сторону цели.

— Этот маленький восходящий поток спас наши души, — сказал я, — и ты покидаешь его, поворачиваешься к нему спиной, даже не сказав ему до свидания.

Я шутил над ним, насмехаясь над его задумчивостью.

— Все в порядке. Никаких *до свидания.* Какой смысл оставаться в нем после того, как мы уже не можем подниматься выше? Только вечно сомневающийся пилот никак не может расстаться со старым потоком. Это повторяется снова и снова. Единственная безопасность для планериста состоит в знании, что в небе есть другие потоки, они не видны, но ждут его впереди. Речь идет о том, чтобы научиться находить то, что уже существует.

— Гм, — сказал я.

На высоте четырех с половиной тысяч футов это звучало довольно убедительно, но его философия беспокоила меня, когда я вспоминал о тех мгновениях, которые предшествовали нашему вхождению в поток над автостоянкой.

Некоторое время мы летели без потери высоты, но потом вышли из зоны потока и снова начали снижаться. Мы достигли первых кучевых облаков на другой стороне долины, это правда, но здесь вообще не было потоков. Здесь должен был быть поток, но его не было. Мне вдруг стало жарко. Внизу под нами простирался большой сосновый лес, скалистое плоскогорье — нам обязательно нужно было найти восходящий поток.

— Мы снижаемся со скоростью двести футов в минуту, — сказал я. — Что ты намерен предпринять?

— Думаю, что будет лучше не отклоняться от курса. Мне кажется, что это разумнее всего, независимо от того, снижаемся мы или нет.

Он говорит, что это разумнее всего. Теряя высоту над пересеченной местностью, всегда очень трудно поступать разумно. В восходящем потоке, например, нужно замедлить скорость — и это как раз в тот момент, когда тебе хочется поскорее устремиться к цели, уйдя носом вниз для увеличения скорости полета. В нисходящем потоке, когда тебе хочется поднять нос повыше, нужно опускать его вниз, чтобы увеличить скорость и поскорее выйти из зоны снижения. Нужно отдать ему должное, он устремился носом вниз и начал быстро терять высоту, невзирая на то, что мы летели над холмами, которые угрожали нам деревьями, как шипами, на высоте двух с половиной тысяч футов, не находя в поле зрения ни одной полянки для посадки. Он летел так, будто изучил все учебники по планеризму. Более того, он летел так, будто считал, что все эти учебники никогда не ошибаются.

— Бывают такие минуты, — как-то сказал он мне, — когда ты должен верить людям, которые уже сделали то, что предстоит совершить тебе. Ты должен доверять тому, что они говорят тебе, и действовать соответственно, если твой личный опыт не убеждает тебя в противоположном.

Мне не нужно было ничего спрашивать; он делал все в точности так, как было сказано в книгах, он следовал против ветра в том направлении, где над холмами должны были быть восходящие потоки.

Мы теряли высоту.

— Кажется, вон то облачко должно соседствовать с каким-то потоком. Видишь, вон то, по правому крылу на расстоянии двух миль? — сказал я.

— Возможно.

Некоторое время мы молчали.

— Почему же мы в таком случае не направимся прямо туда, пока у нас хватает высоты, чтобы долететь до него? — Я чувствовал себя как учитель начальных классов, работающий с отстающим учеником.

— Да. Это так. Но посмотри влево тоже. В той низинке на расстоянии десяти миль отсюда явно есть большой восходящий поток. Но он нам не по пути. Если бы мы туда дотянули, мы бы, конечно, смогли набрать высоту, но мы бы отклонились от курса на десять миль и потеряли бы всю приобретенную высоту по дороге обратно. Зачем же, в таком случае, отклоняться? В итоге мы только потеряем время и ничуть не приблизимся к цели. Так было со многими хорошими пилотами. Но со мной этого не случится, если мне предоставятся другие возможности.

— Поднимайся вверх и сохраняй высоту, — процитировал я ему.

Но он даже глазом не моргнул.

Какой неприятный день! Мы были на высоте пятнадцати сотен футов, среди нескольких нисходящих потоков и не имели под собой другого места для посадки, кроме лесных зарослей. Воздух был тяжелым и душным, как горячая гранитная скала. Я чувствовал себя хуже, чем когда-либо. На автостоянке по крайней мере были люди, которые помогли бы нам собрать обломки планера. А здесь в лесу не было даже сторожевой вышки. Мы попадем в катастрофу, и никто об этом не узнает.

— Что ты там себе представляешь? — спросил он, сильно повернув планер вправо.

— Что? Где? Что ты делаешь?

— Смотри. Вон планер.

Ослепительно белый *1-26*-й кружил в восходящем потоке не дальше, чем в полумиле от нас. А я-то думал, что мы здесь одни, когда мы начинали пересекать долину, но оказывается, все это время кто-то летел впереди и первым обнаружил этот поток.

— Спасибо тебе, парень, кто бы ты ни был, — сказали мы, наверное, в один голос.

Мы проскользнули в поток под другим *Швайцером*, и сразу же высотомер показал, что мы поднимаемся со скоростью двести футов в минуту. Когда об этом читаешь, подъем с такой скоростью не кажется чем-то примечательным, но если вокруг сосновый лес до самого горизонта, невольно относишься к нему совсем по-другому. Мы терпеливо и внимательно поднялись на максимальную высоту, и, когда покидали его, на нашем счету снова было четыре тысячи футов высоты. Другой планер давно уже улетел вперед.

— С его стороны было очень любезно указать нам восходящий поток, — сказал я.

— О чем ты? — Его голос звучал раздраженно. — Он вовсе не указывал его нам. Он нашел этот поток для себя и воспользовался им для собственного подъема. Ты думаешь, он сделал это специально для нас? Он бы не смог помочь нам ни на дюйм, если бы мы не оказались готовыми воспользоваться его помощью. Если бы мы не заметили его далеко в стороне или если бы заметили его, но не поверили, что можем воспользоваться этим найденным им потоком, мы бы сейчас, возможно, сидели на сосновой ветке.

Покидая поток, мы взглянули вниз и увидели другой планер, который кружился далеко внизу, у его основания. Он тоже нашел поток и решил воспользоваться им для подъема.

— Видишь? — спросил он. — Тот парень внизу, наверное, благодарит нас за то, что мы указали ему поток, но мы даже не знали до этого момента, что его планер существует. Забавно, не правда ли? Мы поднимаемся сами и тем самым оказываем услугу кому-то другому.

К концу дня горы уступили место равнине. Я летел вперед, задумавшись, как вдруг он сказал мне:

— Смотри.

Возле дороги было широкое зеленое поле, а в центре поля стоял приземлившийся планер.

— Не повезло, — сказал он каким-то непривычно грустным голосом.

Я очень удивился, когда услышал это.

— Не повезло? Что ты хочешь этим сказать?

— Несчастный парень пролетел весь этот путь, а теперь выбыл из игры и сидит там на поле.

— Должно быть, ты устал, — сказал я. — Он не выбыл из игры. Растояние, которое он пролетел, зачтется ему, и эти очки прибавятся к тем, которые он завоевал себе вчера и завоюет завтра. Как бы то ни было, это не такое уж и плохое положение — приземлиться наконец-то, перестать думать о соревновании и отдохнуть, лежа на траве и мечтая о том, что скоро снова будешь летать.

Пока мы наблюдали за ним, голубой фургон спасательной службы медленно подкатил по дороге к полю, волоча за собой длинный узкий прицеп для планера. Впереди у пилота «приятное» время. Наземная команда начнет упрекать его за то, что он не смог улететь дальше, до тех пор, пока он не воспроизведет перед ними все подробности полета и не докажет, что каждую минуту делал все от него зависящее. Он чему-то, вероятно, научился, и в следующий раз он будет летать немножко лучше. А завтра этот же пилот снова будет участвовать в соревновании и подниматься ввысь, следуя на своем планере за буксирным самолетом.

— Ты прав, — сказал он. — Прости меня. Ему даже немного повезло. Несомненно, ты прав. Прости, что я такой недальновидный.

— Все в порядке.

Я не мог сказать, испытывает он меня или нет. Иногда он поступает со мной так.

Мы пытались дотянуть до нашей конечной цели, но вечером нисходящие потоки очень сильны, и мы не долетели. Приземлились мы в сумерках на одиноком пастбище, не долетев до цели только одной мили, но мы сделали все, что было в наших силах, и не сожалели ни о чем. Даже я в конце ни о чем не сожалел.

Вокруг царила такая тишина, что, казалось, мы умерли. Наш планер неподвижно стоял в траве, а легкий ветерок в крыльях дохнул и улетел прочь.

Мы открыли фонарь и вдвоем свободно покинули тело планера, летая на котором, мы пережили в этот день столько приключений. Один из нас — практик, другой — романтик, но мы обитали в одном теле пилота.

Воздух казался легким и свежим. Мы могли слышать пение луговых птиц. Завтра, конечно, мы снова полетим, но сейчас было очень приятно полежать некоторое время, растянувшись на траве, и подумать о том, что мы живы.

Дар тому, кто рожден летать

За всю свою жизнь я был лишь на четырех вечеринках, и эта была пятой на моем счету. Вот почему внутренний голос не мог мне этого простить. На каком таком основании, говорил он, ты пришел сюда? Ради Бога, скажи мне, почему ты оказался в этом месте? Ведь среди всех присутствующих в этой комнате только один человек имеет, и то весьма туманное, представление о полете. У тебя есть только один друг в этой толпе чужих людей, которые увлечены поверхностными разговорами о национальной экономике, политике и государственном устройстве. Ты сильно удалился от своей авиаторской среды.

В этот момент какой-то мужчина возле камина, одетый в двубортную яркую фланелевую куртку с блестящими позолоченными пуговицами, говорил о кинофильмах.

— А мне понравился «Хлам», — сказал он голосом культурного человека и начал описывать сцену, скучность которой заставила бы лягушку примерзнуть к камню.

Что я здесь делаю? Именно здесь, а не на расстоянии пятидесяти футов отсюда, по ту сторону стены, где ветер, ночь и звезды. Было как-то странно, что я стою, освещенный со всех сторон электрическими лампочками, в этой комнате и слушаю болтовню этого мужчины.

Как ты можешь терпеть это, спросил я себя. Ты обманщик. Твое лицо обращено к нему, но ты думаешь, что он глупее кирпича, и если бы у тебя была хотя бы капля честности, ты бы спросил, в чем он видит смысл жизни, если все его ценности показаны в «Хламе». Ты должен спокойно выйти из этой комнаты, уйти из этого дома и держаться как можно дальше от вечеринок. Тебе пора уже усвоить этот простой урок и никогда больше не появляться на таких мероприятиях впредь. Для кого-то это, быть может, и хорошее времяпровождение, но не для тебя, *нет*.

Затем люди в комнате как-то перетасовались, как всегда бывает раз в несколько минут, и я оказался в углу с женщиной, которая сокрушалась по поводу своего сына.

— Ему только пятнадцать, — сказала она, — а он не хочет поступать в колледж, курит марихуану и совсем не хочет задуматься о том, как следует жить. Он обвиняет меня. Через год он погибнет, я уверена. Я не могу сказать ему ничего, он угрожает тем, что уйдет из дома. Он просто ничего не хочет слушать...

Это была первая настоящая эмоция, которую я встретил в этот вечер. Это было первое свидетельство того, что в комнате есть кто-то живой. Слова этой женщины, сказанные первому встречному незнакомцу в отчаянии, спасли меня от утопания в море скуки. Воспоминания унесли меня в те времена, когда мне было пятнадцать, потом восемнадцать, когда я думал, что мир — это жестокое одинокое место, где нечего делать молодому человеку. Но приблизительно в это время я открыл для себя полет, который был для меня вызовом, который сказал мне так: «Я предлагаю тебе полную внутреннюю свободу, если ты сможешь быть в небе один; ты никогда не будешь одинок, если поднимешься над землей и познаешь, кто ты такой».

— Летал ли ваш сын когда-нибудь на самолете? Хотя бы один раз?

— Нет. Конечно, не летал. Ему только пятнадцать.

— Вы говорите, что он погибнет через год, поэтому можно подумать, что он уже пожилой человек.

— Я сделала все, что было в моих силах. Я пустила в ход все свои аргументы, но Билл и слушать не хочет...

Я продолжал думать о себе, когда мне исполнилось восемнадцать, о том, как изменилась моя жизнь, когда я сел в двухместный легкий самолет, который под звук маленького мотора взлетал в семь часов утра над травой, а вокруг из пригородных дымоходов поднимался в спокойное безоблачное небо легкий голубой дым.

— Послушайте. Вот что я скажу вам... У меня в аэропорту стоит самолет, и я улетаю только завтра вечером. Почему бы вам не сказать об этом Биллу? Если он заинтересуется, я полетаю с ним на *Кабе*, он сможет попробовать, как работают органы управления, узнает, что значит быть пилотом. Может быть, это ему не понравится, но, если захочет, пусть приходит, я буду ждать его там. Почему бы вам не сказать ему, что его ожидает полет в аэроплане, если он придет?

Мы еще немного поговорили, и в голосе женщины появилась некоторая надежда, она ухватилась за эту соломинку, чтобы спасти сына. Затем вечеринка закончилась.

Этой ночью я думал о мальчике. И о том, что тот, кто летает, должен выплатить свой долг. Мы не можем прямо отблагодарить нашего первого летного инструктора, который повернул всю нашу жизнь в иное русло. Мы можем уплатить этот долг, лишь передавая дальше этот дар, который мы получили, в руки тех, кто ищет свое место в жизни и свою свободу так, как когда-то это делали мы.

Если ему это понравится, думал я, паренек сможет мыть и вытирать *Каб* в уплату за получаемые уроки. Он будет делать так же, как и все ребята, которые помогали летчикам с тех пор, как появились первые самолеты. И когда-нибудь он сам поднимется в небо, и часть моего долга будет уплачена.

Рано утром на следующий день я пришел в аэропорт, надеясь на то, что он тоже придет и мы полетим вместе. Кто знает? Может быть, он окажется одним из тех врожденных пилотов, которые постигают идею полета одним интуитивным озарением и понимают сразу же, что в самолете есть что-то такое, на чем может быть построен весь образ жизни. Через час он уже будет летать прямо по горизонтали, набирать высоту, планировать к земле и поворачивать, он сможет даже заходить на посадку...

Я думал об этом, отвязывая *Каб*, проверяя его перед полетом, прогревая мотор. Конечно, может быть и так, что ему не понравится летать. Почему-то в мире встречаются люди, которые не находят, что самолет — это прекрасная, очаровательная вещь, которые не имеют ни малейшего желания оказаться один на один с царственным величием голубого неба и взглянуть оттуда на землю. Возможно, мальчик принадлежит к их числу. Но по крайней мере я предложу ему дар, и он точно будет знать, что полет — это не то, что он ищет. В любом случае это как-то ему поможет.

Я прождал весь день. Он не появился. Он не пришел даже для того, чтобы посмотреть на самолет. Я никогда так и не узнаю, был ли он прирожденным пилотом или нет.

— Вот это да! — сказал я позже своему штурману, летя над пересеченной местностью домой. — Это просто чудо! Человек приходит с неба, садится на землю и предлагает бесплатно познакомиться с полетом — ведь с этим ничто другое никогда не сравнится — и мальчик не желает даже попробовать! Если бы я был на его месте, я бы пришел еще до восхода солнца и ходил бы взад-вперед, томясь в ожидании!

Некоторое время прошло, пока я искал ориентир, а затем штурман спросил:

— Ты задумывался хотя бы раз над тем, как он получил это приглашение?

— Какая разница, как он его получил? Важно его содержание, а не то, как он о нем узнал.

— Ему сказала об этом мать. Его *мать*! Как ты думаешь, внимательно ли отнесется пятнадцатилетний сорванец к тому, что говорит его *мать*?

На этот вопрос можно было не отвечать. Истина обладает свойством доходить даже под рев мотора и шум ветра.

На этом история заканчивается. Возможно, к этому времени мальчик уже нашел свой путь в жизни, а может быть, он привязался к героину или уже мертв. У него была своя жизнь в этом мире, и он жил ее так, как хотел. Мы можем предложить другому человеку дар, но мы не можем заставить его принять этот дар, если он сам этого не пожелает.

Я не разочарован. Я попытаюсь еще раз, когда появится подобная возможность, и может быть, я когда-то начну выплачивать свой долг старому Бобу Кичу, моему первому инструктору, который однажды утром встретил меня в аэропорту и изменил всю мою жизнь, улыбаясь и говоря: «А эту штуку мы называем *крыло*»...

Удивительное соревнование

Это было самое странное соревнование, в котором я когда-либо принимал участие. Оно было таким необычным, что это вполне мог быть и сон. Умопомрачительно лазурное небо казалось не совсем реальным. Кое-где по нему были разбросаны бархатные полупрозрачные облака (они не затеняли солнце, оно просвечивало сквозь них лимонным светом). Шелковистая зеленая трава служила для приземления, а белый и твердый, словно слоновая кость, бетон — для взлета. Вокруг росли большие деревья, которые создавали густую тень для людей, сидящих под ними и наблюдающих за полетами. Сэндвичи. Прохладный оранжад.

Разбросанные то тут, то там по этой немножко наклонной лужайке, стояли аэропланы. Их было около двадцати, некоторые из них находились в тени деревьев. Большинство из них были двухместными высокопланами.

Я сидел на поляне под крылом своего *Каба*, наблюдая эту необычную панораму. Я как раз смотрел, как приземляется чья-то *Сессна*, когда возле меня остановился этот парень. Он тоже следил за посадкой *Сессны*, а затем сказал:

— У вас, я вижу, прекрасный *Каб*. Вы будете принимать участие в Испытании?

Как и всякий, кто считает, что принадлежит к числу самых искусных летчиков в мире, я легко становлюсь жертвой соревнований. Мне показалось, что Испытание тоже является каким-то соревнованием, хотя я никогда раньше не слышал, чтобы это слово использовалось в таком смысле.

— Конечно, — ответил я.

— Я рад, что вы согласились, — сказал он и записал в свой блокнот номер моего самолета. Он не спросил моего имени.

— У вас мотор на шестьдесят пять лошадок? — поинтересовался он.

— На восемьдесят пять.

— Диаметр пропеллера? Довольно странный вопрос.

— Диаметр винта? Зачем она вам?.. Семь футов, кажется.

Он покачал головой и достал мерную ленту.

— Как вы относитесь к пилотам, которые решают участвовать в Испытании и даже не знают диаметр пропеллера своего самолета?

Он подошел к носу *Каба*.

— Надеюсь, вы будете не против, если я измерю.

— Ничуть. Я сам хотел бы узнать.

Мерная лента зашуршала, разматываясь, а затем аккуратно растянулась в руках парня от верхнего до нижнего кончиков пропеллера.

— Девять футов и четыре с четвертью дюйма, — сказал он и записал это число у себя в блокноте. — Нам нужен также коэффициент.

— Коэффициент?

— Технический показатель. Отношение нагрузки на крыло к тяге двигателя. Скажите, это первое Испытание, в котором вы участвуете? — Он, кажется, был удивлен.

— Когда речь идет о соревнованиях, где нужно знать диаметр винта и показатели, я вынужден признать, что первое.

— О! Тогда извините меня! Добро пожаловать к нам! Надеюсь, вам понравится. — Он стал листать какую-то связку бумаг. Давайте посмотрим. *Рад Клип-Уинг Каб*, восемьдесят пять лошадиных сил... а вот и то, что нам нужно. Нагрузка на крыло — восемь и пять, тяга мотора четырнадцать и три. Ваш коэффициент равен один и семь. — Он записал это в своем блокноте. — Но не думайте об этом, — сказал он и улыбнулся. — Ваше дело — просто летать. Первым идет *Клин*. Советую заранее прогреть мотор. Желаю успеха.

Он вручил мне тоненький буклет и ушел со своим блокнотом к целиком белому *Тейлоркрафту*, стоящему возле покрывала, расстеленного на траве на противоположной стороне поляны. На покрывале вокруг корзинки с едой сидели люди.

Заглавие буклета было аккуратно отпечатано темно-синим цветом, словно приглашение к обеду.

ИСПЫТАНИЕ
ПИЛОТОВ
14 ОКТЯБРЯ 1972 ГОДА

Я был настроен пессимистично. Я не люблю так основательно организованных соревнований.

Те, кто не любит так основательно

организованных соревнований,

— было написано в буклете в конце первой страницы, —
могут обратиться к странице

девятнадцатой, где перечислены все обычные

соревнования, которые проводятся поблизости.

Эта встреча предназначается для тех

авиаторов, которые считают себя

принадлежащими к числу лучших летчиков в

мире. Этот слет является Испытанием,

которое дает возможность убедиться, так ли

это.

Дальше шла короткая заметка об истории этого мероприятия, некоторая техническая информация о коэффициентах и правилах судейства, а затем следовало описание целой серии необычайных заданий, о которых я раньше ни разу не слышал. Буклет указывал на то, что большинство пилотов приобретает опыт только после длительной практики, но, как бы то ни было, единственная возможность получить хорошую сумму очков в Испытании состоит в том, чтобы показать подлинное мастерство в полете.

Когда я прочитал это, у меня пересохло во рту. Мне нравилось причислять себя к лучшим пилотам, но очевидно, что у меня всегда были основания для того, чтобы не слишком часто заниматься полетом на точность. В конце концов, человек должен зарабатывать себе на жизнь. В конце вводной части буклета было еще одно замечание, которое, наверное, должно было казаться ироничным: *Оправдания в связи с плохими результатами будут выслушаны благосклонно, но не повлияют на окончательное решение судей*. Я проглотил слюну и перевернул еще несколько страниц.

КЛИН

Задание: *контроль высоты. Клин представляет собой тоннель-препятствие, которое сооружается с помощью нескольких рядов лент, натянутых поперек взлетно-посадочной полосы. Самая высокая лента находится на высоте пятнадцати футов, тогда как другие располагаются на меньшей высоте, которая убывает по три дюйма на каждую очередную ленту. Ленты находятся на расстоянии десяти футов друг от друга вдоль полосы, образуя клинообразный тоннель длиной двести сорок футов. Высота самой нижней ленты равняется диаметру винта аэроплана участника плюс два дюйма...*

Дальше следовали подробности о том, в каких случаях считается, что участник не справился с заданием: если он коснулся колесами полосы, если он отклонился от осевой линии. Кроме того, не разрешалось вначале описывать круг для осмотра, а также делать вторую попытку. Каждый пилот, который разорвет больше чем четыре ленты, должен был поставить бутыль охлажденного оранжада команде служащих, которая их устанавливает. Это было замечанием в скобках, как своеобразная традиционная хохма, но стоимость оранжада нигде не была указана.

Я почувствовал, как пот выступает у меня на лбу, когда представил себе эту надвигающуюся на меня ловушку из разноцветных лент. Затем, когда я вспомнил, что *Клин* — это только самое первое задание, в котором пилоты участвуют просто для разминки, мой лоб похолодел, как у мертвеца. Диаметр винта плюс два дюйма.

Я быстро пролистал буклет и, поскольку самоуважение во многом зависело для меня от способности мастерски летать на своем аэроплане, меня снова из холода бросило в жар еще сильнее, чем перед этим.

Единственным соревнованием, которое я наблюдал до этого, были низкоскоростные гонки, происходившие на великолепном ежегодном празднике Лена фон Клемма на известном аэродроме в Уотсонвилле, штат Калифорния. В этих гонках очки начислялись в соответствии с тем, сколько времени понадобится пилоту, чтобы пролететь над осевой линией взлетной полосы между двумя отметками. При этом учитывались технические характеристики самолета, и побеждал тот, кто смог пролететь за большее время. При этом пилот должен был не просто уметь медленно летать, он должен был быть знаком с медленным полетом *вблизи земли*, который очень сложен.

Если задание «Клин» было весьма непростым, то остальные элементы Испытания были просто фантастическими.

Например, должен был состояться Слалом, в ходе которого будет определен пилот, который сможет пролететь по ужасно извилистому маршруту длиной в одну милю, обозначенному гигантскими воздушными шарами на привязи.

Соревнование на самый короткий взлет проводилось на площадке, которая заканчивалась фанерным щитом высотой шесть футов. Пилот сам выбирал для себя минимальное расстояние до щита, а затем разгонялся, не отрываясь хвостовым колесом от земли (то есть подняв передние колеса, как утверждал буклет... в соревновании принимали участие шесть аэропланов с двумя передними колесами), и прыгал со щита, как с трамплина. Если аэроплан участника полностью оторвался от земли еще до щита, или если его колеса коснулись земли еще раз за ним, его даже не внесут в список претендентов на успешное выполнение задания.

Кроме того, было соревнование по посадке с выключенным мотором. При этом винт должен был быть полностью неподвижным уже на высоте тысячи футов над полем и в дальнейшем — вплоть до приземления между двумя четырехфутовыми заборами из лент.

Следующим было еще одно соревнование, связанное с остановкой мотора. Каждый самолет заправляли таким количеством горючего, которого хватило бы ему только на полет в течение десяти минут в крейсерском режиме. Затем засекали время пребывания самолета в воздухе, и победителем оказывался тот, кто находился в воздухе дольше всех.

Затем шли гонки между препятствиями, обозначенными воздушными шарами и лентами, в ходе которых пилот должен был на виражах пролетать между объектами, находящимися друг от друга на меньшем расстоянии, чем размах крыльев его самолета. Он должен был пролетать над красными лентами и нырять под синие; кроме того, как минимум три раза на его пути встречались участки, где крутой поворот влево и вверх сразу же сменялся крутым уходом вправо и вниз.

Список заданий продолжался и дальше. Здесь были акробатические номера, командные полеты целыми группами и даже один элемент с высокоскоростным буксированием. Нигде не упоминалось о тех, кто не может выполнить то или иное задание; нигде не упоминалось о тех участниках, которые заявили о том, что могут, а затем не смогли подтвердить это. На какой-то миг у меня возникла мысль, что я могу оказаться среди последних, но в этот момент была запущена зеленая сигнальная ракета, и судья спокойно произнес в микрофон:

— Грейте свои моторы для участия в «Клине», если желаете участвовать.

Белый *Тейлоркрафт* на противоположной стороне лужайки ожил, его пилот бодро помахал на прощание симпатичной молодой девушке, которая осталась вместе с покрывалом под деревом. Его, казалось, совсем не пугает тоннель из лент. Он совсем не выглядел испуганным. Он взлетел в своем маленьком самолетике, один раз развернулся, как пловец, легко оглядывающийся в конце своей водной дорожки, и нырнул в *Клин* одним плавным движением. В течение нескольких секунд он находился в окружении развевающихся лент, а затем снова показался над землей. Ленты еще некоторое время полоскались и волновались в спутной струе его самолета, но ни одна из них не была повреждена. В горле у меня было очень сухо.

Затем поднялся в воздух *Эркуп*, он развернулся и, лениво приблизившись к *Клину*, сделал в точности то же самое, что и *Тейлоркрафт*. Ленты не были даже задеты.

Я завел мотор своего *Каба*, исполненный уверенности, что проскочить сквозь тоннель, как это только что сделала и *Сессна-140*, должно быть, намного легче, чем кажется. Ведь я же, в конце концов, летаю на аэропланах уже многие годы...

Ленты не скользят равномерно по капоту мотора. Винт рассекает их на такие маленькие кусочки, что нужно изловчиться, чтобы взять их пальцами.

Когда я снова сел на лужайке, я решил, что для того, чтобы отработать *Клин* в спокойной домашней обстановке на своем поле, достаточно установить одну ленту. А потом летать под ней до тех пор, пока это не перестанет быть затруднением. Затем можно немножко понизить уровень ленты. Все другие ленты нужны только для того, чтобы испытать хладнокровие пилота. Если забыть обо всем, кроме того, как пролететь под самой нижней лентой, все остальные и подавно останутся целыми. Но когда летишь прямо на этот колышащийся в воздухе шелк, испытываешь неподдельный ужас (мне, должно быть, повезло меньше других, потому что, когда я подлетал к препятствию, налетел внезапный порыв ветра). Мне кажется, что я даже пригнул голову и вскрикнул от неожиданности, когда налетел на ленты.

Соревнование продолжалось своим чередом, словно появление таких неумелых участников, как я, было обычным делом. Ведь в конце концов смысл Испытания в том и состоит, чтобы выявить, кто хороший пилот, а кто не очень хороший. Все остальные происшествия не считались важными, хотя, возможно, они и позабавили зрителей.

Лишь с некоторыми исключениями (одним из которых были гонки на небольшой высоте по десятимильному маршруту) все задания Испытания проводились в поле зрения наблюдателей, которые разместились по полю... с буклетами

ИСПЫТАНИЕ
...
СВЕДЕНИЯ
ДЛЯ ЗРИТЕЛЕЙ

где было указано, как оцениваются выступления асов и посмешищ.

В течение всех состязаний не было спешки. Везде чувствовалась спокойная неформальная атмосфера. Между мероприятиями было достаточно времени, чтобы пилоты могли поговорить друг с другом о только что выполненном задании и о предстоящем, сидя с сэндвичами и картофельными чипсами в руках.

Моей наградой был старый девиз соревнующихся о том, что больше всего узнают те, кто менее всего подготовлен. Трудно описать восторг, когда спокойно стоишь на боковой линии площадки и слушаешь слова того, кто только что своим полетом доказал, что знает, о чем говорит.

Вот, например, пилот *Эркупа*. Этот маленький аэропланчик, на который так много клеветали, в его руках превратился в газель, которая резвится на большой поляне весной.

— Не все, что о нем говорят, соответствует действительности, — сказал он, когда я задал ему свой вопрос. — Это хороший аэроплан. Нужно только некоторое время поработать с ним, начать заботиться о нем, и ты скоро обнаружишь, что он может показать несколько фокусов, если ты ему позволишь.

Именно *Эркуп* победил в «Развороте»... подлетая вплотную к стене из гофрированной бумаги, а затем, устремляясь вверх с одновременным поворотом вокруг кончика крыла и улетая в обратном направлении. Я готов был держать пари, что *Эркуп* не может летать так.

Несмотря на все трудности в соревновании, в конце не вручали никаких призов и не чествовали победителей. Для пилотов, казалось, самое главное заключалось в том, как хорошо они выступили по сравнению с тем, как хорошо они желали выступить. Наградой пилоту был не приз, а некоторое новое знание, высоко ценимое каждым участником.

Всем пилотам раздали запечатанные конверты, которые они не задумываясь положили в карманы, чтобы прочесть потом на досуге, если возникнет такое желание. В конвертах содержались сведения о том, как полет каждого участника выглядит по сравнению с другими. Мне, в частности, не показалось необходимым открывать свой конверт.

Не думай, читатель, что я стану подробно рассказывать о своем выступлении на Испытании, потому что, как ты можешь заметить, рассказ не о моих качествах пилота, а об этом необычном соревновании со всеми этими диковинными заданиями для участников и об этих других пилотах, которые каким-то образом смогли достичь удивительных успехов в управлении своими аэропланами.

В действительности я не уверен в том, что все это мероприятие не было в конечном итоге сном, необыкновенно ярким сном. Конечно, я бы летал намного лучше во всех видах Состязания, если бы они происходили в реальном мире, а не в каком-то самоосуждающем фрейдистском сновидении, которое посетило меня, вероятно, в связи с небольшой ошибкой во время одного из недавних, во всех остальных случаях идеальных приземлений *Каба*.

Должно быть, так и было. Скорее всего, ничего подобного никогда не происходило. Нет такого места на земле, где летное поле отлого опускается до взлетно-посадочных полос и где можно отдохнуть в тени деревьев. Нет такого неба, какое *возвышалось* тогда над нами; нет такой травы. Но прежде всего, не может быть таких пилотов, как тот мужчина, который летал на *Тейлоркрафте*, или тот, который участвовал в соревнованиях на *Сессне-140*. Не может быть и приятного седовласого пилота, который победил в «Развороте» на своем *Эркупе* и показывал чудеса в «Слаломе», оставляя за собой лишь шелест шелковых лент.

Я сам не такой уж и плохой пилот, чтобы срывать ленты с препятствий. Если хотите, я расскажу вам о том, как я летал на *Скайхоке**. Это настоящая история, а не какой-то глупый сон, который ничего не значит, потому что ничего подобного никогда не происходило в действительности. Однако если мы когда-нибудь встретимся и если ты захочешь получить намного более правильное представление о том, какой я хороший на самом деле пилот, напомни мне о том случае со *Скайхоком*, когда мотор заглох на высоте десять тысяч футов и единственным местом для посадки было *маленькое крохотное* поле между деревьями. Был ли я испуган? Я совсем не был испуган, потому что я знаю свой аэроплан, и для меня подобный инцидент — все равно что детская игра, даже если масло залило ветровое стекло...

Напомни мне когда-нибудь об этом случае со *Скайхоком*. Я с удовольствием расскажу тебе о нем.

---

* Cessna-172 «Skyhawk».

В один прекрасный день египтяне научатся летать

Несомненно, карфагеняне могли бы летать. Или этруски, или египтяне. Четыре тысячи лет назад, пять тысяч лет назад они могли бы подниматься в небо.

Если бы мы с тобой жили тогда, зная все то, что мы знаем сегодня, мы бы построили летательный аппарат из одного лишь дерева. Кедр и бамбук пошли бы на лонжероны и нервюры, которые мы бы скрепили шпунтами, склеили бы казеиновым клеем, связали бы ремнями, покрыли бы бумагой или легкой тканью и украсили бы узорами, нарисованными с помощью красителей, добытых из корней растений. Свитые веревки послужили бы в качестве тросов проводки управления, шарниры бы мы сделали из дерева и кожи. Вся наша конструкция была бы легкой и ширококрылой. Нам бы совсем не понадобился металл и даже проволока, мы бы прекрасно обошлись также без резины и плексигласса.

Первый планер мы бы построили быстро. Он был бы груб, но надежен, и поднимался бы в воздух с помощью рельсов, которые были бы проложены к крутому обрыву с вершины холма. Оказавшись на ветру, наш планер сразу же попал бы в восходящий поток вблизи обрыва и парил бы в небе не один час. Возможно, мы бы вначале запускали с обрыва макет планера, чтобы убедиться, что восходящий поток достаточно силен.

Затем бы мы обратились к фараону и показали бы ему, что полет в небе возможен, и приступили бы к сооружению целого воздушного флота планеров, в чем нам, быть может, помогли бы умелые мастера фараона. Усвоив основные принципы полета, люди вокруг нас открыли бы для себя это искусство. Они бы помогали нам, и через несколько лет мы бы уже летали на высоте двадцать тысяч футов над пересеченной местностью со скоростью двести миль в час или даже больше.

А между тем для интереса мы бы начали обрабатывать металлы, добывать топливо и строить моторы.

Все эти предшествующие годы полет на планере был возможен. Он мог бы быть осуществлен. Но не был. Никто не воспользовался принципами полета, потому что никто не понимал их, — никто не понимал их, потому что люди не верили в то, что человек вообще может летать.

Однако независимо от того, верили люди или нет, принципы полета существовали. Выпуклая аэродинамическая поверхность в движущемся воздухе испытывает воздействие подъемной силы, независимо от того, движется воздух сегодня, тысячу лет назад или через тысячу лет. Принципам нет до этого дела. Они сами знают себя и всегда истинны.

Именно мы, человечество, стремимся к тому, чтобы достичь свободы с помощью знания. Поверь в то, что нечто возможно, найди соответствующие принципы, используй их на практике, и *voila*! Свобода!

Время ничего не значит. Время — это лишь способ измерять промежуток между незнанием и знанием или несделанным и совершенным. Небольшой биплан *Питс Спейшл*, который собирают теперь в гаражах и подвалах по всему миру, столетие назад был бы проявлением чудесного всемогущества Бога. В наш век десятки *Питсов* летают в воздухе, и никто не считает их полет сверхъестественным. (Кроме тех, для кого двойная вертикальная бочка, за которой следует внешняя равносторонняя петля, казались сверхъестественными с самого начала.)

Могу поспорить, что среди нас есть больше, чем мы думаем, таких людей, для которых идеал полета не может быть достигнут с помощью аэроплана *Питс*. Возможно, некоторые из нас лелеют тайную мысль о том, что в идеальном варианте полет должен осуществляться вообще без аэроплана, что мы должны открыть принцип, с помощью которого сможем свободно парить в небе без всяких приспособлений. Парашютисты ближе всего подходят пока к этому идеалу, но они тоже не совсем соответствуют ему, потому что могут лететь только вниз, к земле.

Обо всех механических приспособлениях, таких, как летающие платформы или сиденья с реактивной тягой, можно сказать, что они не соответствуют нашей мечте — без жестянки ты не можешь ничего; закончилось горючее, и ты возвращаешься на землю.

Я предполагаю, что в один прекрасный день мы научимся летать без аэропланов. Я считаю, что уже сейчас существует некоторый принцип, который не просто делает это возможным, но и довольно прост. Есть люди, которые утверждают снова и снова на протяжении истории человечества, что это уже осуществлялось. Я не знаю принципа, который лежит в основе такого полета, но думаю, что он каким-то образом дает нам доступ к энергии, которая порождает всю нашу вселенную изнутри. Законы аэродинамики представляют собой лишь одно из проявлений этой энергии, которое мы можем наблюдать с помощью глаз и измерять нашими приборами. Неудивительно, что при этом мы можем подняться в небо только на неуклюжих, грубо сколоченных железных летательных аппаратах.

Если подключение к этой энергии должно произойти без помощи механических приспособлений, значит, мы должны открыть ее в мире наших мыслей. Исследователи сверхчувственного восприятия и телекинеза, а также те, кто изучает философские системы, утверждающие, что человек — это бесконечная идея космической энергии, избрали интересное направление. Возможно, уже сейчас люди где-то летают по научной лаборатории. Я не могу этого отрицать, хотя в настоящее время это и кажется сверхъестественным. Точно так же наш первый планер показался бы ужасно загадочным для египтян, угрюмо стоящих в маленькой долине и всматривающихся в небо.

Еще некоторое время, пока мы будем изучать эту проблему, старый грубый заменитель из заводской стали, называемый *аэроплан*, будет стоять между нами и воздухом. Но рано или поздно — я твердо верю в это — все мы, египтяне, каким-то образом научимся летать.

Рай — нечто сугубо личное

Я видел, как они направляются через несколько акров бетона к своим большим самолетам с черными кожаными летными сумками в руках или как они, подобно серебристой молнии, рассекают небо на высоте четыре тысячи футов четырехструйным следом инверсии. И я всегда думал, что пилоты пассажирских самолетов — это самые высокооплачиваемые, а это, в свою очередь, означает — лучшие. Я бы никогда не стал утверждать, что принадлежу к числу лучших среди ныне живущих пилотов, если бы не полетал на самолетах транспортной авиакомпании. И кроме того, деньги... Вот как ложно вырисовывается ситуация, в которую попадают многие летчики.

После многих лет отказа от того, что, как я боялся, сделает меня водителем воздушного автобуса, скучнее чего не может быть ничего на свете, я пришел к выводу, что, возможно, мое отношение к авиакомпаниям — обычный предрассудок. Если я действительно хорошо знаю самолеты и небо, — думал я, — единственно подходящее для меня место — в кабине какого-нибудь *Боинга*, и чем скорее я там окажусь, тем лучше. Я сразу же подал заявление о поступлении на работу в *«Юнайтед Эйрлайнз»*. Я предоставил им список всех самолетов, на которых летал, с указанием числа часов и номеров пилотских удостоверений. Когда я подавал документы, я даже не упомянул о своем опыте, потому что знал, что если я могу вообще что-либо делать, то это значит, что я могу летать на самолете. На зарплату командира экипажа рейсового авиалайнера я сразу же собирался купить *Бич Стэггервинг*, *Спитфайр*, *Миджит Мустанг* и *Либелл*.

Среди экзаменов, которые нужно было пройти при приеме на работу, был один, который проверял мои личные качества.

Пожалуйста, ответьте «да» или «нет»: существует ли только один истинный Бог?

«Да» или «нет»: важны ли подробности?

«Да» или «нет»: всегда ли нужно говорить правду?

Да или нет. Гм. Я надолго призадумался, отвечая на вопросы экзамена на должность летчика авиакомпании. И завалил его.

Мой друг, пилот *Юнайтед*, грустно улыбнулся, когда я подавленно рассказал ему о случившемся.

— Дик, тебе нужно было подготовиться к этому экзамену! Тебе нужно было сходить в школу, дать им сотню долларов, и они бы сказали тебе все ответы, которые авиакомпания хочет от тебя услышать. Ты бы ответил как полагается, и тебя бы взяли. Неужели ты сам отвечал на эти вопросы? *Да или нет: голубой цвет красивее, чем красный*? Ты отвечал на это сам?

Итак, я решил разделаться с этим экзаменом. У меня не было ни малейших сомнений, что я мог бы быть прекрасным командиром экипажа, но этот экзамен был камнем преткновения на моем пути. Но как раз перед тем, как я собирался заплатить деньги и получить ответы, я шутки ради спросил о жизни пилота авиакомпании.

Не такая уж и плохая жизнь. Несколько лет ты чувствуешь себя виноватым, что приносишь домой столько денег за то, что всегда казалось тебе просто приятным времяпрепровождением. Естественно, ты должен быть на хорошем счету у служащих авиакомпании, только так ты сможешь продолжать занимать свою должность. Твои туфли должны сверкать, и на тебе должен быть галстук. Конечно же, ты следуешь всем инструкциям, вступаешь в профсоюз и делаешь себе прическу в соответствии с политикой авиакомпании. Кроме того, недальновидно было бы с твоей стороны подсказывать пилотам, которые работают дольше тебя, возможности улучшить технику управления самолетом.

Список обязанностей продолжался, но, начиная с этого времени, я стал чувствовать в себе какое-то странное глубинное беспокойство, словно зашевелилось мое внутреннее *я*. Ведь, может быть, у меня самые лучшие в мире способности для того, чтоб изучать строение и функционирование отдельных узлов самолета, думал я, может быть, у меня лучше, чем у остальных, развиты неординарные навыки управлять им в воздухе, может быть, я могу летать с абсолютным совершенством. Но если при этом мои волосы не так коротко подстрижены, как того требует политика компании, будет считаться, что я недостаточно хорошо справляюсь со своими обязанностями. А если я откажусь носить на своей одежде эмблему компании, как это ни странно, я никогда не буду хорошим летчиком. А если я когда-нибудь подскажу начальнику, как лететь...

Чем дальше я слушал, тем больше понимал, что экзаменаторы *Юнайтед* были правы. Чтобы быть пилотом авиакомпании, нужно не просто знать рычаги и педали, приборы и системы. Я никогда не смогу стать хорошим служащим авиакомпании, и к тому же, если учесть мою врожденную подозрительность в отношении политики всех компаний, можно с уверенностью сказать, что я буду никудышным пилотом авиакомпании.

Авиакомпании всегда казались мне какими-то загадочными Эльдорадо, которым всегда нужны хорошие пилоты. Этим пилотам всегда предлагают золотые россыпи за то, что они несколько часов в месяц полетают на прекрасно-оснащенном-и-великолепно-ухоженном реактивном авиалайнере. А мой маленький рай стоит у моего окна. В конце концов, они — далеко не самые лучшие. Они — просто пилоты авиакомпании.

Итак, я вернулся к своему маленькому биплану, сменил масло, завел мотор и порулил на взлетную полосу с расстегнутой пуговицей на воротничке, в потертых туфлях и с волосами, которые уже две недели не стрижены. И оказавшись высоко над землей, зависнув над кромкой летнего облака и выглядывая из своей кабины на мирные зеленые поля, блестящие от солнечного света и окруженные бесконечным прохладным небом, я вынужден был признать, что если мне не довелось побывать в раю пилотов авиакомпании, то тот рай, который у меня уже есть, вполне удовлетворит меня еще на некоторое время, пока не подвернется что-то получше.

Родом с другой планеты

Я летал в *Клип-Уинче*, отрабатывая ради развлечения небольшую последовательность элементов: мертвая петля, бочка, хаммерхед, а затем иммельман. Я был рад, что в этот день не теряю высоты после иммельмана. Весь фокус в том, чтобы подать ручку управления вперед до отказа, поднимаясь носом вверх, а затем немного нажать на одну из педалей на первой половине переворота, заканчивая переворот нажатием на другую педаль. Это не самая приятная фигура высшего пилотажа, которую можно себе вообразить, но после некоторой практики начинаешь получать от хорошего маневра большее удовольствие, нежели от обычного полета по горизонтали. Когда-то пилоты, которые видели мой иммельман, говорили мне: *Ну, у тебя очень плохой переворот.* Мне приходилось объяснять им, что в ВВС меня никогда не обучали маневрам с переворотами, поэтому мне приходилось отрабатывать их самостоятельно. И поскольку мое самообразование движется медленно без помощи зубастого летного инструктора, который сидел бы рядом со мной, я рад, если мне удается перевернуть машину к тому моменту, когда уже приходит время садиться.

Я закончил свою работу над этой довольно замысловатой последовательностью элементов, в которой иммельман у меня получался не так уж плохо, и полетал еще некоторое время, поглядывая из кабины на людей, которые работали на земле, шли в школу или ехали в своих жестяных автомобильчиках, похожих на ракушки, по дорогам, на которых им едва хватало места, чтобы не столкнуться. Затем посадка, и через мгновение мотор был уже

11 – 4584

таким же безжизненным, как пятьдесят минут назад, до взлета. Это обычное окончание обычного полета. Я вылез из кабины, отвел ручку управления до упора, закрепил веревками шасси и хвост и зафиксировал струбциной руль направления.

Но внезапно в этот момент у меня возникло очень странное чувство, хотя я и занимался самыми обычными будничными делами. Аэроплан, солнечный свет, трава, ангар, зеленые деревья вдали, струбцина у меня в руке, земля под ногами... все это показалось чужим, странным, загадочным, далеким.

Это не моя планета. Я родом не отсюда.

Ничего подобного со мной раньше не случалось. Это был один из самых непонятных моментов в моей жизни. У меня по телу забегали мурашки, когда я почувствовал, как неловко руки держат фиксатор рулей.

Этот мир показался мне странным, потому что он действительно таинствен. Я живу в нем совсем недолго. Я храню в подсознании тайные воспоминания о других временах и других мирах.

Эти мысли внушают суеверный страх, сказал я себе, давай не будем об этом, друг. Но я не мог прекратить их. Я даже вспомнил туманные проблески этого чувства, которое посещало меня и раньше по возвращении на землю после полета, — каждый раз возникала очень убедительная мысль о том, что эта планета вполне может быть школой, уроком, испытанием для нас, но наш дом — не она.

Я пришел из других мест, и наступит время, когда я туда вернусь.

Я так увлекся этим странным чувством, что, уходя, забыл поставить башмаки под колеса аэроплана, вызвав недовольство самим собой, когда пришел к самолету полетать в следующий раз. Рассеянный растяпа, который забывает поставить башмаки под колеса, — ведь он может в будущем еще и не такого натворить!

Однако это призрачное чувство иногда охватывает меня с тех пор, когда это случилось впервые после описанного мной полета на *Кабе*. Я не знаю, что и думать о нем, но мне все время кажется, что в этом чувстве есть что-то подлинное. И если оно подлинно, если все мы проходим через эту планету для того, чтобы чему-то научиться или сдать какой-то экзамен, что все это значит в таком случае?

Если все это верно, возможно, не о чем беспокоиться. Быть может, я могу посмотреть на то, что кажется мне таким неизбежным и роковым в этой жизни, глазами пришельца с другой планеты и увидеть, что все это не имеет ко мне никакого отношения. И это даст мне возможность жить дальше совсем по-другому.

Я не думаю, что представляю собой единственного пришельца, который стоял ошеломленный со струбциной в руке, приземлившись после нескольких иммельманов. Наверное, другие пилоты тоже переживали подобные озарения, которые открывали им, что всю сложность мира невозможно свести к осмотру аэроплана перед взлетом и нажатию на педаль в полете. Я знаю, что каждый из тех, кто летает, может иногда сталкиваться с этим знанием, с этим ощущением таинственности мира, который под давлением здравого смысла кажется нам знакомым и родным.

И я был прав. Однажды после группового полета над летними облаками, удивительно красивыми в этот день, мой друг заговорил об этом сам.

— Ты слышал, конечно, все эти разговоры об уходе в другие миры. В такие минуты, как сейчас, я чувствую себя так, словно я только что пришел оттуда. Такое странное ощущение, понимаешь, будто я пришелец с Венеры или с какой-нибудь другой планеты. Тебе это знакомо? С тобой такое бывало? Ты когда-нибудь задумывался об этом?

— Возможно. Иногда. Да, я задумывался об этом.

Значит, я не сумасшедший, думал я. По крайней мере, я такой не один.

Теперь это чувство посещает меня все чаще и чаще, и я должен признаться, что не так уж неприятно — быть родом с другой планеты.

Интересно было бы узнать, как там летают.

Приключение на борту летающего дачного домика

Он продавал мне свой аэроплан, потому что ему нужны были деньги, но за три года он успел к нему привыкнуть и любил его, и ему хотелось думать, что я полюблю его тоже. Казалось, что он считает аэроплан живым существом и желает, чтобы оно было счастливо в этом мире. Вот почему после того, как он убедился, что я умею осторожно летать на нем, и после того, как я вручил ему чек, Брент Браун не мог больше сдерживать себя. Он повернулся ко мне и спросил:

— Ну, что ты о нем думаешь? Он тебе нравится?

Я не мог ответить. Я не знал, что сказать ему. Если бы аэроплан был *Питсом*, или *Чемпом*, или моторным планером из стекловолокна, я бы воскликнул:

— Вот это да! Какой великолепный аэроплан!

Но самолет был *Рипаблик Сиби* 1947 года выпуска, и его красота подобна очаровательной глубине глаз женщины, которая не похожа на кинозвезду с обложки журнала, — прежде чем ты почувствуешь ее обаяние, ты должен понять, что она за человек.

— Я не могу тебе сказать, Брент. Аэроплан летает хорошо, но я еще к нему не привык, он кажется мне большим и незнакомым.

Даже когда установилась хорошая погода, и я в конце концов улетел подальше от снежного Логана, штат Юта, я не мог искренне сказать Бренту Брауну, что буду всегда любить его аэроплан.

Теперь, когда я перелетел на нем через всю Америку зимой, путешествовал во Флориду, на Багамские острова и снова возвратился на континент, где как раз была в разгаре весна, когда я провел на нем в воздухе почти сотню часов, я могу начать отвечать на его вопрос. Мы с этим аэропланом летали вместе на высоте тридцать тысяч футов над острыми, как изломанная сталь, горными вершинами, где любая поломка мотора означала бы довольно большие неприятности. Мы с ним взлетали с поверхности океана, когда начинало штормить и где с моим опытом новичка в управлении гидросамолетами океанские волны несколько раз чуть было не отправили нас на дно, разломив аэроплан на большие куски. После всех этих испытаний я пришел к выводу, что *Сиби* во всех отношениях можно доверять; возможно, то же самое он мог бы сказать обо мне. И возможно, если бы я оказался снова в Логане, штат Юта, Брент Браун мог бы сказать, что я действительно полюбил этот самолет.

Чтобы появилось доверие, нужно преодолевать препятствия. Вот, например, одно из них. *Би* — самый большой аэроплан, которым я когда-либо владел. Размах его крыльев с законцовками* равен почти пятидесяти футам. Вертикальное оперение такое высокое, что я не могу даже помыть хвост аэроплана без лестницы. При полной заправке он весит больше, чем полторы тонны... Я сам не могу откатить его на расстояние, равное ширине рулежной дорожки, и даже два человека не могут оторвать заднее колесо от земли.

Полети на этой машине в Рок-Спрингз, штат Вайоминг, например, возьми ее с собой туда, а затем посади против ветра, дующего со скоростью двадцать узлов с порывами до тридцати (благодари Бога за то, что сплетни о посадке *Сиби* против ветра не соответствуют действительности), после больших усилий привяжи ее к щиту (проклиная дьявола за то, что сплетни о езде по земле против ветра верны) и дай ей замерзнуть в течение ночи так, чтобы масло стало густым, а тормоза — словно сделанными из камня. А теперь попробуй поднять ее в небо, давай, попробуй добиться этого. Это все равно что заставлять летать замерзшего

* См. прим. на стр. 330.

мамонта. Для того, чтобы завести мотор *Каба* или *Чемпа*, не нужна ничья помощь, но для *Сиби* она иногда необходима.

Я налегал на гладкую алюминиевую гору *Би* всем своим телом, как отчаянная снежинка, пытаясь расшатать ее туда-сюда, но она не сдвигалась ни на дюйм, хотя я выбился из последних сил. Затем из ветра вынырнул Фрэнк Гарник, управляющий аэропорта, и поинтересовался, не помочь ли мне. Мы защепили мамонта снегоуборочной машиной и оттянули его на такое расстояние, чтобы колеса прокатились некоторое расстояние от того места, где они вмерзли в землю. Затем мы включили обогреватель моторного отсека и зарядили батарею. Через полчаса мамонт стал олененком, а его мотор загудел, словно мы были не в Рок-Спрингз, а в Майами. Ты не можешь всегда обходиться без посторонней помощи — усвоить этот нелегкий урок мне помог парень, который не оставил меня в беде.

Летая на больших самолетах, учишься тому, как устроены его системы и как они работают. Возьми, например, шасси и закрылки. Они движутся вверх-вниз, повинуясь безмолвным принципам работы гидравлических систем, которые так надежны, что не требуют механического дублирования или аварийного режима работы. Так, если ты выпускаешь шасси для приземления, делая сорок или около того движений гидравлического ручного насоса, во время посадки на взлетно-посадочную полосу номер 22 в Форт-Уэйне, штат Индиана, и касаешься асфальта шасси, которое еще не успело защелкнуться, ты слышишь громкий звук — ЗЭМ! — и через мгновение до тебя долетает скрежещущий, воющий, ревущий шум, который напоминает скольжение тяжело нагруженного автомобиля на крутом повороте горной дороги.

После того, как ты заглушаешь от досады мотор, в кабине воцаряется тишина, и стоя посреди полосы номер 22, ты слышишь рядом с собой голос диспетчера.

— У вас возникли затруднения, Сиби-шесть-восемь Кайло?

— Да, у меня затруднение. Шасси не сработало.

— Роджер-шесть-восемь Кайло, — вещает голос, милозвучный, как сама Америка, — свяжитесь с командой наземного обслуживания на частоте один-два-один-точка-девять.

Ты слышишь это и начинаешь смеяться.

Конечно же, все произошло именно так, как утверждает заводская инструкция: *посадка на бетон с убранным шасси лишь сдерет одну шестнадцатую дюйма стали киля вашего нового Сиби*. Ремонтная бригада Форт-Уэйна подоспела, чтобы продолжить этот урок пользования большими самолетами. В шасси лопнула скоба, и механик обнаружил это и вставил новую.

— Что я вам должен за это?

— Ничего.

— Бесплатно? Вы, механик ремонтной бригады, предлагаете мне, незнакомому человеку, скобу бесплатно?

Он улыбнулся, наверное, думая о цене.

— Вы остановились на территории наших конкурентов, поэтому мы вас обслуживаем бесплатно. В следующий раз — добро пожаловать на нашу сторону.

Затем Маури Миллер бесплатно отбуксировал мой самолет через Баер-Филд к Джону Найту из *Объединенных авиалиний**, который помог мне осуществить полную проверку работоспособности шасси, что также не стоило мне ни цента. То ли дело было в *Сиби*, то ли в этих людях, то ли в этот день солнце взошло как-то не так, как обычно, но Форт-Уэйн все никак не мог прекратить оказывать мне помощь.

— Не рассматривай *Сиби* как аэроплан, который может садиться на воду, — сказал мне год назад Дон Кит. — Считай, что это яхта, которая может летать.

В том, что яхта умеет летать, нет ничего плохого, если тебя не беспокоит то, что она летает не так быстро, как, например, пуля, выпущенная над полем. Для *Би* нижний предел крейсерской скорости равен девяноста милям в час, а верхний — ста пятидесяти. Если ты запасешься терпением, долетишь на этом самолете куда угодно. На нижнем пределе крейсерской скорости бака горючего

* United Airlines.

емкостью семьдесят пять галлонов хватает ему на восемь часов полета, на верхнем — на пять часов с лишним.

Пролетая на своей яхте над штатами Индиана, Огайо и Пенсильвания, ее капитан имел достаточно времени: он решал, что пришло время для его судна *Сиби* оправдать свое название.

— Люди, это яхта, которая умеет летать! Всего лишь три доллара, и вы целые десять минут проведете на небесах! Это полностью безопасно. Ваш капитан, Бах, имеет удостоверение пилота, выданное правительством. Это летчик-ас, на его счету тысячи полетов и ни одного несчастного случая. Бывший пилот истребителя, который служил на военно-воздушных базах в Гонконге и Гонолулу, лично управляет самолетом!

Города, озера — все проносилось внизу. Теперь я уверен в том, что на этом аэроплане можно летать.

После того, как я провел двадцать часов в *Би*, я понемногу начал чувствовать себя дома. Каждый день аэроплан казался мне все меньше, все более маневренным и несколько лучше управляемым, чем плавучий дом в небе, по сути, он именно таковым и был. Его кабина имеет в длину немногим больше девяти футов, и, если открыть дверцу в пустую нишу, которая располагается под мотором, длина кабины увеличивается еще на три или четыре фута. Сиденья раскладываются и образуют двуспальную кровать обычного размера. В действительности *Сиби Хилтон* — это первая летающая гостиница, в которой я мог растянуться во весь рост и крепко спать всю ночь... Об этом достоинстве не стоит забывать, когда речь идет о машине, в которой нужно проводить ночи, стоя на якоре у берега пустынного озера.

Сиби оснащен тремя большими дверцами — слева, справа и на носу. Последняя из них располагается на расстоянии четырех футов перед сидением второго пилота. Руководство пользователя сообщает, что эта дверца предназначена *для выхода в лодку и рыбной ловли;* она также служит отличным средством для вентиляции кабины в полдень в багамских водах, где кабина всегда перегревается от прямых солнечных лучей.

Если капитан бросил якорь у прибрежных скал или просто не желает покидать свое судно, он может выйти из кабины через любую дверь и растянуться на солнце, постелив полотенце на теплом алюминии крыла. Здесь можно писать, думать и слушать, как волны плещутся по всей длине корпуса гидроплана.

С помощью печки, работающей на сухом спирте, он может приготовить горячую еду на крыше кабины, внутри нее или же на плоской поверхности, находящейся прямо под рукой, справа от пилотского кресла.

Мне довелось слышать многие нелестные отзывы в адрес мотора *Франклин*, установленного на *Сиби*, который необычен тем, что имеет длинный вал винта, и тем, что он установлен в задней части аэроплана, так что винт работает на отталкивание. Несмотря на все эти отзывы, у меня возникала только одна небольшая проблема с мотором. Я заметил, что, когда мотор работает на свечах, питающихся от магнето, он говорит *ммммммммм-мммммм*, а когда он работает на свечах, подключенных к распределителю, он говорит *ммм-м-мммм-мммм-м*. По дороге я заглянул в мастерскую и полистал руководство по диагностике неисправностей, в результате чего сделал вывод, что клеммы, к которым подключался распределитель, немного засорились. Так оно и оказалось. Я удалил старые клеммы, заменил их набором новых (которые подходили также к мотору *Плимута* 1957 года выпуска*), и с тех пор мотор говорит *мммммммммммммммм*, работая на любых свечах.

В соответствии с руководством по эксплуатации, *Франклин* рассчитан на работу в течение шестисот часов, а затем нужен тщательный техосмотр. Отработав уже двести часов после техосмотра, мой мотор сжигает две третьих кварты масла в час, работая в нормальном крейсерском режиме. Это меня радует, поскольку в других *Сиби* встречаются *Франклины*, которые расплескивают столько же масла в час на вертикальное оперение, и это тоже считается нормальным.

---

* Plymouth («Плимут») — марка автомобиля.

Говорят, что *Сиби* со стандартным крылом* иногда не желает взлетать. Руководство утверждает, что новая *Би* с хорошо отрегулированным мотором может взлетать с поверхности воды после разбега длиной 13 690 футов. Я никогда не летал на аэроплане со стандартным крылом, поэтому я не могу прокомментировать это утверждение. Скажу лишь, что в течение целого лета с полной кабиной пассажиров без затруднений взлетал с поверхности Медвежьего озера, штат Юта, которое находится на высоте шесть тысяч футов над уровнем моря. Удлиненные крылья с законцовками на них все же что-нибудь да значат.

Одно из особых удовольствий для владельца *Сиби* заключается в том, что над головой у пилота имеется небольшой рычажок включения реверса тяги. Он установлен потому, что *Би*, в отличие от поплавковых гидросамолетов, обычно подходит к причалу носом вперед, и поэтому он должен уметь отходить от него хвостом вперед. В руках опытного пилота этот рычажок делает самолет таким же маневренным, как большой тяжелый аллигатор.

Реверсом тяги можно пользоваться и на земле. Пилот подкатывает к бензозаправке, въезжает в узкий промежуток между другими машинами, заправляется, и когда все смотрят на него и не знают, что ему дальше делать, он зевает, откатывает медленно назад и отправляется восвояси.

Такое удобство трудно превзойти, но у аэроплана есть другие и даже лучшие особенности. Месяц назад я пролетел в *Сиби* около двух с половиной тысяч миль над оросительными каналами. Это были самые безопасные перелеты, которые мне когда-либо приходилось совершать. Если бы мотор отказал, мне нужно было бы просто спланировать прямо вниз и немножко повернуть для посадки на поверхность воды. Мы пролетали над болотами, которые тянулись до самого горизонта. Здесь нигде не было нужного количества твердой земли, чтобы мой *Каб* мог приземлиться, но для *Би* это был один огромный международный аэропорт: она

---

* Существует базовая модель со стандартным крылом и усовершенствованная версия с увеличенным размахом крыла и установленными на его консолях законцовками. Автор летал на усовершенствованной модели.

могла сесть на воду где угодно, на любой полосе, против ветра, по ветру, поперек ветра, и при этом не мешали бы другие самолеты. Этот самолет не предназначен для посадки по приборам, но при таких условиях его можно было посадить и так.

Пролетая над высоким побережьем мыса Хаперас, я летел при такой погоде, при которой не отважился бы подняться в воздух ни один пилот наземного самолета, если бы прямо под ним не было стомильной бетонной полосы. Облака опустились до высоты двухсот футов и видимость была не больше мили. Однако в *Сиби я* чувствовал себя в безопасности. Я опустился до высоты пятидесяти футов над водой и, ведя пальцем по карте, летел вперед, как новая модель *Крис-Крафта*. Когда видимость еще больше ухудшилась, я наполовину опустил закрылки и замедлил скорость. Когда вокруг уже совсем ничего не было видно, я решил приземлиться, для чего мне понадобилось убрать газ и поднять нос немножко вверх. Перед самой поверхностью воды, когда уже было видно поблескивающую рябь, я заметил светлую полосу впереди, что означало мель. Тогда мы пролетели над водой еще милю и, когда глубина снова увеличилась, сели. Поскольку я не люблю воды, как цыпленок, мне очень нравится, что *Сиби* — амфибия.

Опасным аспектом полетов в *Сиби*, как и во всяком самолете-амфибии, является способность этого самолета садиться везде. Я разговаривал с тремя пилотами, которые решили сесть в *Сиби* на воду с выпущенными шасси. Двоим из них пришлось выплыть поскорее из стремительно тонущего аэроплана, а третий отделался легким испугом и необходимостью ремонтировать носовую часть самолета, которая сильно пострадала от удара о воду. Поэтому я приучил себя говорить вслух, заходя на посадку на земле: *Иду на посадку на землю, поэтому шасси ВЫПУЩЕНЫ*. И так: *Иду на посадку на воду, поэтому шасси УБРАНЫ. Проверяю, что УБРАНЫ: левое основное УБРАНО, правое основное УБРАНО, хвостовое УБРАНО. Потому что я ПРИВОДНЯЮСЬ.* Мне нравилось дважды произносить вслух эту фразу перед посадкой на воду. Это немного напоминает перестраховку, но есть что-то впечатляющее в перспективе оказаться прижатым ко дну озера тридцатью двумя сотнями фунтов. Поэтому мне пришлась по вкусу эта перестраховка. Кроме того, *Би* — не только самый большой аэроплан, который у меня когда-либо был, это еще и самый дорогой аэроплан из всех, которые я когда-либо покупал. Мне бы не хотелось наблюдать, как какой-то аварийный катерок поднимает крючком на поверхность девять тысяч долларов из моих личных сбережений. Если бы это был обычный *Сиби**, который стоит от пяти до семи с половиной тысяч, возможно, я бы не отказался за этим понаблюдать.

К тому времени, когда я протрясся в кабине моего аэроплана в течение пятидесяти часов, я наконец-то научился садиться на нем. Тридцать часов понадобилось для того, чтобы поверить, что я действительно могу быть так высоко над землей, когда колеса касаются ее; еще двадцать ушло на то, чтобы понять, что, даже если колеса коснулись земли, — это еще не значит, что я не лечу так же, как и до этого. Причина в обоих случаях одна и та же: у *Сиби* такие длинные гидравлические амортизаторы, что они катятся по земле еще несколько секунд после того, как самолет уже фактически летит, и касаются земли за несколько секунд до того, как он фактически переносит на них свой вес при посадке.

Следует предупредить, что при обслуживании *Сиби* нужно выполнять самую разную работу. Я не заметил этого, потому что мне нравится возиться с самолетами и я никогда не различаю обязательную и второстепенную работу. Вот что мне пришлось купить вскоре после приобретения самолета:

Якорь с цепью
Надувной спасательный плот
Шприц для густой смазки и смазку
Кремневый цемент
Кремневый аэрозоль

---

* Со стандартным крылом (см. прим. на стр. 330).

Уплотнитель для герметизации

Автоматический компас

Зажим для ножниц

Гидравлическая жидкость

Трубка магистрали высокого давления тормозной системы

Трюмный насос

Велосипед

Пробка

С каждым наименованием в списке связана своя история, даже с пробкой, которой пришлось заткнуть маслоотводное отверстие в моторном отделении, чтобы черное масло не разбрызгивалось по белому корпусу.

Пропеллер нужно смазывать каждые двадцать часов, так же как и подшипники колес и арматуру шасси. Вся эта работа по обслуживанию горы Алюмидаг может доставлять удовольствие.

Другие особенности полета на *Би* пилот усваивает на практике. Очень приятно, например, вырулить из воды на одинокое дикое побережье, но при этом нужно убедиться, что самолет находится несколько выше уровня воды, на ровной твердой поверхности. Если это не соблюдено, капитану придется примерно час повозиться с лопатой в руках, подкладывая время от времени старые доски под колеса *Сиби*, чтобы вызволить их из земли и вернуть амфибию в воду.

Если поплавки на кончиках крыльев не запечатаны герметически в местах соединения с помощью силиконовой резины, вода заливается внутрь во время движения по воде поперек ветра. При движении по воде по ветру поплавки иногда оказываются полностью под водой. Сравни показания дифферентометра при взлете с различной нагрузкой; *Би* — самолет, очень чувствительный к продольному наклону корпуса. Однажды, когда на большой высоте установился фиксированный продольный наклон с небольшим подъемом носа самолета вверх, мне пришлось отпустить немного газ, чтобы снова лететь горизонтально, — я просто не могу больше чем несколько минут терпеть такой наклон.

Кто-то однажды сказал, что все стоящее всегда вначале пугает. Я немного боялся и перестраховывался, летая на *Би*, — как ты можешь знать, что случится с дачным домиком в воздухе, если ты никогда не поднимался на нем в небо? Но проходит некоторое время, и капитан узнает его сильные и слабые стороны, начинает постигать его секреты.

Одну тайну *Сиби* я обнаружил случайно — ничего подобного в других аэропланах со мной не случалось. Если тебе придется лететь на высоте девяноста пяти сотен футов при 2200 оборотах двигателя в минуту и двадцати двух дюймах давления в коллекторе со скоростью девяносто семь миль в час при температуре воздуха за бортом — минус пять градусов по Фаренгейту, если ты сидишь один на левом сиденье и если ты будешь петь *Господи, упокой душу этих веселых человечков* или какую-то другую песню в том же частотном диапазоне, твой голос зазвучит как *четыре* голоса... ты станешь подобным воздушному Вилли-Киту. Эта странная акустика, несомненно, имеет какое-то отношение к разреженному воздуху, резонансу с работающимся двигателем. В результате наблюдается явление, которое должно представлять интерес для тех капитанов, которые предпочитают распевать песни только тогда, когда их никто не слышит. Какой другой самолет в мире предлагает все эти возможности плюс полный квартет певцов по пути к далекому озеру в пустыне?

Предлагаю тебе, дорогой читатель, тоже приобрести себе *Сиби*.

Письмо от богобоязненного человека

Я больше не могу молчать. Ведь кто-то должен сказать вам, пилоты аэропланов, как устают те, кто не принадлежит к вашему кругу, от ваших бесконечных разговоров о том, как приятно летать, и приглашений прийти в воскресенье в середине дня, чтобы немножко пролететь с вами и почувствовать, что такое полет.

Ведь кто-то должен категорически сказать вам *нет*. Мы не придем в выходной или какой-нибудь другой день, чтобы подняться в воздух в одном из ваших опасных маленьких драндулетов. Нет, мы не считаем, что летать так уж приятно. С нашей точки зрения, мир был бы намного лучшим местом для жизни, если бы братья Райт выбросили на мусорник свои дурацкие планеры и никогда не пускались в полет со скалы Китти-Хоук.

Отчасти мы это можем понять. Мы прощаем каждому его увлеченность, когда он только начинает работать над чем-то очень интересным. Но это постоянное, не прекращающееся ни на один день миссионерство. Создается впечатление, что вы находите что-то священное в том, чтобы болтаться в воздухе, но ни один из вас не знает, как глупо это выглядит со стороны в глазах тех, кому присуще чувство ответственности за свою семью и за своих ближних.

Я бы не писал этого, если бы были какие-то надежды на улучшение обстановки. Но она продолжает ухудшаться с каждым днем. Я работаю на мыловаренном заводе, являюсь представителем хорошей безопасной профессии, мои интересы отстаивает профсоюз, и я буду получать пенсию, когда отработаю положенное время на производстве. Люди, с которыми я работал, были когда-то прекрасными людьми с развитым чувством ответственности за свои действия, но теперь из шестерых человек, которые работали в нашем цехе, умерло три, пятерых охватила летная лихорадка. Я — единственный оставшийся нормальный человек. Поль Вивер и Джерри Маркес вдвоем уволились с работы неделю назад. Они вместе хотят податься в новый бизнес, который состоит в том, что они будут таскать в воздухе с помощью аэропланов рекламные плакаты.

Я умолял их, спорил с ними и обращал их внимание на финансовые стороны жизни... расчетные чеки, выслугу лет, профсоюз, пенсионное обеспечение... я говорил как будто со стенами. Они знали, что потеряют деньги *(«...Это только вначале»,* — говорили они. «...*Пока не разоритесь до конца»,* — предупреждал я.). Но им так понравилась идея полета, что одной этой идеи им было достаточно, чтобы развязаться с работой и уйти с мыловаренного завода... где они проработали пятнадцать лет!

Самое вразумительное объяснение, которое мне удалось услышать от них, состояло в том, что они хотели летать. При этом у них было такое выражение лица, что я понял, что какие бы мотивы они ни излагали, я все равно никогда не стану их единомышленником.

Я их действительно не понимаю. У нас все было общим, мы были лучшими друзьями до тех пор, пока не появился этот летный бизнес — так называемый *авиаклуб*, который, как чума, захлестнул рабочих завода. Поль и Джерри вышли из клуба игроков в шары в тот самый день, когда вступили в *авиаклуб*. С тех пор они не возвращались, и, думаю, уже никогда не вернутся назад.

Вчера, когда шел дождь, я не поленился посетить ничтожную маленькую полоску травы, которую они называют аэропортом, чтобы поговорить с парнем, который возглавляет *авиаклуб*. Я хотел сообщить ему, что он разрушает человеческие судьбы и предприятия по всему городу, и, если у него еще осталось хоть какое-то чувство ответственности, он сделает вывод и уберется восвояси. В разговоре с ним я и услышал это слово *миссионерство*, которое я здесь употреблю в отрицательном смысле. Судя по тому, что он делает, я бы сказал, что он — миссионер дьявола.

Когда я пришел, он работал над одним из аэропланов в большом сарае.

— Может быть, вы не знаете, что делаете, — сказал я. — С тех пор, как вы появились в городе и организовали свой *авиаклуб*, вы в корне изменили жизни большего количества людей, чем я могу сейчас назвать.

В течение минуты, кажется, он не понимал, как я был зол, потому что сказал:

— Я просто принес с собой эту идею. Они сами начинают чувствовать, что такое полет.

Он сказал это так, будто столько разрушенных человеческих жизней было его заслугой.

Мне показалось, что ему около сорока лет, хотя, клянусь, он старше. Он даже не прекратил работать, разговаривая со мной. Самолет, над которым он трудился, был сделан из ткани, обычной старой тонкой ткани, которая была покрашена так, чтобы казаться металлом.

— Мистер, вы занимаетесь бизнесом, — сказал я прямо, — или вы открыли здесь новую церковь? Ты довел людей до того, что они ждут воскресенья, чтобы прибежать сюда, так, как они никогда не ждали его, чтобы сходить в церковь. Ты сделал так, что о *близости к Богу* заговорили те, кто вообще никогда не произносил слова *Бог* в течение всего времени, что я их знаю, то есть в течение всей своей жизни.

В конце концов он, кажется, начал понимать, что я не очень-то рад разговору с ним и что, по моему мнению, ему лучше переехать в другое место.

— Извините меня за них, если можете, — сказал он. Но я едва ли мог его слышать. Он залез под приборную панель своего маленького самолетика и принялся раскручивать один из приборов. — Некоторые начинающие пилоты действительно увлекаются. Иногда нужно, чтобы прошло какое-то время, прежде чем они научатся спокойно говорить о своем любимом занятии.

Он вылез на минуту, чтобы выудить из ящика с инструментами отвертку с меньшим жалом. Затем он улыбнулся мне приводящей в ярость самоуверенной улыбкой, которая говорила, что он не собирается убираться отсюда, когда ответственные люди просят его об этом, и добавил:

— Наверное, я — миссионер.

— Ну это уж слишком, — сказал я. — Я уже достаточно наслушался этих разговоров о полетах, которые даруют-мне-близость-к-Богу. Мистер, разве вы когда-нибудь видели Бога на престоле? Разве вы видели когда-нибудь, чтобы ангелы кружились вокруг вашего сколоченного на скорую руку аэроплана?

Я задал ему эти вопросы, чтобы отрезвить его, чтобы сбить с него спесь.

— Нет, — сказал он. — Никогда не видел Бога-на-престоле и ангелят-с-белыми-крылышками. Равно как не встречал и ни одного пилота, который бы настаивал на том, что видел их. — И снова он залез под приборную панель. — Когда-нибудь на досуге, дружище, я расскажу вам, почему люди начинают говорить о Боге, когда впервые поднимаются в небо на аэроплане.

Он угодил прямо в мою ловушку, даже не произнеся *с-вашего-позволения-сказать*. Теперь-то я смогу понаблюдать, как он будет выбираться из нее, как он будет заикаться *ну, знаете ли... это ведь, гм...* как он будет нечленораздельно бормотать что-то, доказывая тем самым, что является не лучшим проповедником Евангелия, чем работником мыловаренного завода.

— Продолжайте, продолжайте, мистер Летчик, — сказал я. — Давайте прямо сейчас. Я вас слушаю.

Я не потрудился сказать ему, что принимал участие во всех религиозных встречах, которые проходили в городе за последние тридцать лет. Мне даже было немного жаль его, потому что он не знал, с кем разговаривает. Но ведь он сам поставил себя в такое положение, занявшись своим смехотворным *авиаклубным* бизнесом.

— Хорошо, — сказал он, — давайте уделим минуту тому, чтобы определить, о чем мы будем разговаривать. Вместо того чтобы говорить *Бог*, давайте будем, например, говорить *небо*. Естественно, небо — это не Бог, но для людей, которые любят летать высоко над землей, небо может быть символом Бога, и это — не такой уж и плохой символ, если вы задумаетесь над ним.

Когда вы становитесь пилотом аэроплана, вы начинаете по-другому чувствовать небо. Небо всегда вверху... его невозможно скрыть, убрать, сковать цепями или подорвать. Небо просто существует, независимо от того, признаем мы это или нет, смотрим мы на него или нет, любим мы его или ненавидим. Оно есть; спокойное, громадное, всегда там. Если вы не понимаете его, оно кажется очень загадочным, не так ли? Оно всегда движется, но никогда не уходит. Ему никогда нет дела ни до чего другого, кроме себя. — Он вынул прибор из панели, но продолжал говорить, никуда не торопясь.

— Небо всегда было, оно всегда будет. Оно все понимает правильно, никогда не обижается и не требует, чтобы мы делали что-то каким-то определенным образом, в какое-то конкретное время. Поэтому оно является не таким уж и плохим символом Бога, не правда ли?

Было похоже на то, что он разговаривает сам с собой, отсоединяя провода, вынимая прибор, — все это он делал медленно и осторожно.

— Это довольно плохой символ, — сказал я, — ведь Бог требует...

— Погодите, — сказал он, и мне показалось, что он вот-вот засмеется, глядя на меня. — Бог не требует ничего до тех пор, пока мы не просим ничего. Но как только мы желаем получить что-то от него, мы сразу сталкиваемся с требованиями, правильно? Так же и с небом. Небо не требует от нас ничего до тех пор, пока мы ничего не хотим получить от него, до тех пор, пока мы не стремимся полететь. После этого сразу же появляются всевозможные требования к нам и законы, которым мы должны подчиняться.

Кто-то однажды сказал, что религия — это способ поиска истинного, и это неплохое определение. Религия пилота — полет... в полете он постигает истину неба. При этом он должен подчиняться его законам. Законы вашей религии известны мне, а законы нашей называются *аэродинамика*. Следуйте им, работайте с ними, и вы полетите. Если вы не следуете им, никакие слова и высокопарные фразы не заменят настоящий полет... вы никогда не оторветесь от земли.

Здесь я поймал его.

— А как насчет веры, мистер Летчик? Ведь человек должен верить, чтобы...

— Забудьте об этом. Единственное, что требуется, — это следовать законам. Да, конечно, для того, чтобы попробовать, мне кажется, нужна вера, но *вера* — это не совсем подходящее слово. *Желание* — подходит лучше. Человек должен желать познать небо для того, чтобы воспользоваться законами аэродинамики и убедиться, что они работают. Однако в итоге все сводится к тому, как он следует этим законам, а не к тому, верит он в них или нет.

Существует, например, такой небесный закон, который утверждает, что, если вы будете двигаться в этом аэроплане против ветра со скоростью сорок пять миль в час, опустив хвост вниз, он взлетит в воздух. Он начнет удаляться от земли и приближаться к небу. Затем в силу вступают другие законы, но этот закон — едва ли не самый главный. Вам не нужно верить в него. Вам нужно лишь попробовать разогнать аэроплан до скорости сорок пять миль в час, и тогда вы во всем убедитесь сами. Когда вы сделаете это много раз, вы убедитесь, что этот закон всегда работает. Закону дела нет до того, верите вы в него или нет. Он просто работает каждый раз, и все тут.

Вера никуда вас не переместит, но, если вы обладаете знаниями, пониманием, вы можете путешествовать куда угодно. Если вы не понимаете закон, тогда рано или поздно вы нарушите его. Нарушая законы аэродинамики, вы довольно быстро вывалитесь из неба, уверяю вас.

Он вылез из-под приборной панели, улыбаясь, будто вспомнил какой-то конкретный случай. Но он не сказал мне о нем ничего.

— Можно сказать, что нарушение закона со стороны пилота приравнивается к тому, что вы называете *грехом*. Вы можете даже сформулировать определение греха так: это *нарушение Божественного Закона*, или как-то по-иному. Но все, что я понимаю в том, что вы называете *грехом*, сводится к тому, что что-то неопределенно отвратительное вы не должны делать по причинам, которые не до конца поняты вами. Во всем, что связано с полетом, нет никаких грехов. В этом отношении у пилота не может возникнуть недоразумений.

Если вы нарушаете законы аэродинамики, если вы пытаетесь удержать угол атаки семьдесят градусов на крыле, которое теряет подъемную силу при пятидесяти градусах, вы быстро потеряете из виду Бога, падая отвесно вниз, как любая другая тяжелая вещь. Если вы не покаетесь и не согласуете свое движение с аэродинамикой в течение довольно непродолжительного промежутка времени, вам придется понести наказание — в виде уплаты огромного счета за ремонт аэроплана, — прежде чем вы снова сможете подняться в небо. В полете вы чувствуете себя свободно только в том случае, если повинуетесь законам неба. Если вы не желаете повиноваться им, остаток своей жизни вам придется провести прикованным к земле. Для пилотов аэропланов это является *адом*.

В так называемой религии этого человека были такие большие дыры, что через них можно было проехать на грузовике.

— Все, что вы сделали, — сказал я, — это заменили христианские термины своими летными словами! Все, что вы сделали...

— Совершенно верно. Небо — не самый совершенный символ, но его намного легче понять, чем большинство современных интерпретаций Библии. Когда пилот теряет скорость в верхней точке мертвой петли и начинает падать, никто не говорит, что это происходит по воле неба. В этом нет ничего таинственного. Парень не выдержал правила, в соответствии с которым он должен был лететь более аккуратно и не пытаться сделать угол атаки слишком большим при данном весе самолета. Вот почему он начал падать. Он согрешил, вы можете сказать, но мы не считаем это отвратительным поступком, мы не будем бросать в него камни за это. Этот инцидент говорит сам за себя и дает понять, что ему есть еще чему поучиться, летая в небе.

Падая вниз, этот пилот не угрожает кулаком небу... он недоволен собой, недоволен тем, что не придерживался правил. Он не просит у неба снисхождения, не возжигает перед ним благовония, он снова поднимается в воздух и исправляет свою ошибку, делая на этот раз все правильно. Возможно, ему достаточно лишь увеличить скорость полета перед началом мертвой петли. Поэтому он может простить себе этот грех только тогда, когда он исправил ошибку. Его прощение в том и состоит, что он теперь вернул себе чувство гармонии с небом, а его мертвые петли стали удачными и красивыми. Вот что для пилота означает *рай*... это достижение гармонии с небом, знание его законов и следование им.

Он взял другой прибор со скамьи и снова заполз в свой аэроплан.

— Можно продолжать дальше столько, сколько вам угодно, — сказал он. — Тот, кто не знает законов неба, сочтет чудом то, что большой тяжелый аэроплан будто по мановению волшебной палочки отрывается от земли, не цепляясь ни за что, кроме воздуха. Но это кажется чудом только до тех пор, пока вы не узнаете больше о небе. Пилот не считает, что это чудо.

Пилот самолета с мотором не говорит: *Вот так чудо*!, когда видит, как безмоторный планер набирает высоту. Он знает, что планерист действительно внимательно изучил небо и теперь претворяет в жизнь свои знания.

Возможно, вы не согласитесь со мной, когда я скажу, что мы не поклоняемся небу, как чему-то сверхъестественному. Нам не кажется, что нужно воздвигать храмы или приносить ему жертвы. Мы считаем, что нам нужно только понять небо, познать его законы, влияние этих законов на нашу жизнь. Лишь так мы можем достичь лучшей гармонии с небом и найти свободу. Вот откуда берется радость, которая вынуждает все новых пилотов садиться на землю и говорить о том, что они были рядом с Богом.

Он плотно привинтил провода к новому прибору и внимательно проверил их подключение.

— Когда начинающий пилот делает свои первые шаги в понимании небесных законов и видит, что они работают в его руках точно так же, как в руках других пилотов, тогда полет начинает приносить ему радость и он, возможно, ожидает возвращения в аэропорт так, как проповедники хотели бы, чтобы их прихожане ожидали прихода в церковь. Каждый день пилот изучает что-то новое, что-то такое, что приносит радость и свободу от привязанности к земле. Другими словами, пилот, изучающий небо, познает реальность. Он счастлив, и каждый день для него — праздник. Разве не так должны чувствовать себя прихожане?

Наконец я поймал его.

— Значит, *ваша религия* говорит, что ваши пилоты не являются ничтожными грешниками, которым вскоре придется мучиться в аду и жариться в вечном огне проклятия?

Он снова улыбнулся той приводящей в ярость улыбкой, которая не давала мне даже удовольствия думать, что он ненавидит меня.

— Нет, конечно же, если они могут удачно выйти из мертвой петли...

Он закончил работать с аэропланом и выкатил его из сарая на солнечный свет. Облаков уже почти не осталось.

— Я думаю, что вы — язычники. Как вам это нравится? — спросил я со всей злостью, которая была во мне. Я надеялся, что молния тут же поразит его насмерть, чтобы доказать ему, каким неисправимым язычником он в действительности является.

— Вот что я вам скажу, — ответил он. — Мне нужно проверить, как работает этот прибор. Почему бы вам не пролететь со мной немножко над полем, и тогда вы сами сможете сделать вывод о том, кто мы — язычники или сыны Божии.

Я сразу понял, на что он намекает... он хочет вытолкнуть меня за борт, когда мы будем высоко над землей, или попасть в воздушную яму и погибнуть вместе со мной из ненависти ко мне.

— Нет, только не это! Не надо поднимать меня в небо в этом гробу. Я вам не чета, вы это знаете. Вы — язычник и будете вечно жариться в адском пламени.

Его слова прозвучали так, будто он сказал их для себя, а не для меня... так тихо, что я едва ли расслышал его.

— Не буду до тех пор, пока повинуюсь законам неба, — сказал он.

Он забрался в свой маленький матерчатый аэроплан и завел мотор.

— Вы уверены, что не желаете прокатиться вверх? — крикнул он.

Я не удостоил его ответом, и он поднялся в воздух сам.

Так слушайте же меня, вы, летающие люди, которые говорят о своем *знании неба* и о своих *законах аэродинамики*. Если вы говорите, что небо — это Бог, вы оскверняете тайну, навлекаете на себя проклятие, и молния поразит вас и все другие бедствия будут преследовать вас за ваше святотатство. Спуститесь же с неба, придите в себя и никогда больше не требуйте, чтобы мы приходили к вам в воскресенье в середине дня.

Воскресенье — это день богослужения. Не забывайте об этом.

Говорят, нам отведено десять секунд

На то, чтобы вспомнить поутру ночные сны. Тьма, закрыты глаза, заметки на память, обрывки и тени — поймать, обнаружить — похоже, жив, — уловить — что спящий сообщил бы тому себе, который проснулся вполне.

Магнитофон — я пытался — этакая маленькая штучка на батарейке рядом с подушкой — втолковать ей свой сон мгновенно, едва проснувшись. Не вышло. В течение нескольких секунд я помнил, что происходило ночью. Но понять впоследствии значение воспроизводимых с ленты звуков — увы. Какой-то странный голос, надтреснутый и глухой, — он подобен скрипу некоей древней таинственной двери, словно сон есть не сон, а сама смерть.

Ручка с бумагой работали несколько лучше, и когда строки наконец перестали нечитаемо наползать друг на друга, мне удалось узнать кое-что о путешествиях той части меня, которая никогда не спит. Бесконечность горных цепей в стране сновидений, полеты во множестве, и множество школ, и океанов, бьющихся у стен высоченных утесов, все время — странная обыденность и урывками — редкое мгновение то ли из прошлой жизни, то ли из того, чему предстоит еще быть.

Довольно скоро я заметил, что дни мои — те же самые сны, и точно так же они скрываются в глубинах забвения. Безвозвратно утерянные события прошлой среды, и даже прошедшей субботы, — столкнувшись с этим, я начал вести записи дней, подобно тому, как перед этим фиксировал ночи, и довольно долго меня преследовало опасение: а вдруг я позабыл уже почти всю свою жизнь?

Когда же у меня набралось несколько коробок записей, и лучшие из них — мои самые любимые рассказы — были собраны вместе, чтобы составить эту книгу, я обнаружил: забыто, в общем-то, не столь уж многое. Ибо что бы ни случалось — тяжелые времена или времена радостные, какие бы фантазии ни приходили мне на ум в полете — я записывал все, заполняя рассказами и заметками страницы летного журнала. Их набралось несколько сотен — этих страниц. Купив первую в своей жизни пишущую машинку, я пообещал самому себе: никогда не писать о том, до чего мне нет дела. Ни о чем, что не изменило бы каким-то образом мою жизнь. Приятно — мне почти полностью удалось это обещание исполнить.

Однако есть на этих страничках места, написанные не слишком хорошо. Мне приходится зашвыривать ручку куда-нибудь подальше, иначе нет никакой возможности удержаться и не переписать наново «С чайками что-то не то» и «Я никогда не слышал, как звучит ветер» — первые из моих рассказов, которые удалось продать журналам. Ранние рассказы включены в эту книгу потому, что даже сквозь неловкость стиля начинающего неизбежно проглядывает то, что происходило с ним, и его мысли для кого-то могут стать моментами обучения и, возможно, лучиком улыбки для того, кому плохо.

В начале того года, в который мой «Форд» ко мне вернулся, я написал послание к самому себе — поперек календаря, там, где Ричард Бах из отдаленного будущего смог бы на него наткнуться:

Вот он, этот день — ты дожил до него. Каким образом? Сейчас кажется, что для этого должно случиться чудо. Издали «Чайку Джонатана»? Фильмы?

Совершенно неожиданные новые проекты? С каждым днем все идет лучше и лучше, счастливее и счастливее? А что ты думаешь о моих нынешних страхах?

Р.Б. 22 марта 1968 г.

Возможно, еще не слишком поздно, возникнув из тумана, ответить на его вопросы.

Ты выжил потому, что принял решение не сдаваться — тогда, когда битва отнюдь не доставляла тебе удовольствия... Это и было единственным необходимым чудом. Да, «Джонатан» в конце концов издан. Фильм и другие идеи, о которых ты даже не задумывался, — все это только-только начинается. Так что, будь добр, не трать время на волнения и страхи.

Ангелы — они всегда говорят что-нибудь в этом роде: не дрейфь, и стенания тоже ни к чему, все будет о'кей. *Я-тогдашний*, вероятно, глянул бы хмуро на *меня-нынешнего* и сказал:

— Хорошо тебе говорить, а я со вторника не ел ничего!

А может быть, и нет. Ведь он был оптимистом и веру никогда не терял. До самого конца. Если бы я предложил ему здесь вот заменить слово, там — абзац, это — выбросить, а то — добавить, он сказал бы:

— Ты заблудился, парень, катись-ка ты обратно в свое будущее, мне и без тебя прекрасно известно, как сформулировать то, что я намерен сказать.

Старая формула: профессиональный писатель — тот любитель, который не бросил в самом начале. Каким-то образом, возможно потому, что не мог долго заниматься ни одной другой работой, неуклюжий дилетант превратился в небросившего любителя, которым и остается по сей день. Я ведь никогда не воспринимал себя как Писателя с большой буквы — того, кто живет исключительно ради воплощенных в чернильных строках слов из тайников его замысловатой души. В самом деле, я могу писать только в тех случаях, когда является некая идея — накал мысли на грани ярости, — хватает меня за горло и, не обращая внимания на мои стенания и вопли, загоняет за пишущую машинку. Она тащит меня волоком, я упираюсь что есть силы — каждый дюйм пола на пути к письменному столу сплошь изрыт следами моих пяток, а стены испещрены глубокими траншеями от ногтей.

На то, чтобы окончить некоторые из этих рассказов, ушла куча времени. Например, «Письмо богобоязненного» я писал три года. Снова и снова я возвращался к этой вещи. Я знал: это очень существенно, это должно быть сказано. Снова и снова — за машинку, но в итоге лишь вырастала гора измятых листов бумаги, засыпавших комнату. Совсем как у писателей, которых показывают в кино. Со скрежетом зубов и совершеннейшей путаницей в мозгу, я бросался ничком на кровать и, обвившись вокруг подушки, пытался сражаться с помощью ручки и чистой тетрадки — иногда, в особо тяжелых случаях, эта уловка срабатывает. Однако идея религии полета ложилась на бумагу карандашными строками цвета свинца, тяжестью своей десятикратно свинец превосходившими, и я ничего не мог с этим поделать, но лишь громко ругался, рвал все, как будто напыщенную убогую писанину можно так вот просто уничтожить — выдрать из тетрадки, порвать на кусочки и разбросать по комнате.

Но однажды это случилось. Парни на мыловаренной фабрике заставили тему работать — без невесть откуда взявшейся команды чана номер три рассказ так и остался бы сморщенным мячом на пустом бейсбольном поле.

Довольно много времени ушло на то, чтобы понять: самое сложное в писательстве — сидя перед пишущей машинкой и как можно меньше думая, позволить теме самостоятельно себя развить. Раз за разом происходит сбой, и в конце концов начинающий писатель усваивает — стоит только начать копаться в идее и медленнее стучать по клавишам, как тут же результат становится все хуже и хуже.

Мне вспоминается «Затерянный в аэропорту имени Кеннеди». Первоначально эта вещь задумывалась как книга, но в итоге оказалась небольшим рассказом, и именно в ходе работы над ним я оказался ближе всего к грани умопомешательства. Как и в случае с «Письмом», слова то и дело соскальзывали куда-то в незримую сферу смертельно унылой тоски — цифры, числа, статистические выкладки то и дело вползали в строки. Почти целый год — дни и недели — в чудовищном замкнутом круге* гигантского

* Аэропорт имени Кеннеди в Нью-Йорке — один из крупнейших международных аэропортов, построен в виде множества расположенных по огромному кругу терминалов и служб.

аэропорта — созерцая все происходящее — целые сумки исследований воздушной кукурузы — корзины заметок о сахарной вате — на бумаге все это превращалось в серую безвкусную мякину.

Наконец я решил: мне нет дела ни до того, что требуется издателю, ни до того, чего, собственно, хочу я сам, просто сделаюсь наивным и глупым, все позабуду и стану *писать*. И только тогда рассказ открыл глаза и закрутился.

Книга была отвержена, едва лишь издатель увидел, как она галопирует поперек игрового поля без малейшего намека на майку с номером сзади. Но в «AIR PROGRESS» вещь взяли сразу — как она была — нечто странное — не книга, не рассказ, не очерк. И мне неясно — победил я тогда или потерпел поражение.

Любой, кто поверяет журнальным страницам тайны своей любви, и свои страхи, и озарения, навсегда прощается с личными секретами разума — он отдает их миру. Когда я писал «Сколь их компания приятна», одна из сторон этого прощания выглядела простой и очевидной: чтобы узнать писателя, необходимо не познакомиться с ним лично, а прочесть то, что он написал. Рассказ возник сам собой в результате внезапного открытия: некоторые из моих самых близких друзей — люди, с которыми я никогда не буду лично знаком.

На то, чтобы понять другую сторону прощания с секретами, мне понадобилось несколько лет. Что вы можете сказать читателю, который подходит к вам в аэропорту, зная о вас больше, чем о своем родном брате? Мне с трудом верилось, что я доверяю свою внутреннюю жизнь не одинокой пишущей машинке, и даже не листу бумаги, но живым людям, и время от времени они будут появляться и говорить:

— Привет!

А это не так уж приятно для того, кому нравятся вещи, далекие от людской суеты, — небо и алюминий, и места, где по ночам стоит тишина.

— Эй, привет! — Эти слова могут испугать, если вдруг слышишь их в месте, которое всегда считал укромным и уединенным. И благожелательность, с которой они произнесены, не имеет при этом никакого значения.

Сейчас я рад, что было уже слишком поздно звонить Невилу Шюту, или Антуану де Сент-Экзюпери, или Берту Стайлсу, когда я понял, что люблю тех людей, которыми они были. Потому что я мог только лишь испугать их своими восхищенными похвалами, заставить возвести стены «я-рад-что-книга-вам-понравилась», отгородившись ими от моего вторжения. И теперь я знаю их гораздо лучше, поскольку никогда не разговаривал с ними и ни разу никого из них не встречал в книжных магазинах на плановых мероприятиях, где раздают автографы. Я не знал этого, когда был написан рассказ «Сколь их компания приятна», но все равно получилось не так уж плохо... В конце концов, приятно, когда новые истины соответствуют старым без натяжек и допущений.

Подавляющее большинство вошедших в данный сборник рассказов было напечатано в специальных журналах. Несколько тысяч человек, возможно, прочитали их и выбросили или сдали бойскаутам на макулатуру. В том мире, где пишутся журналы, все так мимолетно. Жизнь, по продолжительности равная жизни майской бабочки, и смерть — это если тебя не печатают вовсе.

Вот они — лучшие из моих бумажных детей. Я спас их, извлек из-под многотонных гор мусора, не дал погибнуть в огне и дыму, они снова живы, они бросаются со стен замка, твердо веря в то, что полет — это радость. Перечитывая их сегодня, я слышу свой собственный голос, он гулко отдается в пустой комнате:

— Замечательный рассказ, Ричард! Именно *это* я называю красивой литературой!

Они смешат меня, а кое-где — заставляют плакать, и за это — нравятся мне.

Возможно, какие-то из моих детей могли бы быть вашими. И кто знает, может быть, им удалось бы взять вас за руку и помочь вам прикоснуться к той части вашего дома, которая есть небо.

Издательство *"СОФИЯ"*.
Отделы реализации:
в Киеве: (044) 230-27-32, 230-27-34
в Москве: (095) 912-02-71

E-mail: SophyaInfo@sophya.kiev.ua
http://www.ln.com.ua/~sophya

Литературно-художественное издание

Ричард Бах

ДАР КРЫЛЬЕВ

Перевод:

А. Сидерский, А. Мищенко, О. Черевко,
Ю. Винцюк, С. Степаненко, И. Белякова

Редактор:

И. Старых

Редактор-консультант и автор иллюстраций:

М. В. Крылов

Корректура:

Е. Введенская
Е. Ладикова-Роева
Т. Зенова

Оригинал-макет:

И. Петушков

Обложка:

С. Тесленко

Подписано в печать 20.03.2001. Формат 70×100/32.
Бумага офсетная. Усл. печ. л. 22,00
Тираж 10 000 экз. Зак. 4584

Издательство "София",
03049, Украина, Киев-49, ул. Фучика, 4, кв. 25

ООО Издательство "София",
Лицензия ЛР №064633 от 13.06.96
109172, Россия, Москва, Краснохолмская наб., 1/15, кв. 108

ООО Издательский дом "Гелиос"
Изд. лиц. ИД № 03208 от 10.11.2000
109427, Москва, 1-й Вязовский пр., д.5, стр.1

Отпечатано в полном соответствии
с качеством предоставленных диапозитивов
в ОАО «Можайский полиграфический комбинат».
143200, г. Можайск, ул. Мира, 93